В. И. Бережков
С. В. Пехтерева

# ЖЕНЩИНЫ-ЧЕКИСТКИ

Санкт-Петербург
Издательский Дом «Нева»

Москва
ОЛМА-ПРЕСС
2003

ББК 63.3-8
Б 48

**Бережков В., Пехтерева С.**

Б 48  Женщины-чекистки. — СПб.: «Издательский Дом
„Нева"»; М.: «ОЛМА-ПРЕСС Образование», 2003. — 384 с.

ISBN 5-7654-2328-0
ISBN 5-94849-235-4

Книга посвящена особенным личностям — женщинам, работав-
шим в органах госбезопасности СССР. Эпохальные события XX века,
общение со знаменитыми государственными деятелями, сотрудничество с зарубежными агентами, головокружительная любовь и мировая слава... Все, чем была заполнена непредсказуемая жизнь чекисток, описали в этой книге петербургские авторы: ветеран органов
госбезопасности СССР и Великой Отечественной войны Василий
Иванович Бережков и журналист Снежана Вячеславовна Пехтерева.

ББК 84. 63.3-8

# ПРЕДИСЛОВИЕ

Женское ли это дело — служить в органах госбезопасности? — таким вопросом задаются многие. Наш ответ всем сомневающимся: чекистская работа женщинам по плечу! Спецоперации, вербовка, боевые задания и нелегальная работа редко обходятся без женского участия. Наиболее яркие страницы истории отечественных спецслужб подтверждают этот факт. Любая деятельность, если ею занимается женщина, становится невероятно насыщенной и непредсказуемой. А если прекрасная половина человечества посвящает свою жизнь службе в органах государственной безопасности, то страсти, интриги и роковые повороты судьбы просто неизбежны.

Работа в государственном аппарате связана с высокой ответственностью, сосредоточенностью на служебных обязанностях, чувством долга, может даже повлечь изменения в личной жизни. Чтобы пройти путь чекиста, требуется небывалая сила воли. Ведь эта дорога не обязательно приводит к славе, часто сотрудники спецслужб, творя историю государства, остаются безвестными. Рискуя собственной жизнью, теряя близких людей, преодолевая препятствия, получая несправедливые наказания, эти люди заботятся о безопасности любимой страны.

А о любви женщины написано много. Женская любовь — беззаветная, светлая, не знающая конца и края... Наша книга рассказывает о том, как могут любить женщины-чекистки. И не только любить. Вы узнаете много интересных историй о том, как женщины могут подписывать судебные приговоры, выходить замуж по заданию руководства, добывать деньги для политических организаций, выживать при расстрелах, участвовать в боевых действиях и блистать в высшем свете.

Эти женщины — особенные. С трудной судьбой и подчас головокружительной карьерой. Героини нашей книги занимали разные должности: от рядовых сотрудников до крупных начальников, работая в СССР и за его пределами. Судьба сводила их с выдающимися людьми XX века. Женщины-чекистки были и жестокими, и остроумными, и находчивыми, и мужественными — палитра характеров весьма впечатляюща.

Из всех качеств, необходимых для работы в органах государственной безопасности, можно отметить одно, самое главное и наиболее присущее именно женщинам. Это ценное качество — преданность. В такой сложной деятельности, как чекистская служба, преданность значит все. Об этом — наша книга.

Авторы книги стремились не только раскрыть характеры замечательных людей, но и рассказать о наиболее интересных этапах деятельности отечественных органов госбезопасности.

# ЖЕРТВА РОКОВОГО ВРЕМЕНИ

После ужина она отправилась в свою комнату. Мимоходом, обращаясь к матери, сказала:

— Не беспокойте меня по пустякам. Завтра у меня ответственный день в гимназии, и я хочу пораньше лечь спать.

— Хорошо, — ответила мать, посмотрев на мужа.

Тот молчал, однако все же кивнул головой, что означало, видимо, согласие и уважение к занятиям дочери. Брат никак не реагировал, хотя о сестре знал много.

Закрывая двери своей комнаты на защелку, Варвара Яковлева не только готовилась к занятиям в гимназии. Она разрабатывала методику пропаганды для своей преподавательской деятельности в школе, где ее учениками были рабочие — будущая опора революции. Родители и предположить не могли, что их послушная и ответственная дочь занимается чем-то еще, помимо учебы. Варвара, воспитанная в семье, где царствовал домострой, не посвящала близких в свои личные дела. И потому, приготовив домашние задания, поздним вечером покидала родной дом через окно. Она спешила туда, где ее ждали взрослые ученики, где для нее начинались истоки революционной деятельности.

Варвара Николаевна Яковлева родилась 1 января 1885 года в московской мещанской семье. Ее отец, Николай Николаевич, после окончания гимназии избрал специальностью золотолитейное дело, где стал высококвалифицированным специалистом. Он был сторонником сурового воспитания, а потому и требовал от своих детей — дочери Варвары и сына Николая — безропотного послушания. Заботясь о строгом следовании семейным устоям, Яковлев не разрешал детям уходить из дома без своего согласия. А о том, чтобы выйти на прогулку после восьми часов вечера, не было и речи.

Такой порядок встретил ожесточенное сопротивление дочери, стремившейся еще с юности вести самостоятельный образ жизни. Кто знает, возможно, строгие семейные нравы и способствовали тому, что Варвара вначале встала на путь непослушания в доме, а потом и борьбы со всем тем, что в ее понимании считалось консервативным. Она была упрямой, целеустремленной и фанатичной, не способной на половинчатые решения. Физические закаливания были для нее непременным атрибутом повседневной жизни. В книге «Земля и звезды. Повесть о Павле Штернберге» Юрий Чернов привел следующий эпизод из жизни Варвары Яковлевой: « И еще был такой случай, поставивший ее над всеми, не только девчонками, но и мальчишками двора. Устроили состязание. Поджигали паклю: кто дольше выдержит, не побоится огня. Варя стояла окаменелая, вытянув длинную худую руку. Огонь жег ее пальцы, резко запахло паленой кожей. И не выдержал кто-то из мальчиков, стоявших рядом, — зажал паклю в пятерне, погасил...»

Во время учебы в гимназии Варвара Яковлева проявила большую ответственность и прилежание. В те же годы она оказалась вовлеченной в революционную среду. Студент Московского университета, руководивший драматическим кружком в гимназии, где училась Яковлева, являлся членом подпольной организации. Он сумел убедить Варвару Николаевну в том, что ей необходимо поработать учительницей в школе для рабочих чугунолитейного завода. (На самом деле студент университета «вербовал» Варвару Николаевну. В те годы похожими приемами пользовались многие для привлечения молодежи к политической деятельности).

Не по годам серьезной гимназистке Яковлевой понравилось это предложение, и она согласилась. После первого занятия последовало и второе, и третье... Вскоре Варвара Николаевна не только обучала грамоте своих взрослых учеников, но и снабжала их нелегальной литературой. Понятно, что отец, Николай Николаевич, не одобрил бы такой ранней самостоятельности. Вот и приходилось юной гимназист-ке ходить «на работу» через окно своей комнаты, боясь вызвать гнев главы семейства. Таким образом, Варвара не только приобрела опыт агитации и пропаганды, но и освоила азы конспирации. Яковлевой льстило положение учительницы, ведь рабочие относились к ней уважительно, называли по имени-отчеству.

Окончив гимназию с золотой медалью, Яковлева в шестнадцать лет продолжила обучение на Московских высших женских курсах (физико-математический факультет). Только тогда отец признал самостоятельность Варвары. Сама собой отпала необходимость тайно покидать дом.

Политические пристрастия Яковлевой окончательно определились в тот период, когда революционное движение было на подъеме. В 1904 году Варвара Николаевна вступила в ряды РСДРП и вскоре стала членом ее московского комитета. Яковлева успешно выполняла функции связной и пропагандиста, отчего число членов партии стремительно увеличивалось.

Так Варвара Николаевна Яковлева выбрала путь лишений и преследований, став активной профессиональной революционеркой. Глубокую убежденность в правоте своего дела она доказала, в частности, тем, что привлекла к делу революции своего брата Николая и участвовала в приобщении к политической деятельности известного ученого-астронома Павла Карловича Штернберга.

Николай Николаевич Яковлев (1886-1918) был младше сестры всего на год. Его отличали покладистость, самолюбие и упорство. Брат казался тихим человеком, однако обид не прощал.

Однажды, обидевшись на учителя химии, Николай организовал взрыв на его столе. После этого учитель начал заикаться, а юного Яковлева исключили из гимназии. Отец установил сыну жесткий режим: в течение трех лет мальчик должен был подготовиться к сдаче экзаменов экстерном. «А не то задушу своими руками!» — пригрозил старший Яковлев.

Сын достойно выдержал отшельнический образ жизни, предписанный строгим отцом. В 1905 году Николай сдал вступительные экзамены и влился в студенческую жизнь Московского университета. Тогда он уже посещал занятия своей сестры в школе для рабочих и являлся членом РСДРП. В партии он сначала выполнял отдельные поручения. Затем его революционная карьера резко пошла в гору.

В 1905 году Николай Яковлев участвовал в вооруженном восстании в Москве, а через год, когда сестра Варвара в результате предательства оказалась за решеткой, заменил ее на посту связника. В 1910 году Николай Николаевич занимался восстановлением Московского комитета партии большевиков. С 1911 года он находился в эмиграции, где выполнял функции агента партии. Там Яковлев познакомился с Лениным, который, по воспоминаниям Крупской, называл его «твердокаменным, надежным большевиком».

В 1913 году по заданию Ленина Николай Яковлев возвратился в Москву, чтобы наладить выпуск партийной газеты «Наш путь». (Варвара Николаевна тоже сотрудничала с этим изданием, а также с газетой «Социал-демократ»). «Газету он наладил, — вспоминает Крупская, — но она вскоре была закрыта. Н. Н. (Яковлев — *авт.*) арестован. Дело немудреное, ибо „помогал" налаживать „Наш путь" Малиновский». (О Малиновском Романе Вацлавовиче более подробно мы расскажем ниже).

С конца 1913 года Николай Николаевич находился в нарымской ссылке, откуда бежал в Петербург, где проживал под фамилией Курбатов. В октябре 1914 года его арестовали по доносу агента Охранного отделения и опять отправили в нарымскую ссылку. В 1916 году Яковлев был мобилизован в армию. Там он вел революционную работу в Томском гарнизоне. Впоследствии Николай Яковлев стал одним из руководителей движения за установление советской власти в Сибири. Вскоре Николай Николаевич занял пост председателя Западно-Сибирского съезда краевого Совета в Омске. С декабря 1917 года он проводил большую работу по отгрузке хлеба в центральные районы страны. С февраля 1918 года Яковлев возглавлял ЦИК Советов в Центральной Сибири. После высадки японских интервентов во Владивостоке он участвовал в организации отпора врагу.

Когда произошло падение советской власти в Сибири, Яковлев ушел с группой советских работников в тайгу, где был схвачен белогвардейцами и расстрелян.

«Памяти Николая Николаевича Яковлева, который отдал свою жизнь рабочему классу и был расстрелян адмиралом Колчаком» — такая надпись предваряет работу Николая Ивановича Бухарина «История исторического материализма». Бухарин уважал Яковлева, они были соратниками по революционной деятельности в Москве. Памятуя о дружбе брата с Бухариным, Варвара Николаевна поддержала последнего во время дискуссии о профсоюзах в 1920-1921 гг.

В 1919-1921 гг. Варвара Николаевна работала в Сибири, занимаясь вопросами, которые курировал ее брат до падения там советской власти.

Что касается другого человека, которого Яковлева приобщила к революционной деятельности, то его с Варварой Николаевной связали самые крепкие узы.

Павел Карлович Штернберг (1863 — 1920) — выходец из обрусевшей немецкой купеческой семьи. Он с раннего возраста увлекался астрономией. Павел Карлович успешно продвигался по служебной лестнице благодаря своим способностям, деловитости и трудолюбию. В 1913 году Штернберг стал профессором, а в 1916 году — директором Московской обсерватории.

Встреча с Варварой Яковлевой произошла на Московских высших курсах. Яковлева там получала образование, а Штернберг читал курс астрономии. Сначала их отношения были только деловыми: молодая

11

Варвара Николаевна своими революционными убеждениями произвела на известного ученого сильное впечатление. Спустя два года он вступил в РСДРП.

Тогда же он предложил Яковлевой руку и сердце. Разница в возрасте была довольно значительная: Павлу Карловичу к тому времени исполнилось сорок пять лет, а Варваре Николаевне — восемнадцать. В Яковлеву нельзя было не влюбиться: красивые темные глаза, вдохновенный голос, твердый характер и неуемная энергичность. Она нравилась многим мужчинам.

Однако для Яковлевой первостепенным делом была работа в партии. Безусловно, одной из важнейших проблем являлось финансирование революционной деятельности. Способов добывания денег для партийной казны было много. Суть одного из них состояла в следующем. «Сначала подбиралась кандидатура богатого и сладострастного старика, — пишет Олег Суворов в статье «Вскрытие покажет» (журнал «Искатель», 1999, № 9) — для этого революционеры не брезговали даже такой „агентурой“, как публичные женщины, рассказывавшие им о визитах этого рода клиентов, и даже снабжавшие их адресами. А затем этих стариков знакомили с молоденькими девушками, как правило, членами РСДРП, или с дочерьми наиболее преданных членов партии. Через какое-то время старик умирал, завещая все свое имущество молодой жене, а она уже „отписывала“ его в партийную кассу».

Однако в случае отношений Штернберга и Яковлевой такое заключение неуместно. Варвара Николаевна оберегала супруга от арестов, подвергая опасности себя. Штернберг ни разу не задерживался полицией еще и потому, что совмещал революционную деятельность с научной работой в обсерватории. Конспирация позволила ему сохранить в секрете членство в партии большевиков до февраля 1917 года. (К тому времени у Штернберга и Яковлевой уже родилась дочь Ирина. С ней на руках Варвара Николаевна в 1915 году отправилась в ссылку в Астраханскую губернию). После февральской революции 1917 года (кстати, Варвара Николаевна не участвовала в ней, так как находилась в больнице) Павел Карлович стал членом Московского комитета партии большевиков и членом Центрального штаба Красной армии. Он возглавил боевые действия в Замоскворецком районе. В октябре 1917 года Павел Карлович вошел в президиум Мосгубисполкома, затем был назначен губвоенкомом.

В 1918 году партия отправила Штернберга на фронт, где он сначала был членом РВС 2-й армии, а затем и всего фронта. Варвара Николаевна потеряла мужа в 1920 году. Он умер от воспаления легких, возвращаясь с фронта в Москву.

Как ни была тяжела потеря супруга, но Варваре Николаевне, оставшейся с пятилетней дочерью на руках, надо было жить дальше. Яковлева, подвергавшаяся неоднократным арестам, и подумать не могла, что ее деятельность в организационных структурах окажется роковой.

С начала XX столетия, когда революционное движение находилось на подъеме, Российскую империю захватила волна терроризма. Инициатором выступила партия эсеров. Многие личности, занимавшие ответственные государственные посты, были убиты социалистами-революционерами. В 1904 году жертвой террористов стал министр внутренних дел В. Плеве, а в 1905 — губернатор Москвы, дядя Николая II, великий князь Сергей Александрович.

Террор повлек за собой усиление карательных акций со стороны правоохранительных органов. Деятельность Охранных отделений была встречена общественностью отрицательно. По этому поводу премьер-министр П. Столыпин, выступая на специальных слушаниях в Государственной Думе, говорил: «Пока существует революционный терроризм, должен существовать политический розыск».

К арестам Варвары Николаевны и ее брата были причастны два агента внутреннего наблюдения Московского охранного отделения департамента полиции Малиновский и Романов.

Роман Вацлавович Малиновский происходил из крестьянской семьи. Он работал портным, рабочим-металлистом. Зарекомендовал себя как активный профсоюзный деятель Петербурга и Москвы. На Пражской партийной конференции его избрали членом ЦК партии большевиков. Малиновский возглавлял большевистскую фракцию в IV Государственной Думе. Популярность Малиновского была следствием его незаурядных личных и деловых качеств. Он отличался красноречием, энергией, практической сметкой и умением идти на компромисс.

С апреля 1910 года Малиновский стал агентом внутреннего наблюдения Московского охранного отделения. Он считался одним из лучших секретных сотрудников «охранки», «сдавал» революционеров выборочно. Так получилось с газетой «Наш путь». Роман Вацлавович сообщил о ней в охранное отделение, и в результате ее типография была разгромлена, а редакция арестована. В числе попавших в тюрьму были брат и сестра Яковлевы.

В мае 1914 года Малиновский самоустранился от партийной деятельности, сложил свои депутатские полномочия в Думе. Известно, что такое решение он принял по рекомендации департамента полиции, который боялся разоблачения своего секретного сотрудника и дискредитации Государственной Думы. Поведение Малиновского стало предметом разбирательства на следственной комиссии партии большевиков. Однако тогда обвинения в предательстве были признаны необоснованными, но за дезертирство Малиновского из партии исключили. В ноябре 1915 года Малиновский находился в действующей армии, а потом попал в немецкий плен.

Однако сколько веревочке не виться, конец все равно найдется. После февральской революции 1917 года Малиновский был разоблачен как секретный сотрудник Московского охранного отделения. В связи с этим его дело разбиралось заочно, т. к. он находился в плену, теперь уже на чрезвычайной следственной комиссии Временного правительства, куда для дачи показаний был приглашен Ленин.

Ленин заявил, что деятельность провокатора Малиновского носила и положительный характер, так как тот оберегал от провала газету «Правда» и думскую фракцию большевиков, которые были «двумя крупнейшими органами воздействия партии на массы».

В октябре 1918 года Малиновский по возвращении из плена в Россию сдался властям, надеясь на покровительство Ленина. Но Верховный революционный трибунал ВЦИК приговорил Малиновского к расстрелу. 6 ноября 1918 года приговор был приведен в исполнение.

По признанию высокопоставленных чинов департамента полиции, Московское охранное отделение отличалось умением привлекать к себе агентов из числа революционеров для освещения деятельности партий. Особенно интенсивно это практиковалось в период, когда департамент полиции возглавил Сергей Васильевич Зубатов (1864 — 1917). Это был тот самый Зубатов, который одно время служил в Петербурге начальником Особого отделения департамента полиции и был инициатором поддержки правительством экономического рабочего движения, впоследствии получившего название «зубатовщина». В феврале 1917 года он застрелился.

Еще один агент Охранного отделения — Андрей Сергеевич Романов — был причастен к судьбе героини нашей книги. Романов был московский типографский рабочий, член РСДРП. Он являлся делегатом партийной конференции в Праге. К этому времени он уже стал доверительным лицом многих большевистских деятелей. В Охранном отделении ему присвоили кличку «Пелагея».

По доносу «Пелагеи» в 1906 году была арестована Варвара Николаевна Яковлева. А спустя восемь лет этот агент посодействовал аресту нескольких членов конференции партии большевиков, проходившей в пригороде Петрограда. В ноябре 1918 года Романов был опознан и задержан бывшим матросом Балтийского флота, комиссаром ВЧК Андреем Лобановым. Лобанов тогда руководил отрядом чекистов по задержанию группы белогвардейцев. Судьба агента «Пелагеи» была предрешена.

В книге «Тайны царской охранки: авантюристы и провокаторы» В. Н. Жухрай так описал последние минуты жизни Андрея Сергеевича: «Около двух часов ночи в камеру Романова вошли Лобанов и еще трое чекистов. Романов похолодел.

— Встаньте, гражданин Романов, — раздался голос Лобанова. — Постановлением коллегии ВЧК Андрей Сергеевич Романов, 1888 года рождения, отправивший на смерть и на царскую каторгу много замечательных революционеров, намеревавшийся с группой контрреволюционеров бежать на Дон к белогвардейцам, чтобы продолжить активную борьбу против советской власти, приговаривается к расстрелу.

— Нет, нет! — закричал Романов. — Не хочу! Не надо! Пощадите!

— Вот мразь! — проговорил Лобанов. — И умереть-то, как человек, не может.

Пока Романова тащили к месту казни, в подвальное помещение, он выл. Этот нечеловеческий, звериный вой оборвал выстрел Лобанова».

Но вернемся к судьбе Яковлевой. В 1905 году Варвара Николаевна была участницей декабрьского вооруженного восстания в Москве. Но к баррикадам ее близко не подпускали. Она выполняла обязанности связника и ругала себя за то, что не пошла учиться на врача. Иначе была бы более полезна восставшим.

Первый арест в марте 1906 года стал для Яковлевой испытанием на прочность. После тюремного заключения ее отправили по этапу в Сибирь, в нарымскую ссылку. Однако в 1910 году Варвара Николаевна сбежала оттуда, несмотря на страх перед возможным суровым наказанием.

До конца 1912 года она находилась в эмиграции. Там Яковлева познакомилась с Лениным и Крупской. Надежда Константиновна вспоминала: «Мы отправили Варвару Николаевну в Германию. Она перед этим бежала из ссылки, где заболела туберкулезом...»

В 1913 году Яковлева вернулась в Москву. Началась череда арестов, этапов и побегов. Варвара Николаевна долго помнила этап в Астраханскую губернию. Шел 1915 год, она с дочерью на руках переправлялась через Волгу на пляшущей между льдинами лодке в разгар ледохода. Страх испытывал и сопровождающий ее жандарм.

В 1916 — 1918 гг. Яковлева стала секретарем Московского областного бюро ЦК партии большевиков. Тогда в Московскую область входили Московская, Тверская, Костромская, Калужская, Тульская, Нижегородская, Рязанская, Тамбовская и Орловская губернии. Понятно, что работы предстояло много. Свою дочь Варвара Николаевна видела крайне редко, в основном воспитанием маленькой Ирины занималась бабушка — Анна Ивановна Яковлева. С мужем, Павлом Карловичем Штернбергом, Варвара Николаевна встречалась от случая к случаю.

Что касается семейных отношений, то тут Яковлева придерживалась взглядов известной революционерки Александры Коллонтай. Та отрицала необходимость семьи, считала, что детей в свободном обществе будет воспитывать государство. О сексуальных отношениях однажды высказалась весьма любопытно: «В свободном обществе удовлетворить половую потребность будет так же легко, как выпить стакан воды». Аркадий Ваксберг в книге «Валькирия революции» написал об Александре Коллонтай так: «Магическая женщина, до глубокой старости сводившая с ума и юных, и седовласых». Коллонтай успешно работала на дипломатическом поприще. Будущий посол, она выступала за свободную любовь как непременное условие равноправия женщин. Коллонтай была в близких отношениях с известными революционерами: Шляпниковым и Раскольниковым. Состояла в браке с революционером Дыбенко. (Названные в честь этих супругов улицы расположены параллельно в одном из кварталов Питера).

Точно неизвестно, когда познакомились Варвара Яковлева и Александра Коллонтай. Возможно, это произошло 10 октября 1917 года на пленуме ЦК партии большевиков, где решался вопрос о взятии власти в стране вооруженным путем. Там присутствовали члены и кандидаты ЦК. Этому пленуму предшествовала тяжелая для партии полоса жизни.

Июльские события 1917 года создали условия для появления массовых антибольшевистских настроений. Большевиков обвиняли в организации вооруженного мятежа. В статье «Подготовка октябрьского вооруженного восстания в Московской области» (журнал «Пролетарская революция» 1922, № 10.) Яковлева писала: «После июльских дней все доклады с мест в один голос отмечали не только резкое падение настроений в массах, но даже некоторую враждебность к нашей партии. Были довольно многочисленные случаи избиения наших ораторов. Число членов в организациях сильно уменьшилось, а некоторые организации и вовсе перестали существовать, особенно в южных губерниях». По словам Варвары Николаевны, перелом наступил уже в конце августа, когда во всех губерниях происходил процесс «поголовной большевизации масс». Изменился и состав Советов.

Все эти вопросы и обсуждались на пленуме ЦК партии 10 октября 1917 года. Собрание проходило на квартире Суханова (Гиммера Н. Н.), жена которого, Галина Константиновна, работала в Петроградском комитете. От Московской области там присутствовали Ломов (Г. И. Оппоков) как член ЦК и Яковлева как кандидат в члены ЦК и секретарь областного бюро партии. Другие участники пленума — Ленин, Троцкий, Дзержинский, Свердлов, Каменев, Зиновьев, Сокольников, Коллонтай и Бубнов. Яковлевой было поручено вести секретарские записи. Как отметила Варвара Николаевна, Ленин «появился в совершенно неузнаваемом виде: бритый, в парике. Он напоминал лютеранского пастора».

Выступавшие отмечали рост большевистских организаций и растущее сочувствие масс. «Поздно вечером, — вспоминает Яковлева, — уже после двенадцати часов, было вынесено решение (против двух, при одном или двух воздержавшихся) о том, что партия держит курс на восстание в ближайшее время».

12 октября 1917 года Варвара Николаевна доложила о прошедшем пленуме на заседании Московского областного бюро. Оно одобрило указанную выше резолюцию ЦК партии, о чем было доведено до сведения крупнейших партийных организаций области.

Вскоре на совместном совещании Московского областного бюро, городского и окружного комитетов ЦК РСДРП(б) создали боевой партийный центр по руководству действиями в момент восстания. В этот центр была включена и Яковлева. Тогда в полном объеме проявились ее незаурядные организаторские способности и волевые качества.

Между тем после великого потрясения — Октябрьской революции — жизнь потекла дальше. В Москве в эту осень и зиму было тревожно, по ночам хозяйничали грабители, за ними тянулись отряды анархистов. Грабили открыто, нагло «изымали у буржуев» все подряд, устраивали кутежи с песнями и стрельбой из оружия. В столице то и дело вспыхивали стычки анархистов с рабочими отрядами и отрядами ВЧК. Поэтому, когда в середине апреля 1918 года в одну из ночей анархисты были разоружены, москвичи вздохнули с облегчением: в городе стало спокойнее.

На партийной работе Яковлева находилась до 23 декабря 1917 года. В тот день шло очередное заседание Совета народных комиссаров под руководством Ленина, рассматривалось множество вопросов. И вдруг возник конфликт из-за Варвары Николаевны между Комиссариатом внутренних дел и Высшим советом народного хозяйства. Оба ведомства хотели получить ее к себе на работу. В итоге СНК принял компромиссное решение: Яковлеву ввели в состав НКВД и одновременно назначили управляющим делами ВСНХ.

Накануне открытия Учредительного собрания, намечавшегося на 5 января 1918 года, в Петрограде шло бурное заседание фракции большевиков, где обсуждался вопрос, имеет ли смысл вообще открывать собрание или после его открытия сразу же потребовать признания советского правительства, а в случае отказа — покинуть зал и тем самым сорвать работу органа. На том заседании председательствовала Яковлева. Она отстояла вторую позицию, которой придерживался Ленин.

В то же время по проблеме заключения Брестского мирного договора с Германией 3 марта 1918 года Варвара Николаевна разделила взгляды левых коммунистов, возглавляемых Бухариным. Противниками Брестского мира выступили Дзержинский, Бубнов, Урицкий и другие, ратовавшие за революционную борьбу с немцами. 3—10 марта на экстренном съезде РКП(б) левые коммунисты голосовали против договора с немцами, некоторые из них даже отказались от своих государственных и партийных постов. Яковлева оказалась в их числе. Ее союз с левыми коммунистами был закономерен и не случаен, ведь Бухарин зарекомендовал себя как идейный наставник уже давно, когда Варвара Николаевна только приобщалась к революционной деятельности. (Правда, спустя какое-то время Бухарин признал ошибочность позиции левых коммунистов в вопросе Брестского мира).

В настоящее время существуют разные мнения о необходимости заключения тогда, в 1918 году, мирного договора с Германией. Конечно, Россия потеряла огромные территории. Утверждения, что Ленин был немецким шпионом, а потому и пошел на такой унизительный для Советской России шаг, небезосновательны. Возможно, в тот момент подписание Брестского мирного договора являлось единственно верным решением. Особенно если учитывать разрыв отношений с Антантой, плохую подготовку армии к военным действиям, опасность захвата Петрограда.

Кстати, тогдашние союзники большевиков — левые эсеры — тоже решительно протестовали против Брестского мира. Они вышли из правительства, куда уже больше не вернулись. Позиция Яковлевой по договору с немцами негативно отразилась на ее взаимоотношениях с Лениным. Оставаясь внешне лояльным, он перестал доверять Варваре Николаевне.

24 февраля 1918 года Яковлева участвовала в заседании узкого состава Московского областного бюро РСДРП(б), которое выразило недоверие ЦК партии, отказалось подчиняться решению ЦК по вопросу о мире с Германией и заявило, что считает целесообразным в интересах международной революции идти на возможность утраты советской власти, становящейся после заключения договора чисто формальной.

Позднее Варвара Николаевна не только не стала членом, но и потеряла пост кандидата в члены ЦК партии. Ее дальнейшая судьба определилась на заседании ЦК РКП(б) 18 мая 1918 года. Тогда по просьбе

Дзержинского с целью усиления комиссии ВЧК было решено «перевести туда ряд товарищей», в том числе Яковлеву, для работы в отделе по борьбе с контрреволюционерами при ЧК.

Начался один из самых значительных этапов жизни Яковлевой.

Варвара Николаевна еще в марте 1918 года стала членом коллегии НКВД, работая в Московской ЧК. Кроме того, с июля того же года она — член коллегии ВЧК, а в сентябре 1918 — январе 1919 гг. она председательствовала в Петроградской ЧК. Следует подробнее описать обстановку того времени, чтобы понять, какие обязанностями пришлось выполнять Яковлевой в органах госбезопасности.

До 10 марта 1918 года Петроград являлся столицей Российской империи. Потом правительство переехало в Москву. У руля власти в Петрограде встал Григорий Евсеевич Зиновьев (Г. А. Радомысльский). Так по-настоящему звали Григория Евсеевича Зиновьева. Он родился в 1883 году в Елисаветграде в семье владельца молочной фермы.

Волею судьбы Зиновьев стал фактическим правителем Петрограда. При нем сменилось девять секретарей Петроградского комитета партии, одиннадцать начальников губернской ЧК, а только за 1919 год на посту руководителя городской милиции побывало восемь человек. Зиновьев обладал неограниченной властью. Вот как отзывался о Зиновьеве член партии Федор Раскольников: «После Октябрьской революции Ленин простил Зиновьева и Каменева за «штрейкбрехерство» и не только сохранил их в партии, но и посадил обоих, как бояр, на «кормление»: Каменева — в Московскую, а Зиновьева — в Петроградскую вотчины. Кроме того, они были влиятельными членами не декоративного, а подлинного советского правительства — Политбюро Центрального Комитета». Раскольников отметил также, что «Зиновьев не отличался личной отвагой и, как и все трусливые люди, в панике хватался за орудие террора».

Так сложилось, что в 1918 году Петроград в связи с наступлением немецких войск стал прифронтовым городом и оказался почти в блокаде. В нем царили разруха, голод, террор. Как грибы после дождя, в городе возникали всевозможные нелегальные и полулегальные организации, враждебные новой власти. И хотя заключение Брестского мира остановило нашествие немцев на Петроград, но это было еще не все.

9 марта 1918 года началась военная интервенция стран Антанты. В этот день английский десант высадился в Мурманске, немного позже — в Архангельске, а в апреле того же года во Владивостоке появились американские и японские войска. Летом к советским берегам Черного моря пожаловали английские и французские корабли. Республика оказалась в кольце.

5 мая 1918 года состоялось экстренное заседание

ЦК РКП(б), на котором обсуждался вопрос о международном положении Советской России. По предложению Ленина было принято постановление: «Немецкому ультиматуму уступить, а английский отклонить, ибо война против Германии грозит непосредственно бо́льшими потерями и бедствиями, чем против Японии».

Английский ультиматум сводился к требованию продолжить войну Советской России с Германией. Германия же потребовала передачи Финляндии последнего форта Ино, который входил в систему кронштадтских укреплений и прикрывал подступы к Петрограду. И еще один интересный факт: с 3 по 27 августа 1918 года в Берлине проходило совещание по Восточной Карелии. Финская сторона настаивала на безвозмездной передаче ей Мурманска, Кольского полуострова, Соловецких островов и большой части Онежской губы. Такая вот благодарность Финляндии за предоставленную ей независимость. (Эта страна находилась в орбите Германии вплоть до капитуляции во второй мировой войне в 1944 году).

9 мая 1918 года состоялось еще одно заседание ЦК партии, на котором обсуждалась уместность расстрелов пленных белогвардейцев в связи с тем, что на финляндском фронте происходили массовые расстрелы финских и русских красноармейцев. ЦК отмечал, что «в настоящее время было бы нецелесообразно произвести массовые расстрелы, но против расстрела нескольких человек никто не возражает».

В Петрограде предполагалось «усилить работу по эвакуации», а решение вопроса по использованию военных специалистов поручить Свердлову и Троцкому.

Бедственное положение Советской России благоприятствовало разгулу шпионажа. Недавно созданная Всероссийская Чрезвычайная Комиссия не имела достаточного опыта борьбы с этим явлением. Кроме того, часть опытных разведчиков и контрразведчиков царской России либо бежала из страны, либо перешла на службу зарубежным хозяевам, либо оказалась в войсках белой армии.

В Петрограде наибольшую активность проявляли английская и немецкая разведки. Приведем несколько малоизвестных фактов по этой теме, упомянутых в материалах из архива ФСБ.

Николай Николаевич Жижин (он же фон Майснер, он же Балашов) был сыном крупного астраханского рыбопромышленника, ротмистром Таманского гусарского полка, а в период Временного правительства — офицером особых поручений Общественного градоначальства. После октября 1917 года по рекомендации члена ЦК партии эсеров Сперанского он перешел на службу в английскую разведку, где выполнял задания лейтенанта Кроми. В своем распоряжении Жижин имел конспиративные квартиры в Петрограде и его окрестностях для встреч со своими агентами, которые исчислялись десятками и работали в различных учреждениях города, воинских частях и на флоте. Жижину поручалось собирать информацию на всевозможные темы. В том числе, о формировании воинских частей и даже о настроениях рабочих.

После убийства Кроми с Жижиным стал работать другой разведчик — Гиллеспи, который требовал от бывшего ротмистра еще и переправлять своих агентов на известные передаточные пункты в Мурманск. После ареста, во время следствия, Жижин показал, что это делалось для того, «чтобы в определенное время выступить провокационным путем в тылу Красной Армии».

Его сподручным по шпионской деятельности был фон Экиспаре (он же Орг, он же Ельц) Александр Николаевич, сын прибалтийского барона, есаул 1-го Аргунского казачьего полка, военный корреспондент газеты «Утро России» при Ставке Верховного Главнокомандования. По заданию английской разведки фон Экиспаре организовывал террористические акты против работников советской власти. Этот барон якобы устроил акцию, направленную на уничтожение Ленина в Петрограде, и подготовил первое покушение на Урицкого, которое по не зависящим от плана причинам не удалось.

Еще одним ценным агентом был Николай Дмитриевич Мельницкий (он же Скарбек), бывший морской офицер с крейсера «Новик». Он собирал и передавал информацию о положении на флоте через Жижина лейтенанту Кроми.

Помогал Жижину и Василий Михайлович Окулов, сотрудник царской контрразведки. Он переправлял через финскую границу нужных людей (туда и обратно), иногда брал за это взятки, не гнушался заниматься контрабандой.

В шпионской группе находился еще один человек: Леонтий Николаевич Пашенный, бывший статский советник, бывший помощник начальника русской контрразведки.

16 ноября 1918 года члены этой организации были арестованы и приговорены к расстрелу.

А на немецкую разведку работал Сергей Антонович Бутвиловский, сын крупного помещика, флотский офицер. Он участвовал в создании кооператива «Мирный труд», где проводились встречи с агентурой. Также Бутвиловский участвовал в переправе офицерских кадров в Псков в распоряжение немецких оккупантов, тогда еще не потерявших надежду захватить Петроград.

Но вернемся к нашей героине. В середине 1918 года начальником отдела по борьбе с преступлениями была назначена Варвара Николаевна Яковлева. Она стала единственной женщиной за всю историю органов государственной безопасности, занявшей столь высокий пост.

В тот период Яковлеву направили в Петроград для координации работы по раскрытию и ликвидации «заговора послов». Дело в том, что зарубежные «послы» решили использовать антибольшевистские силы для свержения советской власти. Для этого они провели ряд мероприятий по подготовке вооруженного мятежа, создали агентурную сеть на территории Советской России. Одним из главных заговорщиков был Локкарт, английский журналист, разведчик, с января 1918 года — глава специальной английской миссии при советском правительстве. После ликвидации заговора его арестовали и в октябре 1918 года выслали из страны. В Петрограде раскрытие этого дела завершилось налетом на помещение английского посольства и изъятием оттуда документов. Операцию возглавлял начальник комиссаров и разведчиков Петроградской ЧК Семен Леонидович Геллер, которого лично инструктировал Дзержинский. (О Геллере подробнее мы расскажем ниже).

В то время Петроградскую ЧК возглавлял Моисей Соломонович Урицкий. (Он также был начальником комиссариата внутренних дел Петрограда). Урицкий, имея юридическое образование, пытался организовать деятельность правоохранительных органов на правовой основе. Однако ему не удалось осуществить задуманное, проявляя «сдержанность в репрессиях» нередко он совершая ошибки в подборе и расстановке кадров на ключевые должности.

Так с подачи Урицкого на работе в ЧК появились такие личности с преступными наклонностями, как начальник комиссаров и разведчиков С. Л. Геллер и заведующий следствием С. А. Байковский.

Геллер, уроженец города Вильно (его родители с 1917 года проживали в США), был принят в члены РКП(б) по рекомендации Урицкого. Исполняя обязанности начальника комиссаров и разведчиков, он использовал свое служебное положение для хищения ценностей, конфискованных ПЧК у арестованных, покровительствовал криминальным элементам, в частности, знакомя некоторых из них с материалами следствия. 10 января 1920 года президиум ПЧК приговорил Геллера и трех его сподвижников к расстрелу.

Станислав Александрович Байковский, выходец из Польши, до октября 1919 года находился на посту заведующего следствием ПЧК. Он принимал решения о судьбах арестованных жителей Петрограда и стоял у истоков таких методов допроса, которые позволяли получать в ходе следствия любые «нужные» показания. Байковский судил людей по анкетным данным. В 1938 году он был репрессирован.

После убийства Урицкого в августе 1918 года место председателя Петроградской ЧК занял Глеб Иванович Бокий. А как же Яковлева? После завершения дела «заговор послов» она не уехала в Москву. 16 сентября 1918 года ЦК РКП(б) принял решение «о необходимости самого тесного сотрудничества между Петроградом и Москвой в Чрезвычайной Комиссии, как Всероссийской, так и Петроградской, ввиду того, что многие дела возникают в одном месте, а нити имеют в другом». По этой причине Яковлевой было предложено продлить свое пребывание в Петрограде.

Так из «гостьи» Варвара Николаевна превратилась в полноправного сотрудника Петроградской ЧК, члена президиума комиссии и заместителя Бокия. В начальный период работы на новом месте Яковлева вела себя предельно осмотрительно, ограничиваясь лишь функциями наблюдателя из Центра. Вместе с тем она подписывала кое-какие документы, не имевшие, правда, существенного значения. Вполне возможно, что ее, женщину, местные чекисты не воспринимали в качестве руководителя такого ранга. А зря.

Бокий руководил Петроградской ЧК всего ничего — чуть более месяца. После чего Зиновьев, испытывая глубокую неприязнь к нему, с помощью интриг сумел не только снять Бокия с должности, но и вообще убрать из Петрограда.

10 ноября 1918 года новым председателем ЧК стала Варвара Яковлева.

В тот период в стране бушевал «красный террор». Вот что говорилось в постановлении СНК от 5 сентября 1918 года: «Необходимо опубликовать имена всех расстрелянных, а также основания применения к ним этой меры». В октябре — декабре того же года в газете «Петроградская правда» за подписью Яковлевой появилось шесть списков расстрелянных, количество которых составляло в общей сложности 106 человек. В их числе, например, были: убийца Урицкого Каннигисер; четыре человека — по делу «об организации, поставившей себе целью вербовку на Мурман»; десять — по делу «о выступлении матросов»; пять — бывших чекистов, а остальные — преимущественно бандиты, грабители, спекулянты и убийцы. Среди пяти разоблаченных и расстрелянных чекистов оказались люди, появившиеся на работе в комиссии еще при Урицком. Это комиссары Роман Иванович Юргенсон и Густав Иоганнович Менам — «за намерение присвоить деньги, отобранные при обыске и затем бежать», бывший комиссар Иосиф Филиппович Доссель — «за шантаж и ряд мелких уголовных дел», бывшие сотрудники Алексей Васильевич Кузьмин и Георгий Степанович Кузнецов — по делу «о налете на восьмую роту».

А вот еще один исторический факт. Небезынтересны обстоятельства расстрела некоего Сергеева: «2 декабря по постановлению Петроградской чрезвычайной комиссии по борьбе с контрреволюцией и спекуляцией расстрелян за систематические растраты и пьянство Федор Григорьевич Сергеев, рабочий Путиловского завода, состоящий в партии коммунистов с 1905 года». Сергеев принял приговор очень спокойно. Перед смертью он просил простить его проступки против партии и заявил: «Партия иначе поступить не могла».

Как же так оказалось, что бывшие сотрудники ПЧК стали преступниками? Необходимо отметить, что процедура оформления на работу в чрезвычайную комиссию в те времена была предельно проста: кандидату достаточно было представить рекомендацию первичной партийной организации или одного члена партии. Часто обходилось и без этого — например, при согласии Урицкого беспартийного Шиманского оформили на должность секретаря комиссии.

Не приходится удивляться, что в Чрезвычайную комиссию приходили на работу личности с криминальным прошлым. Проникали туда и люди по поручению враждебных организаций, и даже агенты иностранных разведок. Среди них был Александр Николаевич Гаврюшенков. Дворянин, морской офицер, капитан 2-го ранга, он работал в дореволюционное время в контрразведке Балтийского флота. В феврале 1919 года Гаврюшенков по заданию белогвардейской организации «Великая единая Россия» внедрился в Петроградскую ЧК и работал там помощником заведующего активной частью комиссии. Он предупреждал свою организацию о слежках и предполагаемых арестах. Руководителю организации Дидерхису помог избежать ареста и скрыться в другой стране. Во время массовых обысков в Петрограде Гаврюшенков спас английского разведчика Дюкса, находившегося в опасности, спрятав его на Смоленском кладбище в семейном склепе одного купца. (Поль Дюкс (1889 — 1967) в ноябре 1918 года под видом журналиста приехал в Россию заниматься разведывательной деятельностью вместе с Локкартом и Рейли. Он являлся организатором контрреволюционного заговора в 1919 году. В августе того же года в связи с провалом бежал в Англию, где получил титул баронета). Гаврюшенков готовился перейти границу, но был арестован. На следствии он заявлял, что работал против советской власти по идейным соображениям. Гаврюшенков не желал выдавать своих единомышленников следствию. В январе 1920 года его приговорили к расстрелу.

Шпионом-двойником был Борис Борисович Гольдингер. Он происходил из семьи торговца, представлявшего интересы английской фирмы «Джон Меран» в России. По предпринимательским делам отец и сын часто выезжали в Англию. В июле 1918 года Борис Борисович Гольдингер был арестован по подозрению в шпионаже в пользу этой страны. Находясь в тюрьме, он «сдал» питерским чекистам конспиративную квартиру английского разведчика Гиллеспи. По указанию Яковлевой Антипов (о нем будет рассказано позже) произвел налет на эту квартиру. Материалы в отношении Гольдингера подтвердились, тем не менее его освободили из-под стражи с намерением использовать органами госбезопасности по линии английской разведки. Яковлева предложила этому человеку работу в ПЧК! По словам Гольдингера это выглядело так: «Яковлева рассказала, что я арестован по доносу ‹...› и приняли меня в ЧК с согласия президиума ЧК». Борис Борисович работал в комиссии в должности комиссара. И хотя зарубежные спецслужбы называли его «провокатором, служившим в ВЧК», он по-прежнему снабжал их информацией, в частности, сообщил о намечавшемся расстреле в Петрограде великих князей. Вторично Гольдингер был арестован в конце 1919 года. Ему было предъявлено обвинение в шпионаже не только в пользу Англии, но и Германии. Ну, а дальше — расстрел.

Чекисты Петрограда занимались еще и заложниками из числа аристократов, генералов, офицеров и состоятельных лиц, задержанных после убийства Урицкого и ранения Ленина. Некоторые были освобождены, другие направлены в лагеря принудительных работ на различные сроки, но немало людей из этой массы заложников находилось в неопределенном положении. В местах нахождения заложников процветало пьянство, карточные игры и другие правонарушения. На работников охраны негативное влияние оказывали представители правительственных кругов прежней власти и работники охранки из числа заложников.

Приходится признать, что Яковлева не уделяла этой проблеме никакого внимания. Варвара Николаевна просто игнорировала сложившееся положение вещей. Возможно, для этого имелись объективные причины.

Спустя два месяца Яковлевой предложили срочно возвратиться в Москву. На заседании президиума 30 декабря 1918 года было принято решение отозвать председателя комиссии из Петрограда. Посыпались телеграммы от многих людей, в том числе от Ленина. Последняя телеграмма от 2 января 1919 года гласила:

«Повторяю требование вашего немедленного выезда. Порицаю. Оставьте заместителя, кого хотите, например, Сергеева».

Варваре Николаевне пришлось уехать в Москву. Кто же стал новым председателем Петроградской чрезвычайной комиссии? Яковлева распорядилась назначить на свой бывший пост глубоко симпатичного ей человека — Николая Кирилловича Антипова, а не рекомендованного Лениным Сергеева. Следует заметить, что в основном она общалась с мужчинами. Яковлева легко научилась управлять ими, безошибочно выбирая в союзники тех, кто впоследствии становился преданным человеком.

Став председателем, Варвара Николаевна добилась назначения Антипова своим заместителем. По-другому, впрочем, и быть не могло. Они оба примкнули к революционному движению еще в юношеском возрасте, сполна испытав муки арестов, тюрем и ссылок. Да и по возрасту Яковлева была старше Антипова на десять лет. Все это облегчало возможность взять его под свою опеку, хотя чекистом Николай Кириллович стал совсем недавно. В то время это не было в диковинку — ведь президиум Петроградской ЧК расширялся, и стаж работы в органах госбезопасности не имел решающего значения.

Позднее в Петрограде появились компрометирующие Варвару Николаевну материалы. Узнав об этом, Антипов поспешил сообщить ей об этом, послав в Москву гонца с сообщением личного характера. Тем гонцом оказался уже упоминавшийся Гольдингер.

И еще несколько слов об Антипове. После десятилетнего председательства ПЧК он побывал на различных партийных и государственных должностях во многих городах СССР. В 1936 году Николай Кириллович занимал посты председателя Народного контроля и заместителя председателя Совета народных комиссаров. Также он был членом ЦК ВКП(б). В свите Сталина Антипов появлялся на трибунах и в президиумах. 27 февраля 1937 года в числе двадцати высокопоставленных государственных и партийных деятелей во главе со Сталиным присутствовал на заседании комиссии ЦК ВКП(б) по делу Бухарина и Рыкова. Антипов поддержал предложение Шкирятова: «Бухарина и Рыкова исключить из состава кандидатов ЦК ВКП(б) и членов ВКП(б) и предать суду без применения расстрела». Все, кто голосовал за это предложение, впоследствии были арестованы и расстреляны. Избежал этой участи лишь Н. С. Хрущев. Кто знает, проголосовал бы Антипов за предложение не Шкирятова, а Сталина — может быть, и остался бы в живых. Николая Кирилловича арестовали 21 июня 1937 года по обвинению в том, что он примкнул к контрреволюционной организации правых в 1928 году. 28 июля 1938 года суд приговорил Антипова к высшей мере наказания — расстрелу, и на следующий день приговор был приведен в исполнение. 30 июля 1956 года Военная коллегия Верховного суда СССР отменила этот приговор, и дело было прекращено за отсутствием состава преступления.

Но что стало с Варварой Николаевной Яковлевой после того, как она ушла с поста председателя ПЧК? В Москве к работе во Всероссийской ЧК она не приступила, более того, была выведена из коллегии не только ВЧК, но и НКВД. В январе 1919 года Варвара Николаевна стала членом коллегии Наркомата продовольствия. Таким образом, причины срочного вызова Яковлевой в Москву совершенно непонятны. На этот счет есть несколько версий.

Не вина, а беда Варвары Николаевны состояла в том, что чуть ли не с момента создания Петроградской ЧК на ключевых постах осели авантюристы, предатели и шпионы. Яковлева же, будучи председателем комиссии, не приняла должных мер для их выявления и разоблачения. Ну, а к тем сотрудникам, чья враждебная деятельность ей стала известна, отнеслась снисходительно. Роковую роль сыграло и то обстоятельство, что Яковлева была неопытным руководителем. Понятно, что коллектив ПЧК оставлял желать лучшего. Ведь революционеры (а именно они составляли основной костяк ПЧК) не имели должного образования и соответствующего интеллектуального развития. По этой причине и проводились «пробы» на чекистские должности.

Подтверждением неблагополучного положения дел в Чрезвычайной комиссии Петрограда может служить документ, обнаруженный в Гуверовском архиве

(США), как раз относящийся к периоду работы Яковлевой:

«...Имеем, кроме того, возможность читать не только бумаги самого секретного характера, но даже резолюции, на них налагаемые. Настоятельно необходимо в кратчайший срок поддержать наше крупное дело и увеличить против сметы расходы, чтобы спасти могущее погибнуть государственное достояние. Дороговизна такова, что наши сотрудники буквально голодают. Все эти люди вполне сознают важность своей задачи и потому, оставаясь на своих постах, просят поддержать их во имя пользы России и дать возможность продолжать их работу для облегчения оккупации Петрограда, спасения многомиллионного государственного имущества и избежания излишних потерь в оккупационных войсках. М. В. и В. Н.»

Информация М. В. и В. Н. полностью соответствовала действительности.

Еще одной причиной отзыва Яковлевой из Петрограда мог служить ее небезукоризненный образ жизни. Вольно или невольно Варвара Николаевна превратилась в источник информации для белогвардейских организаций и зарубежных спецслужб. Этим и воспользовался Зиновьев, относившийся к Яковлевой с неприязнью. Григорий Евсеевич «донес» на нее Ленину.

Для разъяснения вышесказанного приведем следующий эпизод. В конце 1919 года петроградскими чекистами была ликвидирована монархическая организация «Великая единая Россия». Член этой организации Андрей Николаевич Елизаров на допросе 3 декабря 1919 года сообщил: «От Дидерхиса я узнал, что у него агентом служил Иван Дмитриевич Покровский, коммунист или сочувствующий. Раза два или три я встречал Покровского у Дидерхиса. До моего ареста Покровский говорил, что он живет с какой-то Яковлевой из Чрезвычайной комиссии. Но после моего ареста я слышал от арестованного Виктора Петрова, что Покровский был любовником Яковлевой, председательницы чрезвычайной комиссии, и что перед арестом Петрова Яковлева ночевала у Покровского — Антонова — Дядина, но настоящие имя и фамилию его я не помню».

Елизаров, сын домовладельца, офицер, член Петроградской городской управы, в организации «Великая единая Россия» руководил курьерами. Он был знаком с английским разведчиком Полем Дюксом. Елизарова приговорили к расстрелу.

В 1919 году под руководством Ивана Павловича Бакаева питерские чекисты ликвидировали ряд белогвардейских организаций, среди которых выделялся возглавляемый английской разведкой «Тактический центр». В это объединение входили несколько влиятельных военных из 7-ой армии и Балтийского флота. Они отражали осеннее наступление Юденича на Петроград. Среди заговорщиков находились даже начальник оперативного отдела штаба Балтфлота

Медиокритский и начальник воздушного дивизиона Балтфлота Берг.

Борис Павлович Берг стал шпионом благодаря небезызвестному английскому лейтенанту Кроми, после смерти которого вышел на связь с Дюксом. 8 декабря 1919 года на следствии Берг дал такие показания в отношении Яковлевой (синтаксис и орфография сохранены):

«Затем, то есть зимой в декабре, организация начала использовать Яковлеву, которая жила в связи с одним военным моряком, через которого Дидерхис ее использовал. Фамилию того моряка мне не называли и не говорили, что он состоит. Фамилию Покровского я слышал неоднократно как члена организации, но имени и отчества я не слышал... Об том что это и был Покровский, узнал только сейчас со слов следователя. Через Яковлеву узнавали и о судьбе Бутвиловского, и нет ли еще какого-либо материала о других членах организации. Знаю, что она занимала очень видное положение — состояла членом «четверки» ЧК и от нее зависело расстрелять или освободить человека. Думаю, что она помогала организации, вероятно, бессознательно, т. е. вообще про нее много говорили. Вероятно, был кто-нибудь еще другой, кто подсовывал ей на подпись ордера на освобождение или другие бумаги. Это продолжалось до ухода Яковлевой, которая ушла, кажется, после ареста Ларисы Рейснер. Параллельно с этим неизвестным мне путем были устроены в отдельную роту ЧК в качестве разводящих три члена организации».

Берг, как и Елизаров, был приговорен к расстрелу.

Сразу вспоминается солидарность Яковлевой с Коллонтай в вопросе сексуальных взаимоотношений; теория «стакана воды» для Варвары Николаевны не теряла своей актуальности и в годы работы в ПЧК. Досадно, что служебные тайны, став раскрытыми, принесли много горя их знающим.

Конфуций однажды сказал: «На свете нет ничего, что более портит других и само подвергается порче, чем женщина».

Однако Варвара Николаевна сохранила определенное положение в руководстве страны. Хоть и менее престижное, чем в ПЧК, но все-таки солидное место в Наркомпроде требовало большой самоотдачи.

Еще при Ленине решения по экономическим вопросам, как правило, принимались без учета анализа положения в народном хозяйстве, исходя из веры в чудо революции. По-другому и быть не могло. Ведь заявил же Ленин, что «каждая кухарка должна уметь управлять государством»! Вот в 1922 году руководство советской России и выслало из страны выдающихся представителей интеллигенции.

В 1918 году делегаты VIII съезда РКП(б) приняли программу развернутого строительства коммунизма. Делегаты, четверть которых не имела вообще никакого образования! Ситуация складывалась не лучшим образом. Большевики после взятия власти в октябре

1917 года и не думали выполнять свои обещания: «Земля — крестьянам! Фабрики и заводы — рабочим!» С лета 1918 года участились случаи, когда рабочие отказывались трудиться. В связи с этим разрабатывалась система мер принуждения к труду, например, трудовые армии 1920 года. Троцкий предлагал даже увековечить эти трудовые армии, сделать из них ударные батальоны и «посылать на важнейшие стройки, чтобы они повысили производительность труда своим примером и репрессиями». Словом, его идеи носили черты «казарменного коммунизма», «аракчеевщины».

Гражданская война заканчивалась. В стране царили голод и разруха. Особенно сложная обстановка складывалась в Петрограде.

13 апреля 1921 года на общегородском совещании представителей фабрик и заводов Зиновьев признал: «Да, товарищи, в Советской России живется очень туго, о Петрограде нечего и говорить — нигде кладбища не росли так быстро, как в Петрограде. Вы не найдете здесь ни одной рабочей семьи, у которой смерть не вырвала бы кого-нибудь за последние годы... Мы делали массу ошибок, так как проделывали гигантскую, беспримерную в истории работу. Только в 1921 году мы приступили к строительству советской власти».

Однако народ обещаниям уже не верил. В стране нарастали гражданские волнения. Самым недобрым напоминанием властям о настроениях народа стал кронштадтский мятеж, названный Лениным восстанием, «которое потрясло устои только что созревающей советской власти — еще неизведанного до сих пор строя».

Выступая на Политбюро ЦК РКП(б), Троцкий требовал подавить мятеж штурмом, иначе «промедление может настежь открыть ворота для контрреволюции». Для осуществления его плана в Петроград уехали делегаты X съезда партии, в том числе Ворошилов, Дзержинский, Тухачевский.

Следует отметить, что на X съезде ЦК РКП(б), состоявшемся 8—21 марта 1921 года, Яковлева была в числе делегатов, которые выдвигались в члены ЦК партии. При голосовании она получила 117 голосов при необходимых 240. Так Варвара Николаевна осталась «за бортом». К тому времени Яковлева являлась членом Сиббюро ЦК РКП(б) и начальником Сибполитпути. С декабря 1920 она — секретарь Московского комитета РКП(б), а с 1921 — Сиббюро ЦК РКП(б).

Внутри партии назревал конфликт. Формировалась оппозиция курсу Ленина, возникали различные политические платформы. В 1920—1921 гг. Троцкий организовал профсоюзную дискуссию, сутью которой было огосударствление профсоюзов, то есть он выступал за милитаризацию профсоюзов и снижение роли партии в строительстве социализма.

По данному вопросу известный революционер Раскольников признавал: «Я никогда не был троцкистом, но в то время совершил грехопадение и примкнул к платформе Троцкого. Я считал, что сведение профессиональных союзов на роль «школы коммунизма» и защитника профессиональных интересов трудящихся недостаточно, необходимо привлечь профсоюзы к управлению государством. Поэтому я с горячностью защищал пресловутые тезисы о «перетряхивании» профессиональных союзов и об их «сращивании» с руководящими хозяйственными организациями. В этой платформе веял синдикалистский душок, роднивший с платформой «рабочей оппозиции» Шляпникова и Коллонтай. Дискуссия оказалась бесплодной, как библейская смоковница. Платформа Троцкого не предвидела нэпа, крупнейшего и крутого поворота, на пороге которого стояла тогда страна».

В 1923 — 1924 гг. Троцкий вновь предложил дискуссию. Ее началом стали письмо членам ЦК и ЦКК партии от 8 октября и так называемое «Заявление сорока шести» от 15 октября 1923 года. Авторы документов обвиняли ЦК партии в неправильном руководстве, грозили расколом и требовали отмены решения партийного съезда о запрете фракций и группировок. «Заявление сорока шести» было вызвано резким обострением экономического кризиса, нарастающим бюрократизмом партийного и государственного аппарата, активизацией деятельности «тройки» — Зиновьева, Каменева и Сталина.

Эти события не могли пройти мимо Варвары Николаевны Яковлевой. В 1920 — 1921 гг. во время дискуссии о профсоюзах она входила в «буферную группу», руководимую Бухариным, а затем примкнула к Троцкому. В 1923 году Яковлева подписала «Заявление сорока шести» и до 1927 года вела организационную работу в троцкистском центре. Спустя некоторое время она порвала с оппозицией и стала сторонницей Сталина.

В дальнейшем ее роль в политической жизни страны фактически сводилась к одобрению курса партии и правительства по всем вопросам. Яковлева была делегатом VII, X, XI, XIV, XVI и XVII съездов партии, членом ВЦИК и ЦИК СССР.

В 1929 году Варвара Николаевна стала народным комиссаром финансов РСФСР. Ее 14 статей по финансовым вопросам вышли отдельными изданиями в 1931 — 1936 гг. Среди них: « Строго соблюдать финансовую дисциплину» (1935 г.) и «Все средства на социалистическое строительство» (1936 г.), выдержанные в духе того времени, обильно разбавленные цитатами из произведений Сталина.

Но Яковлева не подозревала, что жить ей оставалось недолго.

Весь 1936 год и начало 1937 года НКВД по заданию Сталина активно собирало материалы на Бухарина и Рыкова. Венцом травли этих известных политических деятелей стал Пленум ЦК ВКП(б), открывшийся 23 февраля 1937 года. На нем была образована специальная комиссия, которая спустя четыре дня постановила: «Исключить из состава кандидатов в члены ЦК и из рядов ВКП(б) Бухарина и Рыкова; суду не предавать, а направить дело в НКВД». Пленум ЦК партии утвердил это постановление, и в тот же день означенные личности были арестованы.

После этого работа по так называемому «антисоветскому правотроцкистскому блоку» Бухарина и Рыкова стала набирать обороты: были проведены аресты еще 19 человек. Наряду с их допросами подбиралась и свидетельская база из числа отбывавших наказание оппозиционеров, проводились новые аресты.

Суд в отношении деятельности антисоветских организаций состоял из нескольких слушаний. Много людей оказались виновными в итоге, подведенным Вышинским. Троцкий отметил, что выходило так, будто «советское государство выступает как централизованный аппарат государственной измены. Глава правительства и большинство народных комиссаров (Рыков, Каменев, Рудзутак, Смирнов, Яковлев, Розенгольц, Чернов, Гринько, Иванов, Осинский и др.); важнейшие советские дипломаты (Раковский, Сокольников, Крестинский, Карахан, Богомолов, Юренев и др.); все руководители Коминтерна (Зиновьев, Бухарин, Радек); главные руководители хозяйства (Пятаков, Смирнов, Серебряков, Лифшиц и пр.); лучшие полководцы и руководители Красной армии (Тухачевский, Гамарник, Якир, Уборевич, Корк, Муралов, Мрачковский, Алкснис, адмирал Орлов и пр.); наиболее выдающиеся рабочие-революционеры, выдвинутые большевизмом за 35 лет (Томский, Евдокимов,

Смирнов, Бакаев, Серебряков, Богуславский, Мрачковский); глава и члены правительства Российской советской республики (Сулимов, Варвара Яковлева); все без исключения главы трех десятков советских республик, т. е. Вожди, выдвинутые движением освобожденных национальностей (Буду Мдивани, Окуджава, Кавтарадзе, Червяков, Гололед, Скрыпник, Любченко, Нестор Лакоба, Файзула Ходжаев, Икрамов и десятки других); руководители ГПУ в течение последних десяти лет, Ягода и его сотрудники; наконец, и это важнее всего, члены всемогущего Политбюро, фактической верховной власти страны: Троцкий, Зиновьев, Каменев, Томский, Рыков, Бухарин, Рудзутак, — все они состояли в заговоре против советской власти, даже в те годы, когда она находилась в их руках. Все они, в качестве агентов иностранных держав, стремились разорвать построенную ими советскую федерацию в клочья и закабалить фашизму народы, за освобождение которых боролись десятки лет».

В числе арестованных оказалась и Варвара Яковлева. 12 сентября 1937 года ее посадили в тюрьму по подозрению в антисоветской деятельности, но 26 декабря того же года это обвинение было изменено. Яковлева, по мнению следствия, якобы уже была достаточно изобличена в том, что «являлась активным участником нелегальной контрреволюционной троцкистской организации и занималась вредительской террористической деятельностью».

Что же послужило основанием для предъявления столь сурового обвинения? По всей видимости, Варвара Николаевна не давала следствию нужных показаний в отношении Бухарина, левых коммунистов и их позиции по мирному договору с Германией 1918 года.

Незаконные методы следствия были тогда широко распространены. Многие люди оказались морально сломленными, физически униженными при такой «добыче информации». Яковлева не стала исключением.

В феврале — марте 1938 года она предстала на суде, предметом разбирательства которого стал «антисоветский протроцкистский блок». Обвинительную речь полагалось произнести Главному прокурору СССР Вышинскому. Точную характеристику этому человеку дал Л. Д. Троцкий в своей статье «Итоги процесса»: «В годы революции он был в лагере белых. Переменив после окончательной победы большевиков ориентацию, он долго чувствовал себя униженным и подозреваемым. Теперь он берет реванш. Он может глумиться над Бухариным, Рыковым, Раковским, имена которых в течение ряда лет произносил с преувеличенной почтительностью».

Вынесение приговора предваряла на суде «беседа» Варвары Яковлевой с Вышинским. Прокурор задавал вопросы, а подсудимая на них отвечала:

— Вы припоминаете свое участие в 1918 году в группе левых коммунистов?

— Очень точно.

— Расскажите нам кратко, кто был главным организатором и руководителем этой группы?

— Идейным руководителем был Бухарин.

— Кто был организатором деятельности этой группы?

— Фракционным центром антисоветской группы левых коммунистов являлось Московское областное бюро. Оно избиралось на областной партийной конференции в довольно широком составе с участием местных работников. Затем для своей постоянной организационной руководящей работы оно выделяло так называемый узкий состав. В конце 1917 года и начале 1918-го этот узкий состав состоял сплошь из левых коммунистов, и он-то являлся фракционным центром группы левых коммунистов.

— Кто был руководителем этого центра?

— Идейным руководителем был Бухарин. Затем был ряд общественных лиц, которые формулировали идеологию левых коммунистов. К ним принадлежали Преображенский, Радек, Осинский.

— Меня интересуют данные о Бухарине, поскольку он обвиняется по этому делу. Это надо для его характеристики. Скажите, каково было отношение Бухарина к мирным переговорам в Бресте, к заключению Брестского мира?

— Бухарин, как и вся группа левых коммунистов, был против заключения мира с немцами.

— Какие шаги он предпринял для того, чтобы сорвать заключение мира?

— Имелся ряд выступлений в печати и партийных кругах, затем была и нелегальная деятельность группы левых коммунистов, которая была направлена к тому же самому.

— В чем выражалась подпольная антисоветская деятельность группы левых коммунистов? Может быть, припомните наиболее яркие факты, характеризующие ее деятельность?

— Мне известно о нелегальной деятельности антисоветской группы так называемых левых коммунистов следующее. Я упоминала об узком составе бюро, который являлся фракционным центром этой группы. Я являлась секретарем областного бюро, а в момент моего отъезда в Петроград, это было в начале 1917 года, секретарем бюро был Манцев. В конце февраля 1918 года состоялось заседание Московского областного бюро, на котором обсуждался вопрос заключения мира с немцами. На этом заседании член бюро Стуков внес проект резолюции по этому вопросу и выступил в защиту этого проекта, причем высказался в таком духе, что в политической борьбе против заключения мира с немцами, в политической борьбе по вопросу о войне и мире, не следует останавливаться не только перед сменой руководства в партии и в правительстве, но даже не следует останавливаться и перед арестом руководящей, наиболее решительной части правительства в лице Ленина, Сталина и Свердлова, а в случае дальнейшего обострения борьбы не следует останавливаться даже перед ее физическим уничтожением.

— Перед физическим уничтожением кого?

— Вождей партии: Ленина, Сталина и Свердлова.

— Это было на закрытом заседании бюро?

— Заседание было не секретное. Это было открытое заседание узкого состава Московского областного бюро.

— Значит, можно сказать, что это было заседание левых коммунистов, других там не было?

— Да.

— Продолжайте.

— То, что я могу еще рассказать о нелегальной деятельности группы левых коммунистов, относится к несколько более позднему периоду, примерно к концу апреля или к началу мая. В то время было совершенно ясно, что в партии левые коммунисты потерпели жестокое поражение. Это показал VII съезд партии, это показала позиция большинства местных организаций после VII съезда партии, это, наконец, показало и само отношение населения и партийных кругов к заключенному в то время миру. Примерно в конце апреля, а может быть, в начале мая, — я уже не могу точно сказать, — было нелегальное заседание, частное совещание группы левых коммунистов.

Насколько мне помнится, там присутствовали Пятаков, Преображенский, Бухарин, Стуков, Лобов, Малиновский, Манцев, Кизельштейн и я. На этом совещании Бухарин сделал доклад. Он сказал, что левые коммунисты в партии потерпели поражение, но это не снимает вопроса о губительных последствиях Брестского мира; что левым коммунистам не следует слагать оружия; что нужно искать союзников вне партии, такими союзниками и являются левые эсеры. Их позиция по вопросу о войне и мире в это время совершенно определилась. В связи с заключением мира они вышли из состава правительства. Состоялся их второй съезд, который одобрил выход левых эсеров из правительства и их позицию против заключения мира. Бухарин сообщил на этом совещании, что левые эсеры еще в феврале затевали переговоры с левыми коммунистами о совместном формировании правительства, и поэтому он считал целесообразным вступить опять с левыми эсерами в переговоры о совместном с ними формировании правительства. Нужно сказать, что в ходе своего доклада Бухарин развивал те же самые мысли о перспективе борьбы по вопросу о мире. Подобные мысли были изложены в свое время Стуковым, о которых он мне говорил во время той беседы, суть которой я уже изложила сегодня. Он говорил о возможности чрезвычайно агрессивных форм, о том, что теперь уже совершенно ясно стоял вопрос о самом правительстве и о формировании его из левых коммунистов и левых эсеров, что в ходе борьбы за это может встать вопрос и об аресте руководящей группы правительства в лице Ленина, Сталина и Свердлова. Через некоторое время, очень скоро, опять было созвано совещание, примерно в том же самом составе. Совещание приняло предложение Бухарина о том, чтобы вести переговоры с левыми эсерами о совместном формировании правительства, выяснить их точку зрения.

Высказывались за то, чтобы такие переговоры провели Бухарин и Пятаков. На втором совещании Бухарин сообщил, что переговоры состоялись; что они вели эти переговоры с Камковым, Карелиным и Прошьяном; что левые эсеры согласились на совместное с левыми коммунистами формирование правительства, намекнули на то, что у них имеется уже конкретно разработанный план захвата власти и ареста правительства, и что они выставляют определенные условия, чтобы левые коммунисты приняли участие в организационной подготовке захвата власти и смены правительства.

Бухарин предложил дать левым эсерам принципиальное согласие на такое участие в организационной подготовке захвата власти и смены правительства. Совещавшиеся присоединились к точке зрения Бухарина и высказались за то, чтобы переговоры вести дальше на указанной основе. Через несколько дней состоялась московская областная конференция, на которой левые коммунисты были совершенно разбиты — они потеряли организационную силу и организационную базу. Областное бюро было распущено. Таким образом, левые эсеры никакой организационной помощи со стороны левых коммунистов не получили и сделали свое дело собственными силами, то есть я имею в виду июльский мятеж. Это все, что мне известно о нелегальной деятельности левых коммунистов.

— Следовательно, судя по вашим показаниям, в 1918 году, непосредственно вслед за Октябрьской революцией, в период заключения Брестского мира существовал антисоветский заговор в составе Бухарина и его группы, так называемых левых коммунистов, Троцкого и его группы левых эсеров?

— Заговор с левыми эсерами, несомненно, имел место, поскольку с ними велись совершенно конкретные разговоры.

— А роль Бухарина в этом деле?

— Я сообщила, что Бухарин сам предлагал вести эти переговоры, что он вместе с Пятаковым эти переговоры вел.

— Значит, его роль была практической, как руководителя этого заговора?

— Да.

— Вы подтверждаете перед судом, что Бухарин вам тоже говорил о политической целесообразности и необходимости убийства Ленина как главы советского государства, Сталина и Свердлова как руководителей партии и правительства?

— Бухарин говорил об этом. Конечно, он говорил об этом вскользь, обволакивал это дело рядом путаных и ненужных теоретических рассуждений, как это вообще любит делать Бухарин. Он, как нить в кокон, заворачивал эту мысль в сумму пространных рассуждений, но он это говорил».

Яковлева призналась на суде в том, что фракционным центром антисоветской группы левых коммунистов являлось московское областное бюро. Но ее утверждение не соответствовало действительности. Также Варвара Николаевна упорно настаивала на том факте, что левые коммунисты хотели совершить государственный переворот не после, а до заключения мирного договора с немцами в 1918 году. Бухарин в своем последнем слове на суде опроверг показания Яковлевой:

«Весь этот инцидент с подготовкой заговора вместе с левыми эсерами против Ленина, Сталина и Свердлова, об их аресте и предполагаемом умерщвлении и так далее, Варвара Николаевна Яковлева относит в своих показаниях на очной ставке, затем на судебном следствии, к периоду до Брестского мира. Я говорил на очной ставке, и на предварительном следствии, и в суде, что это неверно. Неверно, что левые коммунисты и троцкисты до Брестского мира желали произвести государственный переворот насильственными средствами, неверно по той простой причине, что троцкистов и так называемых левых коммунистов было большинство в Центральном Комитете. И если бы в решающий момент голосования по вопросу о Брестском мире троцкисты не капитулировали, то тогда троцкисты и левые коммунисты имели бы большинство в ЦК. Так как же можно предполагать в такой ситуации, что они капитулировали для того, чтобы прибегнуть к методам заговора? Всякий, кто переживал те времена, отлично знает, что левые коммунисты были настроены по-другому до Брестского мира, что они надеялись завоевать партийное большинство на очередном партийном съезде. Как же в такой обстановке могла идти речь о том, о чем говорит теперь свидетельница Варвара Николаевна Яковлева? Также она утверждала, что дело заключалось в том, что фракционным центром было московское областное бюро. Тогда я позволил себе назвать несколько имен почтенных членов партии. Известно, что целый ряд выдающихся людей — Куйбышев, Ярославский, Менжинский и другие — были сторонниками левых коммунистов, принадлежали к моей группе. По своему положению они были гораздо выше Манцевых, Стуковых и других лиц. Даже по своему темпераменту и активности были деятельнее, чем остальные. Так я вас спрашиваю: как план восстания мог возникнуть, если эти лица занимали основное место в центральной группе. Это немыслимо и невозможно! И главная свидетельница Яковлева против меня путает периоды. По всей видимости, она говорит о московском периоде, наступившем после подписания Брестского мирного договора».

На следствии, очной ставке и суде Бухарин отзывался о Варваре Николаевне с уважением. Он понимал, как дались ей показания против него, и жалел ее. Яковлева, наоборот, говорила о Николае Ивановиче нелестные вещи, с обидой, давая понять, что именно по его вине она оказалась на скамье подсудимых.

14 мая 1938 года Военная коллегия Верховного суда СССР вынесла Яковлевой приговор. В нем говорилось, что она являлась руководителем антисоветской троцкистской организации в системе Наркомфина РСФСР, что в 1934 году она получила от Троцкого из-за границы директиву и проводила вредительскую деятельность в области финансирования народного хозяйства. В приговоре упоминалось также о ее участии в 1918 году в группе левых коммунистов, в 1920—1921 гг. в буферной группе, в 1923—1927 гг. в руководящем ядре троцкистского центра.

Яковлеву Варвару Николаевну приговорили к тюремному заключению сроком на двадцать лет, с поражением политических прав на пять лет и с конфискацией всего лично ей принадлежащего имущества.

Приговор был окончательным и обжалованию не подлежал.

Основанием для принятия такого решения послужили показания сослуживцев по народному комиссариату РСФСР (А. С. Бубновой, А. В. Крыленко, И. В. Вихирева и др.), лиц, проходивших по другим делам (А. А. Поляковой, А. В. Каменского и др.) и ее собственные.

Отбывать наказание Яковлевой пришлось в Орловской тюрьме. Это место лишения свободы до 1917 года называлось Орловский каторжный централ. Туда, как правило, направляли осужденных по политическим делам. Орловский каторжный централ отличался от других тюрем тем, что имел в числе прочих зданий крепостной корпус с содержанием заключенных. Как и любая другая тюрьма, Орловский централ славился ужасными условиями: плохое питание, избиения и стукачество.

Положение заключенной Яковлевой усугублялось и тем, что Варвара Николаевна якобы проводила в Орловской тюрьме антисоветскую агитацию, распространяя клеветнические измышления о мероприятиях ВКП(б) и советского правительства. В связи с этим Яковлеву приговорили к расстрелу 8 сентября 1941 года. 11 сентября ее расстреляли в Медведевском лесу близ Орла.

Но судьба жертвы рокового времени на этом не закончилась. В 1955 году некая В. В. Полякова заявила, что в 1937 году оговорила Яковлеву по принуждению следователя. Отбывая наказание в Орловской тюрьме, Полякова встречалась с Яковлевой, и та рассказывала о том, что в ходе следствия оговорила себя и других людей после применения к ней незаконных методов ведения следствия.

В феврале 1958 года по определению Военной коллегии Верховного суда СССР дело в отношении Варвары Николаевны Яковлевой было пересмотрено. Дополнительная следственная комиссия установила, что все упомянутые лица, проходившие по «антисоветскому блоку», никаких преступлений не совершали и были репрессированы необоснованно. Дела на них были прекращены за отсутствием состава преступления. 27 февраля 1958 года Военная коллегия Верховного суда СССР отменила приговоры от 14 мая 1938 года и от 8 сентября 1941 года, вынесенные Яковлевой, закрыв дело по причине, указанной выше.

Более того, приговор от 8 сентября 1941 года был признан незаконным, так как уголовное дело в отношении Варвары Николаевны не возбуждалось, расследование не проводилось, и протокола судебного заседания не имелось.

Из Центрального архива ФСБ РФ (стиль и орфография сохранены — *авт.*):

## «ОПРЕДЕЛЕНИЕ № н — 010373/57

### ВОЕННАЯ КОЛЛЕГИЯ
### ВЕРХОВНОГО СУДА СССР

**В составе: Председательствующего полковника юстиции Цырлинского и членов: подполковников юстиции Шихтлина и Десятского,**

**рассмотрев в заседании от 27 февраля 1958 г.** Заключение Генерального прокурора СССР по делу Яковлевой Варвары Николаевны, 1885 года рождения, уроженки гор. Москвы, арестованной 12 сентября 1937 года, до ареста работавшей наркомом финансов РСФСР, осужденной Военной Коллегией Верховного Суда СССР 14 мая 1938 года по ст.ст. 58-7, 58-8, 58-11 УК РСФСР к 20 годам тюремного заключения, с поражением прав на 5 лет, с конфискацией имущества.

8 сентября 1941 года Яковлева вторично осуждена Военной Коллегией Верховного Суда СССР по ст. 58-10 ч.2 УК РСФСР к расстрелу.

Заслушав доклад тов. Десятского и заключение пом. Главного военного прокурора майора юстиции тов. Чубукова,

**установила:**

Яковлева судом была признана виновной в том, что она являлась руководителем антисоветской троцкистской организации в системе наркомфина РСФСР. В 1934 году, получив из-за границы директиву от Троцкого о развертывании террористической деятельности против руководителей ВКП(б) и Советского правительства, Яковлева создала террористическую группу. В практической деятельности проводила вредительство в области финансирования народного хозяйства.

Кроме того, Яковлева обвинялась в том, что в 1918году являлась одним из руководителей антипартийной группы левых коммунистов. В 1920 — 1921 годах возглавляла антипартийную буферную группу, и в 1923 — 1927 годах состояла в руководящем ядре нелегального троцкистского центра.

Будучи осужденной и отбывая наказание в Орловской тюрьме, проводила антисоветскую агитацию и распространяла клеветнические измышления о мероприятиях ВКП(б) и Советского правительства.

В Заключении ставится вопрос об отмене приговоров и прекращении дела за отсутствием состава преступления, поскольку дополнительной следственной проверкой, произведенной в 1957 году, установлены новые обстоятельства, опровергающие обвинения Яковлевой и свидетельствующие о необоснованности ее осуждения.

В Заключении говорится, что Яковлева по первому приговору была осуждена на основании показаний обвиняемых по другим делам Новоселова А. М., Розенберга С. Е., Каменского А. З., Бреславского М. И., Поляковой В. В. и ее собственных показаний о том, что якобы по указанию Троцкого ею был создан нелегальный запасный центр контрреволюционной организации, в состав которого входили: Бубнов А. С., Крыленко Н. В., Манцев В. Н., Каменский, Максимовский В. Н., Вихирев Н. В. и Новоселов.

Дополнительной следственной проверкой установлено, что все упомянутые выше лица никаких преступлений не совершали, репрессированы они были необоснованно и в настоящее время уголовные дела о них прекращены за отсутствием состава преступления.

Передопрошенная в 1955 году Полякова В. В. показала, что о преступной деятельности Яковлевой ей ничего не известно и сама она никаких преступлений не совершала, но в ходе следствия по ее делу в 1937 году по принуждению следователя она оговорила Яковлеву и себя и что, отбывая наказание, она встречалась в Орловской тюрьме с Яковлевой, которая сообщила ей, что в ходе следствия к ней применялись незаконные методы следствия и она оговорила себя и других лиц.

В ходе дополнительного следствия в качестве свидетелей допрошены Смилга А. К. (член КПСС с 1917 г.), Афанасьев И. Я. (член КПСС с 1919 г.), Шувалов А. М. и Кудряшов Д. А., знавшие Яковлеву продолжительное время по совместной работе в Народном Комиссариате финансов РСФСР, ее служебную деятельность охарактеризовали положительно.

Что касается обвинения Яковлевой по приговору от 8 сентября 1941 года, то оно также является незаконным. По этому обвинению уголовного дела не возбуждалось, расследование не проводилось и протокола судебного заседания не имеется.

Проверив материалы дела и соглашаясь с Заключением, Военная Коллегия Верховного Суда СССР

**определила:**

Приговоры Военной Коллегии Верховного Суда СССР от 14 мая 1937 года и от 8 сентября 1941 года в отношении Яковлевой Варвары Николаевны по вновь открывшимся обстоятельствам отменить и дело о ней в уголовном порядке прекратить за отсутствием состава преступления».

Увы, точка в судебном процессе Варвары Николаевны была поставлена, когда реабилитированной уже не было в живых. К сожалению, как и во многих других политических делах, дело в отношении Яковлевой прекратилось без ее ведома.

Существует и другая версия причины расстрела героини нашей книги.

Некоторые исторические источники предполагают, что Яковлеву расстреляли не из-за антисоветской пропаганды в тюрьме, а в связи с угрозой захвата Орла немцами.

Такая вот жизнь: от учительницы в школе для рабочих до наркома финансов РСФСР, от ареста в юные годы до рокового выстрела в Медведевском лесу. Сумбурное время перемен жерновами перемалывало людские судьбы. Не обошлось без трагических ошибок. Жертвой этого рокового времени стала Варвара Яковлева.

# ХРАНИТЕЛЬНИЦА ТРАДИЦИЙ

Случается так, что судьба отмечает печатью великой славы не только одного человека, но и весь его род: от прадедов до правнуков. Яркие жизни этих людей, словно бусины, нанизываются на нить родословной, создавая семейную реликвию. Именно такой жребий выпал семье Стасовых, которая снискала заслуженную славу в культурной и общественной жизни России, внеся значительный вклад в историю. Следующая героиня нашей книги принадлежит этому известному роду.

Елена Дмитриевна Стасова родилась 13 октября 1873 года в Петербурге. Кроме нее в семье были еще два брата и две дочери. (Старшая сестра, Варвара, впоследствии стала писательницей, публиковавшей свои произведения под псевдонимом В. Каренин).

Василий Петрович Стасов (1769—1848), дед Елены Дмитриевны, известный русский архитектор, построил в Петербурге Преображенский и Троицкий соборы, Нарвские и Московские триумфальные ворота, а в Москве провиантские склады. Как отметила в своей книге «Страницы жизни и борьбы» Елена Дмитриевна, «он был известным архитектором, и не только зданий, но и человеческих душ».

Дядя будущей революционерки, Стасов Владимир Васильевич (1824—1906), — художественный и музыкальный критик, идеолог и историк искусства, почетный член Петербургской Академии наук, идеолог и активный участник «Могучей кучки». Он часто предлагал композиторам темы для их сочинений, а также свой написанный материал. Либретто оперы Бородина «Князь Игорь» — труд Владимира Васильевича Стасова. Стасов был и участником Товарищества передвижников. Кроме того, Владимир Васильевич являлся известным археологом, есть у него и труды в области истории, филологии, фольклористики.

Не удивительно, что при такой активной и разносторонней жизни круг друзей этого человека был чрезвычайно широк: Глинка, Чернышевский, Шаляпин, Герцен, Римский-Корсаков, Балакирев... При насыщенной политической жизни того времени Владимир Васильевич был далек от революционного движения, хоть и презрительно относился к царскому режиму. Горький в своих воспоминаниях писал о Стасове: «Политику он не любил, морщился, вспоминая о ней, как о безобразии, которое мешает людям жить, портит им мозг, отталкивает от настоящего дела». Тем не менее, впоследствии он помогал своей племяннице — Елене Дмитриевне — в революционной деятельности. Стасов был тайным советником, а потому имел право получать даже нелегально печатавшуюся за границей литературу. Это давало Елене Дмитриевне возможность распространять в России политические издания, в частности, главный печатный орган большевиков — газету «Искра». Но об этом этапе жизни Стасовой мы расскажем далее.

Тетя Елены Дмитриевны, Надежда Васильевна Стасова, известна как основательница первых воскресных школ для женщин. Также при ее участии возникло Общество дешевых квартир, артель переводчиц и артель наборщиц. Но самая значительная должность Надежды Васильевны — директор первых в России высших женских курсов, позднее получивших название Бестужевских. Правда, спустя некоторое время царское правительство отстранило Стасову от этого дела. Позже она стала инициатором общества «Детская помощь», занимавшегося созданием яслей для неимущих женщин.

Что касается непосредственно родителей нашей героини, то они в отличие от своих родственников, глубоко интересовались политической жизнью России. Об отце Елены Дмитриевны, высылая его из Петербурга в 1879 году (далее мы скажем, что послужило причиной этой кратковременной ссылки), император Александр II сказал: «Плюнуть нельзя, чтоб не попасть в Стасова». Конечно, в государевых устах это прозвучало довольно грубо. Действительно, Дмитрий Васильевич Стасов являлся активным участником различных общественных начинаний. Он был образованным и одаренным человеком. Как выдающийся музыкант он стал одним из основателей Петербургской Консерватории и Русского музыкального общества. Кроме того, при содействии Стасова возникло общество помощи литераторам и ученым. Также Дмитрий Васильевич стал бессменным председателем Общества помощи женского медицинского института в Петербурге.

Много читавший, глубоко разбиравшийся в политике, экономике и культуре, Стасов сотрудничал в качестве корреспондента с известными печатными изданиями: «Журнал для экономистов», «Журнал министерства юстиции», «Колокол», «Новое время», «Русский вестник», «Русская музыкальная газета», «Художественные известия».

После окончания Училища правоведения в 1847 году Стасов находился на государственной службе. Но недолго. Его уволили за сбор подписей против заведения личных дел (матрикуляций) на студентов. Неудивительно, ведь вмешательство в частную жизнь других противоречило убеждениям Дмитрия Васильевича, так как ущемляло демократические права, являясь первым шагом на пути к доносительству и репрессиям.

В 1858 году Стасов организовал юридический кружок, позднее переросший в координационный центр, в подчинении которого находилось сословие адвокатов вплоть до февраля 1917 года. Стасов стал первым председателем Совета присяжных поверенных в России. Он занимал этот пост до конца своей жизни.

Дмитрий Васильевич настолько был уверен в справедливости идей радикального переустройства общества, что материально поддерживал не только видного идеолога того времени Н. Г. Чернышевского, но и организаторов террористических актов, столь радикальными методами пытавшимися достичь немедленного торжества либерализма. Именно за явную поддержку террористов император на некоторое время выслал Дмитрия Васильевича из Петербурга.

Большую славу Стасов снискал как адвокат. Он выступал защитником на многочисленных судебных процессах, как правило, политических. В его адвокатской практике — процесс 193-х, процесс 50-ти, каракозовский процесс (на котором Стасов выступил со знаменитой речью в защиту И. Ишутина). (Интересно заметить, что среди первого поколения правозащитников наблюдались родственные связи с революционерами: Н. И. Жуковский (брат известного адвоката) и Н. Утин (брат Е. Утина, адвоката, сын еврея-миллионера Исаака Утина) — деятели I Интернационала, брат адвоката Г. В. Бардовского — повешенный польский революционер, брат адвоката В. О. Люстига — народоволец).

Мать Елены Дмитриевны, Поликсена Степановна (в девичестве Кузнецова), работавшая учительницей петербургской воскресной школы, разделяла демократические взгляды мужа, гордо говоря: «Мы — шестидесятники». «Шестидесятники» XIX века — это, в основном, интеллигенция, реагировавшая на проведение либеральных реформ императора Александра II. Переходное время ознаменовалось отменой крепостного права, введением земства, судебной реформой, амнистией декабристов и других политзаключенных. Ситуация все-таки складывалась не совсем оптимистично. Реформы проводились непоследовательно, без учета действительных потребностей населения. Вот как описала ее Е. И. Щербакова в предисловии к книге «Политическая полиция и политический террор в России второй половины XIX — начала XX вв.»: «Власть шла испытанным бюрократическим путем, отдавая распоряжения сверху и ожидая снизу лишь отчет об исполнении, не предполагая никакого сотворчества со стороны общества».

На царскую милость — дарование крепостным людям прав состояния свободных сельских обывателей — «облагодетельствованные» откликнулись взрывом возмущения весной 1861 года. В тоже время отмена ограничения числа студентов в вузах привлекла в аудитории огромное количество молодежи со всех концов России. Новоявленные студенты стремились получить драгоценные знания для последующего их применения в деле российских реформ. Но среди представителей власти значительное большинство составляли люди старой закалки. Поэтому в сложившейся обстановке наиболее активные сторонники общественных преобразований предпочитали действовать вопреки пассивности «старорежимников». Такое явление как нигилизм распространялось повсеместно, находя отражение и в литературе. Вторая половина XIX века была отмечена мощной волной гражданских настроений. Образованная часть общества поддерживала объединения революционного характера, зачастую являясь их членами.

Семья Стасовых была сторонницей происходящих демократических реформ. Несомненно, юная Елена Дмитриевна, воспитывавшаяся в такой атмосфере, прониклась духом перемен. До 13 лет она получала образование дома, после чего поступила сразу в пятый класс частной женской гимназии Л. С. Таганцевой. Ученица Стасова писала блестящие работы по истории и политэкономии. И не удивительно: книги Иванюкова, Семевского, Липперта, Туган-Барановского, Милля, Энгельса, Маркса и других авторов, некоторые прочитанные в оригинале, имели большое значение в самообразовании Елены Дмитриевны. Обстановка в семье с регулярными творческими вечерами, приглашенными на которые оказывались именитые певцы и композиторы, способствовала интеллектуальному развитию детей Стасовых. Вместе с тем у них возникало и особое мировосприятие. В своей книге Елена Дмитриевна описала это время так: «Помню, что во мне стало все сильнее и сильнее говорить чувство долга по отношению к «народу» — к рабочим и крестьянам, которые давали нам, интеллигенции, возможность жить так, как мы жили».

В гимназии обращали внимание на одаренную девочку Стасову, отличавшуюся не только глубокими знаниями по многим предметам, но и своими политическими убеждениями. Под влиянием наставницы Страховой Елена Дмитриевна была вовлечена в революционную среду. Среди учениц Страховой своими политическими взглядами выделялась не только Стасова, но и еще одна девушка.

Дочь генерала Шура Домонтович позднее вошла в российскую историю как известная революционерка Александра Коллонтай. Известна легенда: будучи послом коммунистической партии в ряде стран, Коллонтай заставляла вставать в своем присутствии даже шведского короля. Казалось, что эта женщина столь авторитетна, что сильные мира сего испытывали к ней чувство благоговения. Однако все объяснялось гораздо прозаичнее: король Швеции просто был хорошо воспитан, соответственно, как джентльмен оказывал даме почтение, вставая при ее появлении. Но это было уже в годы расцвета политической карьеры Коллонтай. А во времена зарождения партии большевиков юные Шурочка Домонтович и Елена Стасова начинали близко общаться, расширяя круг своих знакомых и обмениваясь мнениями по поводу грядущих перемен. Отроческие отношения Коллонтай и Стасовой впоследствии переросли в крепкую дружбу на всю жизнь.

В 1890 году Стасова окончила гимназию с золотой медалью и получила право на преподавание истории, географии, русского языка и словесности. Елена Дмитриевна стала учительницей в той самой воскресно-вечерней школе на Лиговском проспекте, где раньше работала ее мать.

В этом заведении учились взрослые работницы хлопчатобумажных мануфактур и табачных фабрик Богданова. Воспитанная в интеллигентной семье молодая учительница Стасова раньше только догадывалась о трудностях жизни простого народа. Теории Маркса и Энгельса были, конечно, понятны и весьма занимательны для Елены Дмитриевны. Однако преподавательская деятельность, естественным следствием которой было тесное общение Стасовой и ее учениц, показали, что российская жизнь требует коренных преобразований.

Стасова заводила близкие знакомства с преподавателями других рабочих школ, которые активно участвовали в политической жизни. Так, например, работники Глазовской школы (мужской), принимавшие участие в забастовке против взимания штрафов в 1896 году, были тесно связаны с «Союзом борьбы за освобождение рабочего класса».

Двадцатилетняя Елена Дмитриевна познакомилась с Надеждой Константиновной Крупской. Соратница Ленина увидела в Стасовой потенциального борца за дело революции. Образованная, серьезная и ответственная Елена Дмитриевна не могла ей не понравиться. Крупская и Стасова вместе продолжили преподавательскую деятельность в рабочих школах, параллельно занимаясь социал-демократической пропагандой.

Встреча с Надеждой Константиновной определила дальнейшую судьбу Елены Дмитриевны. Политическая работа в Красном Кресте позволила Стасовой в 1898 году стать членом «Союза борьбы за освобождение рабочего класса», впоследствии оформившегося как партия большевиков. Она заведовала всем техническим обеспечением и складами литературы Петербургского комитета партии.

В 1899 году Стасова выехала в Уфимскую губернию для помощи башкирским деревням, пострадавшим от сильной засухи. Там жили неграмотные люди, принимавшие Елену Дмитриевну за тетку Николая II, устраивавшие ритуальные обряды в надежде на подарок небес — дождь. Стасова тогда призналась: «Эта темнота и приверженность к царю были одной из причин, которые навсегда оттолкнули меня от «хождения в народ». Елена Дмитриевна стала востребованной в другой работе.

Конец XIX — начало XX вв. были отмечены ростом социальной активности. В стране усилилась агентурная работа Охранного отделения. Некоторые революционные организации начали действовать подпольно. Центром пропаганды революции стал Петербург.

В декабре 1900 года в Петербурге вышел первый номер газеты «Искра». Чреватое опасностями для социал-демократического движения распространение этой газеты концентрировалось в руках Стасовой. Связь редакции «Искры» с Россией осуществлялась через Крупскую. Перепиской с «искровским» центром, находившимся за границей, занималась Елена Дмитриевна. Благодаря Стасовой газета выпускалась на разных европейских языках. Способности переводчицы и дешифровальщицы делали эту революционерку незаменимой.

В 1900 году Ленин писал: «На случай моего провала, мой наследник — Елена Дмитриевна Стасова. Очень энергичный, преданный делу человек». Да и сама партийная кличка «Товарищ Абсолют» говорила о Стасовой лучше всего: точная, наблюдательная, бдительная и ответственная.

В период 1904 — 1906 гг. Стасова была секретарем Северного бюро ЦК РСДРП и техническим сотрудником Петербургского комитета. Работая агентом «Искры», Елена Дмитриевна, естественно, сталкивалась с неожиданными ситуациями. Политическая литература из Финляндии направлялась в Россию через Швецию, где транспортом ведал литератор Конни Циллиакус. Этот человек считал все молодые российские партии революционными, то есть был несведущ в политических вопросах. Вместо ожидаемых изданий большевиков в Петербург поступали газеты меньшевиков, «экономистов», бундовцев... Привоз нелегальной печатной продукции политического характера в Петербург сам по себе был опасным мероприятием.

Осторожность соблюдалась при доставке литературы на явочные квартиры, откуда потом нелегальные издания приходилось переносить на места хранения. Однажды на квартире Буренина, куда доставили очередную партию большевистских газет, произошел забавный случай. Хозяин комнаты, Стасова и Штремер должны были нагрузить на себя литературу для последующего «маршрута». Елена Дмитриевна попросила мужчин отвернуться, сняла с себя платье, чтобы спрятать под ним запрещенные издания. И тут в случайно не запертую дверь комнаты вошла кухарка. Можно представить себе, каково было ее удивление! Полураздетая молодая девушка в окружении двух взрослых мужчин! Кухарка встала как вкопанная, а Буренин, подхватив ее под руку, вылетел из комнаты.

В мастерских скульпторов из Академии художеств внутри бюстов и статуй хранились революционные издания. Иностранцы, поддерживавшие тесные отношения с российскими большевиками, по приезде в Петербург нелегально останавливались в студенческих общежитиях. Переписка с товарищами по партии велась исключительно посредством шифровки. Это была сложная работа. К примеру, слово «провокатор» в зашифрованном виде выглядело так — 2134162416675633, 15622.

Полиция делала запросы на многих революционеров, однако заходила в тупик. Ведь те значились по паспортам умерших людей. В приобретении таких документов большевикам помогали дворники, в чьи обязанности входило получение на руки удостоверения личности умерших жильцов какого-либо дома.

Денег на нужды партии не хватало. Но доходы поступали от нелегальной продажи спиртного на студенческих концертах, от устройства платных лекций на частных квартирах. Финансовые дела Петербургского комитета партии долгое время оставались в руках Стасовой.

Многие люди рисковали своей свободой и жизнью, осуществляя революционную работу. Среди друзей Елены Дмитриевны — Николай Эрнестович Бауман, в октябре 1905 года погибший от руки черносотенца. Надо заметить, что волевая Стасова привлекала к себе людей. Неслучайно ей доверили вести партийную работу не только в Петрограде, но и в других городах: Вильно, Киеве, Минске, Москве, Орле, Смоленске...

Активная деятельность в рядах РСДРП приводила Стасову к неоднократным арестам. Первый случился в 1904 году. Но Елену Дмитриевну освободили под залог, который внес ее отец. Дмитрий Васильевич очень тревожился по поводу революционной деятельности своей дочери, говоря ей: «Ты нас с мамой совершенно не любишь, опять принялась за свои дела».

Елена Дмитриевна ответила, что при всей своей безграничной любви к родителям не откажется от своих убеждений. И напомнила отцу о его давнем поступке: сборе подписей против матрикуляций студентов. После этих слов Дмитрий Васильевич убедился в твердости намерений своей дочери. Позднее были и второй, и третий аресты. Тюремные заключения только закалили Стасову, укрепив уверенность в выборе жизненного пути. А отец приходил к ней на свидания в тюрьму, передавал записки от партийных сотрудников.

С августа 1905 года жизнь Стасовой продолжалась в Женеве. Находясь в эмиграции, Елена Дмитриевна не отходила от революционной деятельности. Стасова принимала участие в издании газеты «Пролетарий». Тогда в Женеве, по адресу ул. Каруж, 91 размещался центральный партийный архив и библиотека, учрежденные 29 января 1904 года. Стасова оказывала содействие в их хранении, а также занималась организацией перевозки архива и библиотеки партии из Женевы в Стокгольм. Во главе крупнейшего русского эмигрантского архива стоял В. Д. Бонч-Бруевич. Комплектование многотомного собрания, включавшего в себя заграничные издания социал-демократов, анархистов, эсеров, фонды «Искры», «Пролетария», «Вперед», документы комитетов РСДРП и переписку их членов, было интенсивным. Часть из него (132 ящика) была переправлена в Народный дом в Стокгольме в 1906 году.

Впоследствии, как явствовало из переписки Стасовой с одним из шведских лидеров социал-демократов Ханке Бергегреном, архив был переведен в Финляндию.

С 1907 по 1912 гг. Стасова работала представителем ЦК РСДРП в Тифлисе. Самоотверженная женщина пользовалась авторитетом: в 1911 году Елена Дмитриевна — член комиссии по созыву 6-й (Пражской) Всероссийской конференции РСДРП. Стасову утвердили кандидатом для кооптации в члены ЦК.

За активной деятельностью Елены Дмитриевны давно уже велась слежка. Портфель Стасовой, в котором хранилась нелегальная литература, переписка с мужем Константином Алексеевичем Крестниковым, архив писем Ленина и другие материалы политического содержания, был досмотрен жандармами при обыске на квартире одной француженки. Через третьи руки документы попали к этой женщине от подруги Елены Дмитриевны. Среди прочих бумаг в портфеле были карикатуры, рисунки, высмеивающие царский режим. Так, в деле Стасовой значился «кощунственный рисунок»: Николай II со спущенными штанами держит в руках рубашку. С одной стороны Победоносцев обращается к царю со словами: «Разрешите, ваше величество, я подержу сорочку». Тот отвечает: «Оставь, я сам самодержец». С другой стороны японец сечет Николая II. Под таким изображением была подпись:

Вот наконец сошел на наши флаги
Счастливый луч удачи боевой:
Там, в Порт-Артуре, отдали мы шпаги,
Но здесь, на Невском, полные отваги,
Мы ринулись и выиграли бой.
О славный час! Победы нашей рати
Ждала вся Русь, давно была пора,
Пускай погибли сотни наших братий
И Русь полна рыданий и проклятий,
Но спасена честь армии. Ура!

Этот рисунок был создан, как говорится, на злобу дня. Он показывал отношение большинства к пораженческой Порт-Артурской экспедиции 1904 года. Стасову арестовали в родном городе, но после ходатайства брата и отца ее отправили в Тифлисскую губернию. Елена Дмитриевна отклонила предложение об организации побега, так как верила в свою «чистоту». Однако увидев портфель с материалами личного и общественного характера в охранном отделении в Тифлисе, поняла, что положение дел крайне серьезное. Заключенная Стасова не унывала: находясь в камере, она писала «Учебник по истории первобытной культуры».

2 мая 1913 года состоялся суд, предметом разбирательства которого стало «Дело Стасовой и других». Вместе с Еленой Дмитриевной на скамье подсудимых сидели Арменуи Оввян, Вера Швейцер, Мария Вохмина и еще несколько человек. Главным пунктом обвинения было причастие этих людей к социал-демократической партии. На судебный процесс,

проходивший в Тифлисе, приехали родители Стасовой. Дмитрию Васильевичу было очень тяжело видеть свою дочь среди обвиняемых. Один эпизод процесса Елена Дмитриевна привела в своей книге: «Председатель суда приглашал его (Дмитрия Васильевича Стасова — *авт.*) как председателя совета присяжных поверенных в Петербурге занять место за судебным столом, но отец отказался от этого». Председатель суда относился к Стасову с большим уважением, сочувствовал. В вынесении приговора единства мнений не было. Коренные судьи выступали за такую меру наказания как каторга. Сословные представители — за поселение. Председатель суда, пожалев Дмитрия Васильевича, решил своим голосом этот спор: «У такого благородного отца такая мерзавка дочь! Дадим ей поселение».

Елену Дмитриевну отправили в ссылку в Енисейскую губернию на три года. Этап продолжался долго: из Тифлиса Стасова вместе с другими осужденными уехали 25 ноября 1913 года, а на конечный пункт, село Рыбное, прибыли 9 (22) января 1914 года. Путь следования лежал через Баку, Ростов, Козлов, Ряжск, Самару, Челябинск, Красноярск, Канск. Солдаты, сопровождавшие этап, урезали паек хлеба, ссыльные страдали от грязи и вшей. Но убежденность в том, что кардинальные перемены все-таки произойдут, поднимала дух осужденных.

Колония ссыльных (большевики, меньшевики, эсеры) в Енисейской губернии создала организацию взаимопомощи. Люди поддерживали друг друга не только морально, но и материально — путем небольших членских взносов.

Отдаленность от столицы не помешала Елене Дмитриевне вести переписку с партийными организаторами. Стасова верила в идеалы большевиков и делала все возможное для грядущей революции. В сентябре 1916 года Елена Дмитриевна добилась поездки в Петроград на четыре месяца. Она написала о поездке в родной город из Красноярска следующее: «Все вагоны третьего класса были переполнены солдатами-сибиряками, возвращавшимися из отпуска на фронт. (Шла первая мировая война — *авт*.). Охоты воевать не было ни у кого. Все были уверены в поражении России, но они все же ехали на фронт, так как подчинялись дисциплине, хотя она была подорвана, и беспрекословного подчинения ей уже не было». Обратно в Сибирь Стасова не вернулась по причине серьезно подорванного здоровья.

Февраль 1917 — март 1920 гг. — период радикальных перемен в политической жизни России. Елена Дмитриевна работала секретарем ЦК партии. Участвовала в Февральской революции в подготовке и проведении Октябрьского вооруженного восстания.

В августе 1917 года состоялся VI съезд большевистской партии. На одном из заседаний председательствовал М. С. Ольминский. Он подозвал к себе Елену Дмитриевну и попросил ее уйти с заседания. Свою просьбу Ольминский разъяснил Стасовой: «А ты не знаешь, что мы заседаем нелегально, и что нас могут арестовать? Ты являешься „хранителем традиций“ партии, а потому немедленно уходи».

Оппозиционная режиму, политическая деятельность конечно, была опасной. Важно было сосредоточить связи между членами и сторонниками партии, не дать порваться нитям союзничества и не обречь акции подпольных организаций на провал. Всем этим приходилось заниматься людям решительным, стойким, запоминающим все адреса, партийные клички, имена... Этим людям нужно было хранить традиции революционного движения. Такой «хранительницей» большевистская партия назначила Елену Дмитриевну Стасову.

В 1918 году, когда все руководство советского государства перебралось в Москву, Стасова осталась представителем новой власти в Петрограде.

У нее на это были и семейные причины. В то время тяжело болел ее отец, Дмитрий Васильевич. Елена Дмитриевна не могла бросить его даже ради исполнения своих партийных обязанностей. Горько переживала она смерть отца. Он был для нее кумиром, умным, талантливым, настоящим человеком, делающим все возможное для демократического будущего страны.

Тем временем контрреволюционное движение набирало силу. Необходимо было найти формы организации, которые боролись бы с противниками большевиков. Созданная в Петрограде ВЧК приняла меры по формированию Чрезвычайных комиссий в регионе. Следует отметить, что создание этих комиссии — закономерный этап становления советского государства. ВЧК стала первым специализированным органом госбезопасности. В июле — августе 1918 года состоялись губернские конференции чрезвычайных комиссий, принявшие нормативные документы для работы самостоятельных ЧК. (Раньше функции по борьбе с контрреволюцией выполняли отделы исполкомов). Кроме того, теперь комиссии располагали вооруженными силами: от отряда до полка.

Полномочия ВЧК были неоспоримы. В обязанности ее сотрудников входили контроль за политической и экономической обстановкой, применение мер против малейших попыток изменения новой системы управления, анализ общественных настроений. Основные должности в чрезвычайных комиссиях занимали партийные функционеры. Комитеты компартии взяли органы госбезопасности под свой строжайший контроль. Советы рабочих, крестьян и красноармейских депутатов больше не оказывали никакого влияния на деятельность чрезвычайных комиссий. Таким образом, зарождалась традиция: органы госбезопасности подчинялись правящей партии.

30 августа 1918 года произошло трагическое событие — первый председатель Петроградской чрез-

вычайной комиссии (ПЧК) Моисей Урицкий был застрелен юнкером, поэтом Леонидом Каннигисером.

Спустя несколько часов после убийства Урицкого в гостинице «Астория» состоялось экстренное заседание партийного актива Петрограда. На нем выступил глава партийной организации государственной власти города и всего СКСО (Союз коммун северной области) Григорий Евсеевич Зиновьев. Он потребовал немедленного вооружения всех рабочих с предоставлением им права самосуда. По словам Зиновьева, такие меры были бы оправданы, ведь контрреволюционеры совершили уже второе убийство (первой жертвой стал Володарский). Позицию Зиновьева резко осудили, так как он предлагал рабочим убивать интеллигенцию. Большинство собравшихся считало, что самосуд — явление, характерное для средневековья. (Проблема расправы толпы не возникала даже в Древнем Риме).

В числе многих оппонентов Зиновьева была и Стасова. Свое выступление она начала с того, что такое предложение вызвано паникой. После этих слов Зиновьев вспылил. Елена Дмитриевна обосновала предотвращение произвола: «Под видом рабочих будут действовать и контрреволюционеры. Это чревато тем, что верхушка нашей партии может быть уничтожена». Принципиальная точка зрения Елены Дмитриевны впоследствии стала причиной мести Зиновьева.

Новым председателем был назначен заместитель Урицкого Глеб Иванович Бокий. Тогда же расширился президиум ПЧК: в числе новых лиц была включена в него секретарь Петроградского комитета партии Елена Дмитриевна Стасова. Среди партийных функционеров, которые пришли на работу в ПЧК, был и Василий Александрович Васильев (1886 — 1970). Стасова познакомилась с ним в 1906 году. В то время Васильев занимался распространением нелегальной политической литературы среди рабочих. По рекомендации Елены Дмитриевны в 1907 году он стал членом РСДРП. В 1918 году Васильев возглавил работу по проведению красного террора в Петрограде, являясь членом президиума ПЧК.

Объявление красного террора в городе стало следствием не только убийств Володарского и Урицкого, но и покушения на Ленина в Москве, совершенного Фанни Каплан.

6 сентября 1918 года газета «Пролетарская правда» за подписью Бокия опубликовала сообщение: «Правые эсеры убили Урицкого и также ранили товарища Ленина. В ответ на это ВЧК решила расстрелять ряд контрреволюционеров. Расстреляно всего 512 контрреволюционеров и белогвардейцев, из них 10 правых эсеров».

Президиум ПЧК являлся рабочим органом, на заседаниях которого принимались важные решения о деятельности Комиссии. Каждому члену ПЧК поручался определенный участок работы.

В своей книге «Страницы жизни и борьбы» Стасова писала, что ее обязанности в ПЧК «в основном заключались в проверке списков арестованных и освобождении тех, кто случайно попал в этот список». До конца 1918 года было опубликовано шесть списков о расстреле в общей сложности ста шести человек. За цифрами стоят судьбы людей. Противоречивость политических изменений того смутного времени одних выносила волной на вершины власти, могущей и имеющей право карать, других делала жертвами, подлежащими общественному осуждению. По прошествии лет произошла и переоценка ценностей, и глубокий анализ всех причин и следствий государственного переворота. И в настоящее время те жертвы у кого-то вызывают жалость, у кого-то восхищение твердостью своих убеждений, у кого-то еще большую уверенность в справедливости их конца. В роковые для страны годы несогласные с любыми решениями большевиков сами становились жертвами репрессий и подчас невольными виновниками их. Работая в ПЧК, Стасова замечала: «Часто аресты бывали неправильными, так как арестовывали по случайным данным. В число арестованных попадали люди, сочувствующие нам, работавшие с нами и т. д.».

Павел Подляшук в своей книге «Богатырская симфония» написал: «В работе Стасовой в ЧК особенно проявились присущие ей принципиальность, щепетильность к врагам советской власти. К изменникам, к мародерам и шкурникам была беспощадна. Твердой рукой подписывала приговоры, когда убеждалась в абсолютной правоте обвинений».

Да, «Товарищ Абсолют» была жестким человеком. «Сижу ночами, — сообщала она другу, — пишу, разбираюсь, толкусь, обсуждаю... Нужно везде усилить охрану, надзор, провести чистку и реорганизацию».

Таким образом, в ПЧК Стасова не только проверяла списки арестованных. Ее работа продолжалась семь месяцев. В марте 1919 года Стасова переехала в Москву. Председателем Петроградской ЧК стал Семен Семенович Лобов.

Известный писатель Максим Горький, живший в то время в Петрограде, предпринимал активные меры для освобождения заключенных и арестованных во время красного террора. Он нередко обращался за содействием и к председателям ПЧК. В беседе с журналистом газеты «Речь» Фурсиным Горький охарактеризовал нового председателя Комиссии так: «Лобов — это животное. Я с ним никаких дел иметь не могу. Скороходов (он тоже некоторое время был председателем ПЧК — *авт.*) ушел. Только с ним я мог разговаривать».

Стоит проанализировать сложившуюся ситуацию. Вмешательство партийных комитетов в оперативную деятельность вплоть до определения меры наказания подозреваемым было абсолютным произволом. Вот что по этому поводу отмечал М. Н. Петров в своей работе «Проблемы истории Всероссийской Чрезвычайной Комиссии»: «Постижение азов специфики секретной службы исключительно на практике, без теоретической подготовки, при отсутствии кодифицированного законодательства и обилии правительственных декретов о местном нормотворчестве приводило к неквалифицированному расследованию и определению степени виновного». Многие члены РКП(б) не имели не то, что юридического образования (как обязательного условия при выполнении «судейских» обязанностей), но и какого-либо образования вообще. При этом получалось, что органы госбезопасности включались в систему управления страной.

Агентурная сеть была достаточно широко развита. Агенты не получали какой-либо зарплаты за свою работу. Считалось, что слежка за спекулянтами, доносы на организации эсеров, черносотенцев и других, сбор данных по бандитизму — прямое указание партии. В феврале 1919 года ЦК РКП(б) выступил с Обращением к коммунистам-чекистам: «ЧК созданы, существуют и работают лишь как прямые органы партии, под ее директивами и под ее контролем».

Елена Дмитриевна Стасова, работая в органах госбезопасности имела и другие обязанности. Ее всегда привлекала агитационная и просветительская работа. И поэтому агитаторский опыт, наработанный еще во времена преподавания в школе, пришелся как нельзя кстати.

До отъезда в Москву Стасова занималась политическим просвещением и устройством быта бывших военнопленных австрийцев, венгров, немцев. Результатом ее деятельности стало массовое вливание этих военнопленных в красноармейские отряды. Особое внимание Елены Дмитриевны привлекли финские красногвардейцы, оказавшиеся в Петрограде. Следует сказать, что попытка установить власть красных в Финляндии, ленинская авантюра, потерпела неудачу. Представители большевиков в этой стране были разгромлены войсками под командованием генерала Маннергейма. После поражения финские красногвардейцы перебрались в Петроград в надежде быть полезными советской власти. (Один из них — Отто Вильгельмович Куусинен. В 1939 году КПСС планировала выдвинуть его в президенты Финляндии, сняв с этой должности Маннергейма. Во время правления Хрущева Отто Куусинен работал в Политбюро ЦК КПСС).

1919 год для партии был очень тяжелым. Положение усугублялось наступлением четырнадцати держав на молодую Советскую республику. Создавалась угроза для власти, которая была бы вынуждена снова уйти в подполье. Большевики обезопасили себя: напечатали деньги царской России — сторублевки с портретом Екатерины. Яков Михайлович Свердлов позаботился о подготовке кадров для руководства партии на местах. На специальных курсах Елена Дмитриевна Стасова читала лекции о работе партии в подполье. В марте 1919 года она занялась подготовкой VIII съезда РКП(б). Как его делегат, Стасова (единственная женщина!) была избрана членом ЦК партии, вошедшим в Оргбюро. Елена Дмитриевна занималась переработкой партийного устава и кадровой работой. До апреля 1920 года Стасова находилась в Москве, принимая участие во всех кадровых изменениях ЦК. Затем она вернулась в Петроградский комитет на организационную работу.

В июне 1920 года Елену Дмитриевну назначили секретарем Кавказского бюро ЦК партии. Вместе с Орджоникидзе Стасова возглавила подготовку съезда народов Востока, состоявшегося в Баку в первых числах сентября того же года. Заседание Компартии Азербайджана не прошло без скандала. Накануне чекисты совершили ряд обысков в домах богатых людей с целью конфискации обуви для снабжения Красной Армии. Естественно, у многих это вызвало возмущение. Но руководящие работники партии вступились за чекистов, объясняя их действия необходимостью поддержки красноармейцев. А. И. Микоян выступил с речью, смысл которой заключался в том, что «советская власть должна покончить с азербайджанскими богатеями». Стасова одобрила его позицию. По собственному признанию, она являлась «сторонницей военного коммунизма».

Поле деятельности известной коммунистки стремительно расширялось. Стасова выходила на международную политическую арену. Она присутствовала на II конгрессе Коминтерна, состоявшегося в Москве в 1920 году. До мая 1921 года Стасова занималась организационными делами в аппарате Коминтерна, где весьма пригодилось ее знание иностранных языков (английский, немецкий и французский), а потом уехала в Германию на подпольную партийную работу. Пять лет Елена Дмитриевна вела пропагандистскую деятельность в рядах компартии Германии под псевдонимом «Герда». Действовала как бесстрашная героиня сказки Андерсена. Главной задачей ее было увеличение числа сторонников победы коммунизма.

Как одна из первых членов партии, совершенно безвредная для Иосифа Виссарионовича Сталина, Стасова использовалась пропагандой для создания образа преемника и последователя Ленина. Еще в начале становления партийного руководства между Сталиным и Лениным возникали разногласия. Владимир Ильич считал, что должность генерального секретаря — исключительно «секретарская», номинативная. Сталин стремился к превращению этого поста чуть ли не в титул. По его мнению, необходимо было сосредоточить власть в руках одного человека — генерального секретаря партии. И видел на этой должности себя. В нескольких последних статьях («Как нам реорганизовать Рабкрин», «Письмо другу») Ленин требовал недопущения Сталина к руководству партии. Но будущий вождь уже тщательно отбирал людей для поддержания собственной власти. Его основными помощниками стали Каменев и Зиновьев. Крупной помехой на тернистом пути Сталина к руководящей должности являлся Лев Давыдович Троцкий, написавший в 1923 году книгу «Уроки Октября». В ней Троцкий рассказал всю правду о революционной деятельности, за что был объявлен злейшим врагом Сталина. Кроме того, со стороны Иосифа Виссарионовича был установлен строжайший контроль над больным Лениным. Ленин пытался выходить к партийным деятелям через Крупскую. Но к Надежде Константиновне была «приставлена» агент Сталина, секретарь Фотиева. Крупская пыталась облегчить политическое положение своего супруга, обращаясь за помощью к Сталину. Но тот однажды грубо резюмировал: «Спать с вождем — не значит его понимать». Естественно, Ленин потребовал от него извинений за эти слова. С тех пор Сталин невзлюбил Крупскую. Все мемуары Надежды Константиновны подлежали жесткой цензуре. Известно даже, что однажды в тяжелом разговоре с Крупской «отец народов» обронил: «Если Вы, Надежда Константиновна, не перестанете меня критиковать, то партия объявит, что не Вы, а старая большевичка Елена Дмитриевна Стасова была женой Ленина. Да-да, партия все может». Доверие к Стасовой со стороны и Ленина, и Сталина было бесконечным.

В 1927—1937 гг. Елена Дмитриевна являлась заместителем председателя, а потом и председателем исполкома МОПР (Международной организации помощи борцам революции) СССР. Эта организация под видом благотворительности занималась распространением коммунистического влияния за рубежом. Секция МОПР в СССР к началу 1933 года насчитывала более 10 млн. активистов.

Особое место в работе МОПР занимали политэмигранты. В 20-е годы XX века были лишь отдельные случаи пребывания в СССР революционно настроенных иностранцев (граждан из Испании, Китая, Германии, Венгрии), получавших, как правило, статус политэмигрантов. Понять советскую политику в отношении этих лиц помогают «Тезисы к вопросу о политэмигрантской работе МОПР», составленные В. Лепешинским в феврале 1926 года. Они сводились к необходимости отсеивания эмигрантов политических от экономических, с проверкой подлинной причины их пребывания в Советском Союзе и установлением легитимности. Поражение республиканцев в революции и установление диктатуры Франко в Испании привели к массовой эмиграции испанских коммунистов. А как же работа зарубежных секций Коминтерна? Показателен в этом отношении доклад Стасовой на IV Всесоюзном съезде МОПР в 1934 году:

«Мы сплошь и рядом встречаемся с такой линией наших секций, что человек совсем не должен сидеть в тюрьме. Это далеко не верно. Мне уже пришлось выступать по данному поводу ‹...›. Многие наши зарубежные секции восторгаются нами, старыми большевиками, говорят, что мы — железная когорта. А откуда взялась наша закаленность? Именно оттуда, что нам часто некуда было деваться и совершенно нельзя было больше работать. Мы сидели в тюрьме, тюрьма нас закаляла. Недаром Таганку сама полиция считала социальным университетом. Почему же зарубежным товарищам при малейшей опасности ареста нужно бежать?..»

Многих революционно настроенных испанцев как и других политэмигрантов, члены МОПР склоняли к обязательному приему советского гражданства. Этому благоприятствовали не только победные шаги коммунистической партии Советского Союза, но и забота ее видных деятелей о пребывании испанцев на неродной территории. Для политэмигрантов даже устраивались поездки по крупным городам СССР с предоставлением гостиниц для дружественных делегаций.

Свидетельством заботы может служить секретное письмо Елены Дмитриевны Стасовой Западносибирскому Крайкому ВКП(б) тов. Эйхе, Сталинскому горкому ВКП(б) и Магнитогорскому окружному ВКП(б) тов. Хитарову от 29 февраля 1936 года:

«Дорогой товарищ! Центральный Комитет МОПР СССР организует для группы испанских товарищей (в составе 25 человек) — участников октябрьских событий в Испании — поездку по некоторым городам Советского Союза. Товарищи эти в ближайшее время возвращаются в свою страну, и посещение отдельных промышленных центров будет иметь большое значение для дальнейшей работы по популяризации достижений Советского Союза, по укреплению единого фронта против фашизма и войны. Я дала указания о приеме и обслуживании испанских товарищей, а к Вам обращаюсь с просьбой оказать всяческую помощь и содействие местной МОПР организации в выполнении возложенной на нее задачи».

Далее в письме были указаны маршруты следования «экскурсии».

Влияние на коммунистов других стран оказывалось весьма интенсивно. Более того, один из заметных политэмигрантов, Санчес Гарсия, в своей книге «Революция 1934 года в Астурии» цитировал Маурика, который говорил о формировании Иберийского союза — базы для объединения Австрии, Германии, Италии, Польши и СССР: «Мы находимся перед исторически значимым фактом: формированием Соединенных Социалистических Штатов Европы».

26 ноября 1936 года на приеме испанской делегации в ЦК МОПР СССР Елена Дмитриевна Стасова в своем выступлении сказала: «Можно выделить три этапа мирового революционного движения: Парижская коммуна, Великая Октябрьская социалистическая революция и Испанская революция».

Звезда Стасовой горела все ярче: в 1932 году на Амстердамском антивоенном конгрессе Стасова избиралась членом Всемирного антивоенного и антифашистского женского комитета, с 1935 по 1943 гг. Елена Дмитриевна — член интернациональной контрольной комиссии Коминтерна..

Наряду с политической деятельностью Елена Дмитриевна занималась литературной. В 1938 — 1946 гг. она была редактором журнала «Интернациональная литература» (на английском и французском языках). Стасова тонко чувствовала необходимость определенных публикаций, понимала ментальность нации и намекала на актуальные проблемы: «Журнал не должен быть одинаковым на всех языках. Мы так богаты литературными произведениями, что вполне могли бы подбирать соответствующий материал для каждой страны».

В 1946 году врачи категорически запретили ей работать. Стасова ушла на пенсию. В послевоенные годы Елена Дмитриевна писала статьи, воспоминания, книги. Ее богатая событиями государственной важности жизнь позволяла не придумывать тексты, а только излагать прошедшее на бумаге. Елена Дмитриевна является автором воспоминаний «Страницы жизни и борьбы», а также составителем книги о своем дяде В. В. Стасове «Письма к родным».

Стасова награждена четырьмя орденами Ленина, медалями, ей присвоено звание Героя Социалистического труда. Стасова была членом ЦК, ЦКК, ВЦИК и ЦИК СССР.

Елена Дмитриевна — делегат семи съездов партии. Последним, на котором она присутствовала, был XXII съезд. Тогда состоялось знакомство Стасовой и молодого космонавта Германа Титова.

Елена Дмитриевна прожила долгую, насыщенную триумфами жизнь. Стасова скончалась 31 декабря 1966 года в Москве. У нее не было детей. У нее была только невероятная преданность идеалам большевизма. В сложное время революций для Елены Дмитриевны не теряли актуальности семейные традиции. Традиции либерализма, уважения к каждому человеку, единение власти и народа. До конца не понявшая противоречий гражданской войны начала XX века, Елена Дмитриевна свою жизнь посвятила политической победе большевиков. Методы, которые последние применяли в достижении своих целей, сегодня кажутся не столько изобретательными и грамотно продуманными, сколько, мягко говоря, оскорбляющими престиж власти как таковой. Стасова, возможно, задумывалась над вопросом необходимости таких методов в то время, когда работала в ПЧК. Но ее вера в конечную цель коммунизма отсеивала все возникавшие сомнения в правильности выбранного пути.

# БОГЕМНАЯ КРАСАВИЦА

Кто бы мог подумать, что чекисткам народную славу может принести не только служебная деятельность?! Совсем необязательно ловить шпионов или самой быть одной из них, не нужно быть «палачом» или жертвой, чтобы собственное имя гремело на всю страну. Что же может сделать сотрудницу органов госбезопасности легендой? Конечно же, любовь. Это чувство знакомо всем. Кто-то, опьяненный страстью, счастливо живет долгие годы. Кто-то, принявший муки безответной любви, трагически гибнет в расцвете лет. Горькая участь постигла и нашу героиню.

Галина Артуровна Бениславская родилась в 1897 году. Она была дочерью грузинки, забеременевшей от французского студента Артура Карьера. Мать Галины тяжело переживала неожиданный уход соблазнителя и поэтому психически заболела. Воспитанием маленькой Гали занялись ее родственники из семьи врачей, Бениславские, жившие в латвийском городе Резекне. Они удочерили девочку. Повзрослев, Галина Артуровна уехала в Петербург, где поступила в Преображенскую женскую гимназию и закончила ее с золотой медалью в 1914 году.

Началась первая мировая война. К 1917 году Галина стала убежденной большевичкой, а потому Февральскую и Октябрьскую революции встретила с воодушевлением, хотя и не приняла в них участия. Во время гражданской войны она училась в Харьковском университете на факультете естественных наук. Когда войска белогвардейцев пришли на Украину, перерезав дороги из Харькова, Бениславская испугалась. По городу поползли слухи о том, что белогвардейцы зверски издеваются над коммунистами, пытают их. Будучи сторонницей красных, Галина Бениславская решила добраться до Советов через линию фронта.

Путь предстоял нелегкий, опасность расправы со стороны белогвардейцев заставляла усомниться в том, что можно остаться в живых. Долгие мытарства в дороге закончились весьма неприятно. Попав к красным, Бениславская оказалась арестованной. Ее попросту приняли за шпионку белогвардейцев! И для этого были все основания — шпионов противники засылали нередко.

Однако судьба благоволила Бениславской. Когда-то в Москве Галина познакомилась с Яной Козловской, отец которой был большевиком. Более того, Михаил Юрьевич Козловский (1876 — 1937) после февраля 1917 года являлся членом исполнительного комитета

Петроградского совета, председателем Выборгской районной думы. В ноябре 1918 года он занимал пост председателя Чрезвычайной следственной комиссии, а в 1919 году некоторое время возглавлял Народный комиссариат юстиции Литвы и Белоруссии. (Позднее Козловский стал членом коллегии Наркомюста РСФСР и председателем малого Совнаркома. Между прочим, Михаил Юрьевич в 1919 году подвергался критике на заседании ЦК РКП(б) за поддержку лиц, обвинявших ВЧК в применении террористических методов в своей деятельности).

Благодаря вмешательству Козловского Галину Артуровну освободили. Михаил Юрьевич позаботился о Бениславской и после ареста. Он оказал ей содействие в получении комнаты в Москве. (Некоторое время Галина Артуровна жила в Кремле, рядом с коммунистическими вождями, например, с Лейбой Сосновским). Козловский помог Бениславской вступить в партию. Кроме того, устроил на должность секретаря в Особую межведомственную комиссию при ВЧК.

Эта комиссия занималась изучением всех источников спекуляции и связанных с нею должностных преступлений. Она проводила ревизии хозяйственных органов и вырабатывала меры по борьбе со спекуляцией и усилению ответственности должностных лиц. Такое место работы считалось весьма престижным — в Особую межведомственную комиссию входили представители многих наркоматов и сотрудники ВЧК.

Но поскольку обязанности секретаря были необременительными, молодая Галина Артуровна посвящала все свободное время богемной жизни. Бениславская хорошо разбиралась в литературе, много читала, к тому же была признанной красавицей. По словам одного из знакомых, «ее глаза, попадая в солнечные лучи, загорались как два изумруда». Говорили, что Бениславская «из породы кошек». Естественно, что такую девушку рады были видеть в своем кругу московские поэты и художники.

Любимым местом встреч богемной молодежи являлось литературное кафе «Стойло Пегаса», в котором в начале двадцатых годов читали свои стихи лучшие поэты Москвы. Здесь дискутировали, обменивались творческим опытом, оглашали поэтические манифесты. Тогда Галина Бениславская восторгалась стихами Блока. Но ее жизнь перевернулась 19 сентября 1920 года, когда в один из вечеров, проходивший в Политехническом музее, выступил Сергей Есенин.

Позднее о своих впечатлениях от этой встречи Бениславская написала: «Вдруг выходит тот самый мальчишка; короткая нараспашку куртка, руки в карманах брюк, совершенно золотые волосы, как живые. Слегка откинув голову и стан, начинает читать:

— Плюйся, ветер, охапками листьев, —
Я такой же, как ты, хулиган...

Он весь стихия, озорная, непокорная, безудержная стихия, не только в стихах, а в каждом движе-

104

нии, отражающем движение стиха. Гибкий, буйный, как ветер, ветру бы занять у Есенина удали. Где он, где его стихи и где его буйная удаль — разве можно отделить?! Все это слилось в безудержную стремительность, и захватывают, пожалуй, не так стихи, как эта стихийность. Потом он читал „Трубит, трубит погибельный рог!..“ Что случилось после его чтения, трудно передать. Все вдруг повскакивали с мест и бросились к эстраде, к нему. Ему не только кричали, его молили: „Прочитайте еще что-нибудь...“ Опомнившись, я увидела, что я тоже у самой эстрады. Как я там очутилась, не знаю и не помню. Очевидно, этим ветром подхватило и закрутило и меня».

Так Галина Артуровна посвятила свою жизнь всепоглощающей страсти. «С тех пор пошли длинной вереницей бесконечные радостные встречи, — вспоминала она. — Я жила вечерами — от одного до другого. Стихи его (Есенина) захватывали меня не меньше, чем он сам. Поэтому каждый литературный вечер был двойной радостью: стихи и он».

Есенин был на пике популярности. Он, талантливый поэт и такой же талантливый скандалист, безумно нравился женщинам. Однако даря дамам телесную любовь, Есенин редко присовокуплял к ней духовную. Сергей Александрович был легковозбудимым человеком, «горел» страстью сильно, но недолго. До встречи с Бениславской Есенин успел покорить немало сердец.

Он жил в гражданском браке с Анной Романовной Изрядновой, с которой вместе работал в типографии Сытина. 21 декабря 1914 года у них родился сын Юрий. Но счастливой семьи не получилось — Есенин оставил Изряднову с маленьким ребенком на руках. (Для интересующихся судьбой наследника добавим, что после смерти поэта в народном суде Хамовнического района Москвы разбиралось дело о признании Юрия сыном Есенина. Незаконнорожденный Юрий Есенин был расстрелян 13 августа 1937 года по обвинению в подготовке покушения на Сталина).

Официальной женой поэта 30 июля 1917 года стала актриса Зинаида Райх. Есенин обвенчался с ней в церкви Кирика и Улиты Вологодского уезда. 29 мая 1918 года Зинаида родила дочь Татьяну, голубыми глазами и светлыми кудрями так похожую на Сергея Александровича. 3 февраля 1920 года, уже после развода с Есениным, Райх родила еще одного ребенка от поэта — сына Константина. Летом 1939 года она была зверски убита в своей квартире. Тому, что жестокое преступление совершили мелкие уголовники, не верилось. (Сейчас предположение участия в убийстве Райх агентов НКВД переходит в категорию факта).

В 1920 году Есенин подружился с поэтессой и переводчицей Надеждой Вольпин. 12 мая 1924 года у них родился внебрачный сын, ставший впоследствии крупным ученым-математиком, известным правозащитником. А. Есенин-Вольпин был одним из создателей (вместе с Сахаровым) Комитета прав человека.

Отношение поэта к Бениславской хорошо описал М. Райзман в книге «Все, что я помню о Есенине»: «Галя сыграла большую благородную роль в жизни Сергея. Когда он знакомил меня с ней, сказал:

— Относись к ней лучше, чем ко мне!

— Хорошо, Сережа! Будет сделано!

Есенин, довольный, прищурил правый глаз, а Бениславская смутилась».

Крепкая дружба с Галиной Артуровной не помешала поэту испытать испепеляющую страсть. Страсть к другой женщине. Избранницей Есенина стала знаменитая танцовщица-«босоножка» Айседора Дункан. С ней поэт познакомился на праздновании своего дня рождения (3 октября 1921 года) в мастерской художника Якулова. В компанию была приглашена Айседора Дункан, как раз закончившая свое выступление на московской сцене. Она знала по-русски порядка тридцати слов, но, услышав стихи Есенина, поняла, что этот молодой человек очень талантлив. Дункан первая назвала Сергея Александровича великим русским поэтом. В этой 46-летней танцовщице проснулась страсть. В ту ночь Есенин не вернулся в комнату Бениславской, а уехал в фешенебельный особняк Дункан. Сергей Александрович влюбился в Айседору без памяти. 2 мая 1922 года эта пара сочеталась законным браком в загсе Хамовнического Совета, а потом уехала за границу. Об отношениях Есенина и Дункан знали все. Еще бы — череда ссор, перемирий, расставаний и встреч отличалась сумбурностью и непредсказуемостью.

Для Бениславской женитьба Есенина и его отъезд за границу стали тяжелым ударом.

Вот выдержки из дневника Галины Артуровны:

«1. 1. 1922 год. Хотела бы знать, какой лгун сказал, что можно быть не ревнивым! Ей богу, хотела бы посмотреть на этого идиота! Вот ерунда! Можно великолепно владеть собой, можно не подавать вида, больше того — можно разыгрывать счастливую, когда чувствуешь на самом деле, что ты — вторая; можно, наконец, даже себя обманывать, но все-таки, если любишь по-настоящему, — нельзя быть спокойной, когда любимый видит, чувствует другую. Иначе значит — мало любишь. Нельзя спокойно знать, что он кого-то предпочитает тебе, и не чувствовать боли от этого сознания. Как будто тонешь в этом чувстве. Я знаю одно, — глупости я не сделаю, а что тону и, захлебываясь, хочу выпутаться, это для меня ясно совсем ‹...› И все же буду любить, буду кроткой и преданной, несмотря ни на какие страдания и унижения».

Галина Артуровна жила в Москве одна, без родных, лечилась в клинике от нервных болезней. Поддержать ее могли только подруги. Но все равно Бениславская не могла успокоить свое раненое сердце. Она всегда первым делом интересовалась у знакомых не состоянием их дел, а возможным приездом Есенина.

А как же работа Бениславской в Особой межведомственной комиссии? Галина Артуровна недолго ходила на службу. Существуют версии, что Бениславская была приставлена к Есенину как агент ЧК. В литературно-историческом журнале «Русь» Ф. Морозов подкрепил это предположение тем, что «Галина Артуровна состояла секретарем при «сером кардинале» ВЧК — НКВД Якове Агранове, который был близким другом поэта».

Действительно, советские спецслужбы приставляли своих сотрудников к заинтересовавшим их объектам. Но это делалось не для длительного изучения общественной деятельности, а для уточнения или выяснения одного-двух конкретных вопросов. Причем проводились такие мероприятия с санкций вышестоящих инстанций. Оперативные работники посещали полулегальные собрания, митинги и т. д. Несанкционированные знакомства сотрудников спецслужб с нежелательными лицами пресекались, виновных наказывали, даже увольняли из органов. Что касается слежки Бениславской за Есениным, то этот вопрос неоднократно исследовался. Многие авторы сходились в том, что Галина Артуровна действительно дружила с поэтом по указанию Агранова.

Однако материалы личного дела № 2389 опровергают такое мнение. Агентурно-осведомительные задачи ОМК перед собой не ставила, жизнью писателей и поэтов занимался секретный отдел ВЧК. Поэтому предположение о том, что Бениславская получила указание Агранова «следить за Есениным» является досужим вымыслом.

В одной из справок личного дела можно прочесть: «Прошу сотрудницу для поручения сельскохозяйственного отдела Бениславскую Г. А. как фактически не работающую около четырех месяцев откомандировать в административный отдел ГПУ». Этот документ датирован 27 апреля 1922 года. Другая справка гласит: «Бениславская уволена со службы ГПУ по личному желанию и направляется в подотдел учета и распределения рабочей силы гор. Москвы». Эта бумага была подписана ровно через пять дней после предыдущей справки.

«Таким образом, сам факт пусть короткой, но официальной службы на Лубянке исключал привлечение Бениславской в качестве секретного сотрудника ГПУ», — резюмировал Лев Костанян в своей статье «У чекистов чистые руки» («Российские вести», № 44, от 26 декабря 2001 года).

Но Есенин действительно, интересовал органы госбезопасности. В архиве ФСБ есть протокол заседания президиума ВЧК от 27 октября 1920 года. В тот день рассматривались секретные дела, расследуемые секретным отделом. Вторым в списке значилось дело «Есенина Сергея Александровича, по обвинению его в контрреволюции». Докладчиком по этому вопросу выступал уполномоченный четвертого отдела секретного отдела В. Штейнгардт, которому начальник заседания Т. Самсонов поручил вести дело Есенина. Штейнгардт с середины 1918 года работал заместителем начальника военной контрразведки, начальником особого отдела армии, руководил цензурой на Восточном фронте. Он очень хорошо разбирался в действительных «врагах» новой власти. Это и сыграло особую роль в его карьере. С высоких должностей Штейнгардт «спустился» до рядового уполномоченного.

На него вышел Яков Блюмкин, старый знакомый по работе в контрразведке. К тому времени Блюмкин состоял слушателем Академии генштаба Красной Армии. Он много общался со Штейнгардтом, оказывая ему помощь в ведении дела Есенина. Свидетельством такой помощи может служить следующий документ: «20 года, октября месяца 25. Я, нижеподписавшийся Блюмкин Яков Григорьевич, проживающий в гостинице Савой, № 136, беру на поруки Есенина под личную ответственность. Ручаюсь в том, что он от суда и следствия не скроется и явится по первому требованию следствия и судебных властей».

Это послужило основанием для заключения президиума ВЧК, в котором указывалось, что «причастность Есенина к делу Кусикова недостаточно установлена». Сергея Александровича предлагалось освободить из-под стражи под поручительство Блюмкина.

Почему же Есенин интересовал власти? Поэт восторженно встретил Февральскую революцию, а вот к Октябрьской его отношение было настороженным. Последовавшая затем череда арестов и расстрелов друзей (писателей, поэтов, художников, общественных деятелей), а также собственные неоднократные аресты вызвали в Есенине чувство гнева. На литературных вечерах он все чаще читал провокационное стихотворение. Вот отрывок из него:

> Пустая забава, одни разговоры.
> Ну что же, ну что же вы взяли взамен?
> Пришли те же жулики, те же воры
> И законом революции всех взяли в плен.

За границей Есенин написал несколько произведений, высмеивающих власть большевиков. Об этом знали почитатели таланта поэта. Но вскоре узнали и «вожди революции». Они пытались уничтожить Есенина «законным» путем: сажали в Бутырскую тюрьму, бросали в подвалы Лубянки, в которых содержались приговоренные к расстрелу. На поэта была устроена настоящая охота — только чудом он спасся от ножа уличного хулигана и от бандитской пули. Более того, уже упоминавшийся Лейба Сосновский дал указание в каждом номере московских газет печатать статьи якобы от имени рабочих, требовавших расправы над «кулацким» поэтом. Неизвестные личности агрессивно вели себя по отношению к Есенину, пытаясь вызвать его ответную реакцию, чтобы затащить в милицию или ОГПУ. Сергей Александрович ходил с палкой для самообороны. Понятно, что нервы его были на пределе. Есенин скрывался от травли на Кавказе. Потом и вовсе хотел бежать в Турцию или Иран.

Но вернемся к дальнейшей судьбе Галины Бениславской. Есенин снова встретился с ней. О периоде своих переживаний Бениславская написала в воспоминаниях: «После заграницы Сергей Александрович почувствовал в моем отношении к нему что-то такое, чего не было в отношении друзей, что для меня есть ценности выше моего собственного благополучия». Есенин вернулся в Россию, измотанный сложными отношениями с ревнивой Дункан, все больше погрязающий в пучине алкоголизма. Тогда же, в 1923 году, образовалась глубокая пропасть между ним и имажинистами.

Но ангел поэта — Галина Артуровна — помогла преодолеть тяжелое время. Есенин поселился в ее комнате в коммунальной квартире в Брюсовском переулке. Там же вскоре стали жить и его сестры — Екатерина и Александра, приехавшие в Москву. На этой квартире Есенин встречался со своими друзьями. Среди них были Всеволод Иванов, Борис Пильняк, Николай Клюев, Петр Орешин, Василий Наседкин, Вольф Эрлих. О том, как чувствовал себя Есенин в тот период, читаем в его письме: «Работается и пишется мне дьявольски хорошо».

Бениславская вмешалась в отношения любимого человека с его женой. Галина Артуровна отправила

Айседоре Дункан несколько телеграмм. Первая была следующего содержания: «Писем, телеграмм Есенину больше не шлите. Он со мной. К вам не вернется никогда. Галина Бениславская». Вторая говорила о первой: «Содержание телеграммы Сергею известно».

Айседора была в замешательстве. Чтобы прояснить ситуацию, она телеграфировала: «Москва Есенину. Петровка Богословский. Дом Бахрушина. Получила телеграмму должно быть от твоей прислуги Бениславской пишет чтобы письма телеграммы на Богословский больше не посылать разве переменил адрес прошу объяснить телеграммой очень люблю Изадора».

Сергей Александрович набросал карандашом на бумаге ответ: «Я говорил еще в Париже, что в Россию уйду. Ты меня озлобила, люблю тебя, но жить с тобой не буду, сейчас женат и счастлив, тебе желаю того же, Есенин». Текст был отредактирован Бениславской. Айседора Дункан получила окончательный вариант телеграммы: «Я люблю другую, женат и счастлив. Есенин».

Все знакомые смеялись над посланиями Бениславской Дункан. Ведь такой агрессивный, вызывающий тон высказываний был совсем не свойствен Галине Артуровне. Она оправдывалась: «Это отпугивание и только».

Дневниковые записи Бениславской опубликовал А. Г. Самусевич в книге «Венок Есенину». О совместной жизни с Есениным Галина Артуровна писала:

«Когда Сергей Александрович переехал ко мне, ключи от всех рукописей и вообще от всех вещей дал мне, так как сам терял свои ключи, раздавал рукописи и фотографии, а что не раздавал, то у него тащили сами. Он же замечал пропажу, ворчал, ругался, но беречь, хранить и требовать обратно не умел. Насчет рукописей, писем и прочего сказал, чтобы по мере накопления все ненужное в данный момент передавать на хранение Сашке (Сахарову): у него мой архив, у него много в Питере хранится. Я ему все отдаю».

В Галине Артуровне не только пылала страсть к поэту, в ней жило чувство понимания его таланта. Благодаря ей Есенин мог сосредоточиться на творчестве, не вникая в издательские дела и обеспечение своих родных сестер. В то время он отзывался о Бениславской восторженно. Друг Сергея Александровича, имажинист Вольф Эрлих вспоминал слова Есенина: «Вот ты сейчас и Галю увидишь! Она красивая!.. Ну так вот! Галя — мой друг! Больше, чем мой друг! Галя — мой хранитель! Каждую услугу, оказанную Гале, ты оказываешь мне!» Илья Шнейдер отзывался о Бениславской так: «Эта девушка, умная и глубокая, любила Есенина преданно и беззаветно. Есенин отвечал большим дружеским чувством».

В марте 1925 года Сергей Александрович познакомился с внучкой Льва Николаевича Толстого. Софья Андреевна Толстая была на пять лет младше Есенина. Это знакомство стало еще одной попыткой поэта создать семью. Тогда же он написал письмо Галине Бениславской: «Милая Галя! Вы мне близки как друг, но я нисколько не люблю Вас как женщину».

Женитьба Сергея Есенина на Софье Толстой в октябре 1925 года заставила Галину Бениславскую отойти от любимого человека. Поэт тяжело переживал уход бесценного друга. Но ничего уже было не вернуть. И Сергею Александровичу, и Галине Артуровне оставалось жить совсем недолго.

Жизнь тридцатилетнего поэта оборвалась 27 декабря 1925 года в гостинице «Англетер». Бениславская не присутствовала на его похоронах. Она пришла на могилу Есенина на Ваганьковском кладбище 3 декабря 1926 года. Долго курила, что-то писала карандашом на листке бумаги. Потом вытащила пистолет и застрелилась. Свидетелем самоубийства оказался кладбищенский сторож. Он побежал к церкви, чтобы поднять тревогу. Тем временем к могиле Есенина уже подъехала милиция и «скорая помощь». Бениславская еле слышно стонала. Ее спешно повезли в Боткинскую больницу. Однако было уже поздно — по дороге Галина Артуровна скончалась. Тогда ее тело повезли в анатомический театр.

В предсмертной записке Галины Артуровны сообщалось: «Самоубилась здесь, хотя знаю, что после этого еще больше собак будут вешать на Есенина. Но и ему и мне это будет все равно. В этой могиле для меня все самое дорогое...»

Для Галины Артуровны Есенин был не только великим русским поэтом, но и бесконечно любимым человеком. Любимым настолько, что своя собственная жизнь казалась предназначенной только ему, поэту с голубыми глазами и израненной душой.

# ГЕРОИНЯ СОБСТВЕННЫХ КНИГ

Почти все в юности увлекаются чтением книг. «Приключения Робинзона Крузо», «Гулливер в стране лилипутов», «Три мушкетера», «Мертвые души», «Война и мир» — да мало ли какие произведения не оставят равнодушными молодежь. Такая естественная читательская страсть не обязательно приводит к тому, что человек впоследствии и сам становится известным писателем. Ведь необходимым условием для литературной славы является писательский талант. Иногда, чтобы оставить свой след в литературе, одаренный человек должен ясно представить себе, что лично он, признанное или непризнанное дарование, может сказать читательской аудитории, представляя на ее суд очередное собственное произведение. Можно имитировать стиль других писателей, создавать свой, отличающийся от других, искать новые формы повествования или строить запутанные лабиринты сюжета. Можно встретить гениев формы, имитаторов, нюансами произведения напоминающими предшествующих авторов, замысловатых игроков со словом. Но когда большой личный опыт переживаний, связанных с непредсказуемыми событиями, кажется интересным и для других, тогда возникает желание перенести наиболее яркие этапы своей жизни на бумагу. Насколько писательские надежды оправданы, может судить только читатель.

Почитателей литературного таланта Ирины Гуро было немало. Многие знавшие эту писательницу утверждают, что все ее произведения автобиографичны. Какова же была жизнь Ирины Гуро, что событий, происходящих в ней, хватило не на одну книгу?

Ирина Гуро — писательский псевдоним. На самом деле эту женщину звали Раиса Соболь. Она родилась в Киеве 6 мая 1904 года. Отец Раисы, Роман Соболь, был директором крупного завода. Дочь «использовала» его положение в личных целях: все книги в заводской библиотеке были жадно прочитаны любознательной девочкой. После уроков в гимназии Раиса играла с другими детьми во дворе. И, пожалуй, то «уличное» образование оказалось для нее не менее важным, чем гимназическое. Иначе чем объяснить приверженность Раисы идеалам большевиков, которые пришли к власти в октябре 1917 года?

В ту пору Соболь было всего тринадцать лет, но, несмотря на такой нежный возраст, девочка жаждала посвятить себя строительству нового общества. А потому и ушла из дома. Был канун гражданской войны, многие сторонники советской власти были при-

влечены большевиками к борьбе с контрреволюционерами. Раиса оказалась в молодежной коммуне, где
начала заниматься пропагандистской работой, действовала в части особого назначения (ЧОН), которая
устраивала акции против украинских националистов.
Особенно активное участие юная Соболь проявила
в 1919 году в создании кружков красной молодежи. Такие порывы ее товарищи оценили, и в возрасте 15 лет Раиса стала членом Коммунистического
союза молодежи.

Деловая, самостоятельная, остроумная, комсомол-
ка Соболь уверенно завоевывала авторитет в своей
среде. Не случайно в 1921 году она вошла в уездный
комитет Коммунистического союза. молодежи Бел-
города. На мировоззрение членов этой организации
сильно влияли взгляды видных революционеров. Некоторые молодые ребята особенно восторгались
Александрой Коллонтай, пропагандировавшей свободную любовь без брака, воспитание детей вне семьи и т. д. В своем романе «Невидимый всадник»
Ирина Гуро (Раиса Соболь) привела такой эпизод
из жизни молодежи первых послереволюционных
лет:

«И еще раз я пришла, когда Валерий был один. Он
спал на кровати с амурами, укрывшись шинелью. Это
я увидела в открытое окно. Момент настал! Недолго
думая, я спрыгнула с подоконника. Я посчитала, что
последняя преграда между нами пала, и полезла под
шинель...

Валерка вскочил, как будто ему за пазуху кинули ужа:

— Ты откуда свалилась, пимпа курносая?

— С подоконника, — ответила я и, чтоб между нами не было ничего недосказанного, сказала быстро: — Я тебя люблю и поэтому пришла. И не уйду отсюда до утра. — И в замешательстве добавила: — Хай тоби грец!

— До завтрашнего утра? — переспросил испуганно Валерий, и мне показалось, что он сейчас захохочет. Этого нельзя было допускать ни в коем случае. Я утвердилась на кровати и крепко обняла Валерия за шею. Он не сопротивлялся.

Мы лежали и молчали. Потом он сказал:

— Послушай, может, отложим все это?

— А чего откладывать? Чего откладывать? — зашептала я ему в ухо. Самое главное сейчас было не дать ему размагнититься!

— Ну, года на два. Подрасти хоть немножко, — прохрипел Валерка, потому что я сдавила ему шею.

Кажется, все рушилось. Я сказала строго:

— Ты, Валерка, не отдаешь себе отчета в своих словах: мне шестнадцать!

И я села на кровати, потому что мне было неудобно лежа вести полемику.

— Знаешь, Лелька, — сказал серьезно Валерка, — я тебе скажу откровенно: у меня нет ощущения шестнадцати...

— Вот как? А на сколько же у тебя есть ощущение? — спросила я в растерянности.

— На двенадцать! — выпалил он и все-таки захохотал.

Я сидела на краешке кровати и смотрела, как кролик на удава, в его вылинявшие глаза, на его нос с рябинками. Но он уже, как говорилось, перехватил у меня инициативу.

— И вообще, Лелька, что это такое? — нравоучительно продолжал он. — Выходит, ты — распущенная девчонка? Вламываешься в окно, влезаешь в постель к постороннему мужчине...

— Какой же ты посторонний, что ты говоришь, Валерка?

Наступила какая-то пауза. Но я уже почувствовала всем существом, что в эту минуту все изменилось...

Валерка сел на кровати и притянул меня к себе:

— Ну, подождем годок. Пусть тебе будет хоть семнадцать.

— Если сейчас мне двенадцать, то через год будет только тринадцать, — мстительно напомнила я.

— А потом... — Валерка что-то вдруг вспомнил и отпихнул меня, — я вообще ведь человек женатый.

Он опять был прежним Валерием, твердокаменным комиссаром в черной коже.

— Где же твоя жена? — спросила я недоверчиво.

— На заводе. На сахарном заводе. Под Обоянью, — с убийственной точностью объявил он и добавил: — Где директором Паршуков.

— При чем здесь Паршуков? — возмутилась я. — И вообще, что тут такого? Ты сам говорил, что любовь свободна. И Энгельс явно указывает, что моногамия — продукт капитализма. Тут все дело в частной собственности и принципе наследования...

Я собиралась развернуться на эту тему, но на стене зазвонил телефон, и Валерка вскочил с кровати как ошпаренный».

Этот отрывок из романа Ирины Гуро тонко воспроизводит приметы времени и психологию молодежи.

Однако романтические парни и девушки (романтические потому, что какой революционер — не романтик?) думали не только о любовных отношениях. Раиса Соболь была из их числа. В 1921 году Коммунистический союз молодежи рекомендовал ее на учебу на юридический факультет Харьковского университета. (Харьков тогда был столицей Украины). Раиса училась с удовольствием, стремилась получать отличные отметки по всем предметам, так как понимала: возложенное на нее доверие комсомола нужно было оправдать.

После двухлетней учебы Раиса Романовна по поручению этой организации приступила к практике. Она работала в уголовном розыске Харькова. Воспоминания о том времени нашли отражение в ее романе «Невидимый всадник»:

«Мы шли браво, но мне страшно хотелось есть. Может, оттого, что нам все время попадались паштетные. В них сидели нэпманы. Многие из них были толстые, какими их рисовали в газетах...

В большие зеркальные окна было видно, как нэпманы жрут мясо. И надо думать, это была не конина.

— Как вы думаете, это не конина?

— Где? — спросил Иона Петрович, будто с неба свалился.

— Ну, там, в паштетной...

— А... Не знаю. Меня это не интересует, — отвечал Шумилов ледяным голосом, словно не он доедал со мной сегодня утром последнюю воблу из пайка.

— Трудно жить одними интеллектуальными интересами, Иона Петрович, — сказала я».

В период работы в угрозыске Раисе Соболь приходилось сталкиваться с различными соблазнами. Ведь большинство преступников оказывались состоятельными людьми, предпринимателями, не отказывающими себе в жизненных удовольствиях. У них было много денег, так как эпоха нэпа была сопряжена с «легкими» деньгами, валютными операциями, элементарным грабежом. Но Раиса Романовна твердо стояла на своих принципах, не позволивших ей проникнуться прелестями «сладкой жизни».

В 1925 году Соболь стала членом ВКП(б). Потом ее судебная деятельность продолжилась в Москве. А в 1926 году Раису Романовну партия направила на службу в органы государственной безопасности. Сначала Соболь работала в ЭКУ, а затем в ИНО.

Что из себя представляло новое место ее работы? ОГПУ при Совете народных комиссаров СССР возникло в 1923 году на базе ГПУ при НКВД РСФСР.

Оно оставалось аппаратом политических репрессий внутри страны и за границей, как «внутренняя мера с целью подавления политической оппозиции и укрепления советской власти». Вместе с тем, ОГПУ в большей степени, чем ВЧК и ГПУ, выполняло задачу по информационно-аналитическому обслуживанию руководителей страны.

Органы внешней разведки должны были проводить мероприятия среди эмиграции за рубежом среди террористических, повстанческих и других антисоветских организаций. Следует констатировать, что к началу 1941 года эта задача была почти выполнена. В частности, разведчикам удалось деморализовать Российский общевоинский союз (РОВС), а также ликвидировать верхушку украинского национального движения (ОУН).

Внешняя разведка занималась сбором военной, политической, экономической и научно-технической информации о противнике. Основные силы чекистов были брошены на противодействие Германии и Японии.

Так берлинская резидентура ИНО ОГПУ сумела проникнуть в руководящие органы контрреволюционных и белоэмигрантских организаций, а также в правительственные органы Германии. Разведка на Дальнем Востоке велась по заданиям полномочного представительства ОГПУ в этом крае. Но с созданием в 1923 году агентуры в Пекине и Харбине появилось много ценной информации о деятельности не только китайских эмигрантов, но и высших кругов власти в Японии.

Кроме того, в 1922 году были получены важные сведения о политике США в отношении СССР. Внешняя разведка научилась тогда приобретать ценную агентуру — что стоит знаменитая «Кембриджская пятерка»!

Итак, придя в ОГПУ в 1926 году, Раиса Соболь начала работать в экономическом отделе под руководством Орлова. Орлов (Никольский, Фельдбин) был высокообразованным человеком, владел несколькими западноевропейскими языками. Он явился автором и исполнителем многих комбинаций по выявлению истинных доходов нэпманов. В практических мероприятиях по этому вопросу активное участие принимала и Раиса Соболь. Затем она вместе с Орловым перешла на работу в Иностранный отдел ОГПУ СССР. Орлов контактировал с западными бизнесменами и сыграл важную роль в вывозе новинок зарубежной техники из Германии и Швеции. В 1934 — 1935 гг. он стал нелегальным резидентом в Лондоне. В 1936 году Орлов провел операцию по вывозу испанского золота в Москву, за что был награжден орденом Красного знамени. Однако работая на спецслужбы Советского Союза, Орлов не пожелал вернуться на Родину в 1938 году.

Раиса Романовна, являясь сотрудником ИНО ОГПУ, не могла не общаться с известными разведчиками. Так, например, она дружила с Эммой Кагановой (ранее работавшей руководителем осведомителей в украинской творческой среде), женой Павла Судоплатова.

Об этом разведчике хотелось бы рассказать подробнее. Павел Анатольевич Судоплатов прослужил в органах государственной безопасности тридцать два года (с 1921 по 1953 год). Он был в числе участников ликвидации одного из главарей украинских националистов — Коновальца. В 30-е годы Павел Анатольевич являлся заместителем начальника внешней разведки, а во время Великой Отечественной войны — начальником 4-го разведывательно-диверсионного управления НКВД — НКГБ. Судоплатов разрабатывал мероприятия по убийству Троцкого. После окончания войны Павел Анатольевич возглавлял особую группу МГБ, был заместителем начальника Первого Главного управления (ПГУ) СССР. В 1953 году его арестовали. Судоплатов провел в заключении 15 лет, тщетно посылая в правительство прошения о пересмотре своего дела. По возвращении его из тюрьмы навестить коллегу пришла в числе прочих близких друзей Раиса Романовна Соболь. Но Судоплатова реабилитировали только в 1992 году, за четыре года до его смерти.

Стоит заметить, что репрессии, проводимые в 1937—1938 году, коснулись и органов госбезопасности. Никто тогда не был застрахован от ареста: ни высшее руководство, ни рядовые сотрудники.

В декабре 1938 года в должность наркома НКВД вступил Лаврентий Павлович Берия. Спустя несколько дней после этого события состоялось партийное собрание разведывательной службы, на котором, естественно, клеймили уже арестованных «врагов народа». Сослуживец упомянутого выше Судоплатова, Гукасов, обвинял его в дружеских отношениях с «недавно разоблаченными врагами народа Шпигельглазом, Раисой Соболь и ее мужем М. Ревзиным».

В 1938 году по показаниям своего осужденного мужа, с которым прожила тринадцать лет, Раиса Романовна была арестована и приговорена к восьми годам лишения свободы. Личные переживания по этому поводу она перенесла в уста героини «Невидимого всадника»: «Я не противлюсь... Почему бы? Словно за эти минуты растопилось безразличие ко всему, какая-то стена между мной и окружающими упала, и я увидела себя со стороны: вот здесь я буду жить и потому должна делать то, что делают все».

В самом начале Великой Отечественной войны при наркоме НКВД была сформирована Особая группа, перед которой стояли задачи: ведение разведывательной операции против Германии и ее сателлитов, организация партизанской войны и агентурной работы на оккупированной территории, а также проведение специальных радиоигр с целью дезинформации противника. Возглавил Особую группу Судоплатов. При этом объединении была основана отдельная мотострелковая бригада особого назначения (ОМСБОН) НКВД СССР. В связи с расширением объема работ в октябре 1941 года Особая группа преобразовалась во

Лубянка. 2000 г.

Лубянская площадь. Начало XX века

Литейный проспект, д. 6

Церковь на Литейном, д. 6, где сейчас находится «Большой дом»

В. Н. Яковлева — председатель
Петроградской ЧК

Орловская тюрьма, в которой В. Н. Яковлева отбывала
наказание вплоть до своего расстрела

Е. Д. Стасова —
молодая
учительница

В. И. Ленин и Е. Д. Стасова.
Встреча во время II конгресса
Коминтерна. 1920 г.

Партийная кличка
Е. Д. Стасовой —
«Товарищ Абсолют»

Одна из последних
фотографий
Е. Д. Стасовой

Мемориальная доска «Дом на набережной».
Текст на доске: «В этом доме с 1932 года
по 1966 год жила профессиональная
революционерка, активная участница
Великой Октябрьской социалистической
революции, член КПСС с 1898 года, Герой
Социалистического труда Елена Дмитриевна
Стасова»

Г. А. Бениславская — секретарь Особой межведомственной комиссии при ВЧК

Супруга и «ангел-хранитель» С. Есенина

Одна из последних фотографий
Г. А. Бениславской

**Героиня собственных книг** Раиса Соболь (Ирина Гуро)

Р. Соболь — лейтенант госбезопасности
и член Союза писателей СССР

Э. Грундман — первая женщина, удостоенная знаком «Почетный чекист». Неоднократно отличалась в проведении провокаторских операций ЧК

... Наш фронт славился своими разведчиками. Среди них были и женщины. Мне до
сих пор помнятся многие из этих бесстрашных патриоток. Одна из них — Мария
Фортус...

*Маршал О. С. Бирюзов*

Е. Ю. Зарубина — звезда российской
внешней разведки

З. В. Зарубина — падчерица
Е. Ю. Зарубиной, разведчик,
личный переводчик
И. В. Сталина

Агент НКВД «Патрия»,
секретарь Л. Троцкого
в 1937—1938 гг.

Полковник КГБ
Африка де Лас Эрас,
почетный сотрудник
госбезопасности

«Жизнерадостная и волевая» — именно так характеризовали З. И. Воскресенскую

«Баронесса Воскресенская»,
она же «мадам Ярцева»
привлекла к сотрудничеству
с советской разведкой
многих людей

З. И. Воскресенская с соратниками
по финской резидентуре

На обеде у шведского короля

Бывшая разведчица
и любимая писательница
миллионов советских детей

Л. Коэн — первая
женщина Герой
Советского Союза,
единственная развед-
чица, в честь которой
в России выпущена
почтовая марка

Леонтина Коэн (Крогер Хелен)

2-й отряд НКВД. А в 1942 году при новой реорганизации появилось 4-е диверсионно-разведывательное управление.

Испытывая острую нехватку в квалифицированных кадрах, Судоплатов попросил Берию освободить из тюрьмы бывших сотрудников разведки и контрразведки. Получив согласие, Павел Анатольевич добился освобождения многих несправедливо осужденных людей, в том числе близких ему друзей, среди которых была и Раиса Романовна. В сентябре 1941 года Соболь вышла на свободу, дело в отношении этой чекистки было прекращено.

Раису Романовну восстановили на работе в органах госбезопасности. Долг перед Родиной заставил забыть обиды и начать службу с самой маленькой должности. Соболь уехала на Юго-Западный фронт исполнять обязанности оперуполномоченного Особого отдела. Она вела работу, где пригодились знания немецкого языка. С июля 1942 года Раиса Романовна — инструктор разведывательного отдела штаба Северной группы войск. Она занималась созданием партизанских отрядов и подготовкой разведчиков и радистов для последующей их заброски в тыл противника. Полученную информацию Соболь обрабатывала и докладывала о положении дел в Центр.

Раиса Романовна долгое время пыталась восстановить свое членство в партии, все время получая отказы от комиссии. Наконец, в 1948 году Соболь повторно вступила в партию.

В 1946 году Раиса Романовна вышла в отставку в звании лейтенанта госбезопасности и начала свою литературную деятельность. Первой книгой Соболь стала «В добрый день, Кумриниса!», опубликованная в 1946 году. Под псевдонимом Ирина Гуро бывшая чекистка писала о патриотизме в годы войны, о советской действительности 20—30-х годов. Гуро стала автором и других произведений: «Один из вас» (1951), «Синий кабан» (1955), «На суровом склоне» (1957) «Кто пил воду из Зеравшана» (1959), «Наша знакомая Гульджан» (1959), , «Путь сибирский дальний» (1959), «Анри Барбюс» (1962, совм. с Л. Фоменко), двухтомник избранных произведений (1985), «Конь мой бежит» (1987, совм. с А. Андреевым), «Ольховая аллея. Повесть о Кларе Цеткин» (1989, издана после смерти автора).

В 1958 году Ирина Гуро стала членом Союза писателей СССР. О своей службе в органах госбезопасности Раиса Романовна не упоминала ни в одном произведении. Роман Гуро «Дороги на Рюбецаль» (1966), в котором повествуется о прошлом и настоящем Германии, был отмечен в 1968 году премией имени Николая Островского.

Раиса Романовна Соболь была награждена орденом Отечественной войны 2-й степени, двумя медалями «За отвагу», медалями «Партизану Отечественной войны» 1-й степени, «За оборону Москвы», «За победу над Германией» и другими знаками государственного признания.

29 июня 1988 года Раисы Романовны Соболь не стало. Но до сих пор живут книги Ирины Гуро, находя своего читателя по прошествии долгих лет. Лет, изменивших судьбу государства, за безопасность которого была ответственна и наша героиня.

# БОЕВАЯ ЭЛЬЗА

Шел 1917 год. Большевики готовились к октябрьскому вооруженному восстанию. Рабочие и крестьяне, солдаты и матросы — все видели себя революционерами. Еще бы, они стояли у истоков новой истории России! Подготовка к восстанию включала не только пополнение рядов большевиков, готовых взяться за оружие. Необходимо было обеспечить проведение штурма Зимнего дворца с меньшими потерями восставших. В мировой практике подобные революции не проходили без раненых и убитых. Поэтому большевики организовали в Петрограде (на Выборгской стороне) курсы, на которых пятьдесят фабрично-заводских работниц осваивали профессию медсестры.

К утру 25 октября весь город, за исключением Зимнего дворца и здания военного округа, уже был в руках восставших. Вечером раздались холостые выстрелы крейсера «Аврора» и начался штурм последней цитадели Временного правительства. К этому времени рядом с Зимним дворцом уже находился первый отряд медицинских сестер, возглавляемый некой бесстрашной девушкой. Ее звали Эльза Грундман. Что же это была за девушка?

Эльза Грундман родилась 16 мая 1891 года в семье крестьянина Ульриха Грундмана в Лифляндской губернии. Материальное положение родителей не позволило дочери получить достойное образование. Эльза закончила всего три класса церковно-приходской школы. Но у семнадцатилетней девочки был пытливый ум, а потому недостающих знаний она решила набраться в Риге. Чем она могла заниматься в этом городе в 1905 году? Конечно же, только революционной деятельностью. И вот уже Эльза Грундман — член РСДРП. Аресты этой крестьянской девушки были не случайны, ведь она активно занималась революционной работой.

В 1915 году в связи с немецкой угрозой рижские предприятия эвакуировались в глубь страны. А наша героиня уехала в Петроград, где стала работать токарем на заводе «Промет». Неиссякаемая энергия не позволила ей быть вне политики. В короткий срок Эльза Ульриховна (позже — Яковлевна) наладила связь с большевиками и включилась в партийную работу. Вскоре она стала активным членом партийной организации Выборгского района. Грундман выступала на рабочих собраниях и митингах, беспощадно критикуя политику действующего правительства. Она участвовала в формировании отряда из ста рабочих завода «Промет», который влился в Красногвардейский отряд, задействованный позднее в Октябрьском вооруженном восстании.

Эльзу настолько воодушевил штурм Зимнего дворца, что ликвидация мятежа Керенского-Краснова на Пулковских высотах не обошлась и без нее. Вместе со своими подругами, окончившими медицинские курсы, Грундман направилась на боевые позиции. (Мятеж на Пулковских высотах был попыткой восстановления законной власти. Его инициаторами выступили премьер-министр Керенский и казачий генерал Краснов, оба несогласные с политикой большевиков. Эта акция была обречена на провал, ведь войска отказались подчиниться указаниям организаторов мятежа).

После подавления мятежа Керенского-Краснова Грундман работала в центральном медицинском центре, проводила запись рабочих и работниц в санитары. Она явилась одним из организаторов российского Красного Креста, первоосновой которого служили те самые медицинские курсы на Выборгской стороне, где обучалась и сама Грундман.

С конца 1917 года Эльза Яковлевна входила во Всероссийскую коллегию по организации Красной армии. С апреля 1918 года работала во Всероссийском бюро военных комиссаров.

В 1918 году многие представители рабочего класса Петрограда ушли на фронты гражданской войны. В их числе была и Эльза Яковлевна. Она попала на Восточный фронт. Там ее назначили комиссаром отряда по подавлению мятежа в районе г. Оса. В июне 1918 — феврале 1919 года Грундман была комиссаром особых отрядов снабжения 3-й армии, руководила принудительными реквизициями продовольствия у крестьян, а также карательными операциями.

С начала 1919 года она стала вторым секретарем московского городского райкома РКП(б). Оттуда Грундман была направлена на работу в органы госбезопасности на должность начальника информационной части Особого отдела Московской ЧК, которым руководил Ефим Георгиевич Евдокимов (1891 — 1940). Благодаря Евдокимову Особый отдел стал одним из эффективно работающих отделов комиссии. Подтверждением этому могут служить следующие примеры.

Особый отдел МЧК, в составе которого работала Грундман, внес весомый вклад в ликвидацию так называемой «Добровольческой артели московского района» и московского филиала «Национального центра». Также результативной операцией стал разгром анархистского подполья. 25 сентября 1919 года в помещении московского комитета РКП(б) прогремел взрыв. Погибло 12 и ранено 55 партийных активистов. Здание комитета было сильно повреждено. В ночь на 5 ноября чекисты Особого отдела предприняли попытку захвата штаб-квартиры анархистов. После двух часов перестрелки анархисты предпочли смерть сдаче в руки сотрудников органов госбезопасности и взорвали себя.

В 1919 году началось освобождение Украины, и в конце года для создания структур органов госбезопасности туда из Центра был выслан отряд опытных работников. Евдокимов поехал на Украину с группой уже проверенных в деле чекистов. Отправилась туда и Эльза Грундман, став начальником информации и административной части Особого отдела ВЧК Южного и Юго-Западного фронтов.

На Украине шли ожесточенные бои. Население разделилось на два враждующих лагеря. Справиться с работой по уничтожению бандитов было непросто. Эльза Грундман в автобиографии вспоминала: «Выезжала в Донбасс для разработки и ликвидации деникинской организации по затоплению шахт‹...› Руководила разработкой и операцией по ликвидации петлюровской организации в школе червонных старшин, целью которых был переход и сдача неприятелю курсантской бригады ‹...› Участвовала в ликвидации дела ‹...› продажи имущества армии ‹...› махновцам ‹...› С тремя сотрудниками произвела арест, при помощи двух уполномоченных махновской организации на бронепоезде, которые, арестовав комиссара поезда, хотела продать поезд Махно».

В середине 1921 года по просьбе начальника Подольской губернской ЧК Л. М. Заковского Грундман отправляется в Винницу, где она становится членом коллегии и начальником административно-организаторского отдела. О своей работе там Эльза Яковлевна написала (стиль и орфография сохранены):

136

«Участвовала и руководила ликвидацией окружных банд: Нечая — сдалась благодаря агентурной работе среди банды. Лично ездила на переговоры. Банда Шевчука — была уничтожена в бою. Атаман сдался. Банда Лихо — половина сдалась во время переговоров, другая половина во время боя была разбита и убит сам атаман Лихо. Банда Артема — атаман был взят, когда я оставалась заложницей в банде, где, в общем, пробыла как заложница семь суток. Остальная банда мне сдалась по прибытии в город Винницу».

На самом деле события развивались более непредсказуемо, чем их описала в автобиографии Грундман.

Банды Артема и Лихо терроризировали сельское население, пугая его поджогами и пулеметными очередями по ночам. Среди людей распространялись слухи о намечавшемся захвате Винницы. Сами банды, насчитывая до 700 сабель, имея легкую полевую артиллерию, скрывались на хуторах, что очень затрудняло чекистскую работу.

Разгром регулярных частей банд Артема и Лихо был поручен Винницкой ЧК. Евдокимов на совещании своего отряда одобрил хитроумное предложение Грундман. Находчивая Эльза придумала такой способ «взятия» бандитов: проникнуть в логово Артема и Лихо, сообщить условия дальнейшего развития «взаимоотношений», в случае отказа добровольной сдачи чекистам действовать согласно будущей обстановке. На роль «переговорщика» Грундман предлагала себя.

В целях безопасности в логово бандитов вместе с Эльзой Яковлевной послали сотрудника спецслужб Петра Солодовского. Появившись в назначенном месте, Грундман заявила атаману Артему:

«Я — начальник информационного отделения Особого отдела Юго-Западного фронта, помощник известного тебе Евдокимова. Пора бы тебе одуматься и прекратить сопротивление! Сдавайся. Евдокимов ждет тебя в Виннице для переговоров».

Артем, обескураженный властным тоном молодой женщины, согласился выехать на переговоры. Но, опасаясь за свою жизнь, оставил Грундман в лагере бандитов как заложницу. Вечером туда приехал пьяный Лихо. Он устроил «продолжение банкета»: бандиты хлестали спиртное, обмениваясь сальными шутками. К столу пригласили и Эльзу Яковлевну. Она под общий галдеж осторожно вытащила у одного бандита наган и спрятала под куртку. Вскоре пьяный Лихо обратился к ней: «Ну, что? Говоришь, что Артему предложили переговоры? Ха-ха-ха... Может, мы с тобой тоже «переговорим»? В соседней комнате, а?» Хохочущие бандиты оторопели, когда Эльза без колебаний одобрила это предложение.

Пока Лихо закрывал на задвижку дверь комнаты «для переговоров», Грундман выстрелила в него из украденного нагана. Затем швырнула на пол керосиновую лампу, отчего комната загорелась. Эльза выпрыгнула из окна в заросли бурьяна и спустя какое-то время добралась до Винницы, прячась от бандитов.

Такие вот подвиги совершала Грундман. Стоит сказать, что вооруженные банды Артема сдались сами. Сорок человек, двенадцать подвод с продовольствием и боеприпасами — «улов» был хорош! За успешное проведение этой и других операций Эльзу Яковлевну наградили маузером с выгравированной надписью «За самоотверженную борьбу с контрреволюцией и бандитизмом».

Многие люди знали о методике такой борьбы. Переписка русского писателя В. Г. Короленко и первого наркома просвещения А. В. Луначарского свидетельствует о том, что чекистская деятельность в условиях советской власти не регулировалась правовыми нормами. (Следующие письма датированы 1920 годом).

(Короленко — Луначарскому):

«Однажды один из видных членов Всеукраинской ЧК ‹...› спросил меня о моих впечатлениях. Я ответил, если бы при царской власти окружные жандармские управления получили право не только сослать в Сибирь, но и казнить смертью, то это было бы то самое, что мы видим теперь».

(Короленко — Луначарскому):

«Но ведь это для блага народа. Я думаю, что не всякие средства действительно обращаются на благо народа, для меня несомненно, что административные расстрелы, возведенные в систему и продолжающиеся уже второй год, не принадлежат к их числу. Бессудные расстрелы происходят у нас десятками, и я называю их «бессудными» потому, что ни в одной стране в мире роль следственных комиссий не соединяется с правом постановлять приговоры, да еще к смертной казни. Всюду действия следственных комиссий проверяются судом, при участии защиты. Это было даже при царе».

В апреле 1921 года в Харькове была образована Всеукраинская чрезвычайная комиссия (ВУЧК), во главе которой встал В. М. Манцев (1889 — 1939). Евдокимов возглавил секретно-оперативную часть и Особый отдел ВУЧК.

А на должность начальника Осведомительного (агентурного) отделения этой комиссии пригласили из Винницы Эльзу Грундман.

Гражданская война фактически закончилась. В связи с этим менялись методы работы специальных органов, которые в условиях мирного времени переходили к активному использованию агентурного аппарата.

В 1923 году Эльза Грундман переехала в Ростов-на-Дону, где уже находился Евдокимов (в качестве полномочного представителя ГПУ по Северо-Кавказскому краю). Спустя два года она стала помощником начальника информационно-агентурного отдела (ИНФАГО) и одновременно личным секретарем Евдокимова, а в 1928 году — начальником Секретного отдела.

Испокон веков Северный Кавказ являлся самым взрывоопасным регионом. Во время работы Грундман там он продолжал оставаться беспокойным: на Северном Кавказе действовали банды, происходили межнациональные конфликты, совершались нападения на административно-хозяйственные учреждения, случались нападения на поезда, а захват и угон скота в горы был почти ежедневным явлением. Так что Эльзе Яковлевне было где применить свою храбрость.

В 1930 году Грундман перевели на работу в центральный аппарат ОГПУ в Москве. Сослуживцы восхищались боевым прошлым этой чекистки. За время службы в органах госбезопасности она много раз удостаивалась различных наград. Вот некоторые из них: золотые часы от РВС Юго-Западного фронта (1920), портсигар с надписью от РВС Южного фронта (1921), лошадь от РВС ХВО (1921), золотые часы от ЦИК Украины (1923), знак «Почетный чекист» (кстати, Эльза Грундман стала первой женщиной, его удостоенной; 1924), орден Красного Знамени (1926), грамота и золотые часы от Коллегии ОГПУ СССР (1928).

Однако судьба Эльзы Яковлевны закончилась трагически. 30 марта 1931 года Грундман покончила жизнь самоубийством. Признаться, для этого поступка тоже было необходимо определенное мужество. Впрочем, его Эльзе было не занимать.

# НЕСЧАСТНЫЙ МАЙОР
# ГОСБЕЗОПАСНОСТИ

Уездный город Сарапул Вятской губернии в конце XIX века был очень красив. Река Кама придавала ему своеобразное величие. Население Сарапула насчитывало порядка двадцати тысяч человек — по тем временам это большая цифра. Горожане занимались, как правило, плетением неводов или ловлей рыбы. Спокойная жизнь в Сарапуле шла своим чередом. Одно поколение горожан сменялось другим.

Наступил тревожный 1905 год. Дочь священника Азария Ошахмина Александра, окончив гимназию, как и вся молодежь того времени, увлеклась революционными идеями. Ей было всего семнадцать лет, и отец считал, что «марксистская блажь» ударила в голову Александре совсем некстати. В планы священника входило следующее: найти дочери достойного человека из числа молодых людей, готовящихся принять сан священника, выдать ее замуж и понянчить внуков. Однако не по годам серьезная девушка считала ранний брак делом необязательным. Какой муж, когда в стране вот-вот произойдут эпохальные события?!

Несмотря на уговоры Азария Ошахмина Александра уехала в Пермь. Этот губернский город насчитывал сто тридцать восемь тысяч человек рабочего населения и по этому показателю находился на втором месте в западной части России после Москвы. В Перми Александра нашла своих единомышленников, тогда же она вступила в РСДРП(б). Работать приходилось, конечно же, всячески соблюдая конспирацию. Подпольная партийная деятельность молодой революционерки заключалась в выполнении обязанностей курьера и связной не только в Перми, но и в Екатеринбурге, Златоусте и Уфе. В этих городах Александра занималась и пропагандистской деятельностью.

В ее понимании это была нужная и интересная работа. Любознательная девушка пополняла свой политический багаж, охотно делилась знаниями с другими. Да, Александра понимала, что политическая деятельность (а особенно — подпольная) чревата арестами и ссылками. И осторожных-то революционеров подстерегали опасности. В 1907 — 1909 гг. десятки тысяч людей были брошены в каторжные тюрьмы. Судами всех категорий были осуждены свыше двадцати восьми тысяч граждан. В 1907 году арестовали и героиню нашей книги, Александру Азаровну Андрееву-Горбунову (Ошахмину). Как политическая заключенная она была посажена в Екатеринбургскую тюрьму. Четыре года лишения свободы сказались на ее здоровье. После пребывания в тюрьме Александра долго лечилась в больницах, не прекращая, однако, партийной деятельности.

С марта 1911 года по октябрь 1912 года Андреева-Горбунова продолжила революционную подпольную работу в Петербурге, откуда выехала в Симбирск, где была статисткой в губернском земском управлении. В 1914 году Александра Азаровна находилась в селе Зюкино Слободского уезда Вятской губернии. Тяжелая болезнь требовала покоя и отдыха, требовала, хотя бы год провести в заботе о себе. Однако Александра считала, что никакая хворь не помешает ей стать востребованной в революционном движении. В сентябре 1915 года Андреевна-Горбунова уехала в Екатеринбург, чтобы вновь заняться партийной подпольной деятельностью. Но уже в сентябре 1916 года была вынуждена лечь в больницу в Слободском, чтобы поправить свое здоровье. Но без работы Александре Азаровне не сиделось. Она стала культполитработником в местном народном доме, а затем заведующей отделом труда в Слободском уездном исполкоме.

В марте 1919 года Андреева-Горбунова переезжает в Москву, где начинает службу в правоохранительных органах. Такой перемене в ее жизни посодействовал приятель Александры Азаровны, Самсонов. Когда и при каких обстоятельствах произошло это знакомство — неизвестно.

Самсонов (Бабий) Трофим Петрович (1888 — 1956) был членом РКП(б) с февраля 1919 года. До того времени состоял в партии коммунистов-анархистов, четыре раза подвергался арестам, пять лет провел в тюрьмах, четыре года — в ссылке. В июне 1914 года Самсонов бежал из ссылки через Дальний Восток в Англию. В эмиграции Тихон Петрович провел два года, за революционную пропаганду был осужден британским судом на шесть месяцев каторжных работ. В Россию возвратился в сентябре 1917 года. После Октябрьской революции Самсонов стал членом Челябинского Совета, в 1918 году — начальником отдела военного контроля (с 1919 года — Особого отдела) 3-й армии Восточного фронта. В мае 1919 года он — начальник Особого отдела и член коллегии Московской чрезвычайной комиссии. Самсонов руководил Секретным отделом ВЧК (сентябрь 1920 — май 1923), а потом в числе других видных чекистов был направлен на работу в экономический сектор.

Тогда руководству страны нужно было справляться с взяточничеством, поразившим в первые годы советской власти и период нэпа многие звенья государственного аппарата. Наркомом путей сообщения, а впоследствии председателем Высшего совета народного хозяйства стал Ф. Э. Дзержинский (1887—1926), с 1917 года — председатель ВЧК (с 1922 — ГПУ, ОГПУ) и нарком внутренних дел, одновременно с 1921 года — нарком путей сообщения. «Железный

Феликс» в интересах дела привлекал к работе опытных специалистов, не останавливаясь даже перед освобождением некоторых из них, недавних «контрреволюционеров», из тюрем и лагерей: стремительно расширившиеся ряды необходимых экономических специалистов способствовали проявлению хозяйственной инициативы на местах и даже привлечению инвестиций других стран.

Новые чекисты появились в хозяйственных структурах в конце 20-х годов, когда обстановка требовала укрепления дисциплины в государственном аппарате. Так, например, заместителем наркома рабоче-крестьянской инспекции стал бывший заместитель председателя ОГПУ и начальник внешней разведки Меер Трилиссер. На новую экономическую должность перешел видный сотрудник органов госбезопасности Станислав Мессинг. В 1933 году руководителем гражданской авиации стал бывший зампредседателя ОГПУ Иосиф Уншлихт. Самсонов в те годы являлся заместителем председателя правления Белорусско-Балтийской дороги. На работу в спецслужбы СССР он не вернулся.

Деятельность Александры Азаровны была до конца жизни связана только с органами государственной безопасности. В октябре 1921 года Андреева-Горбунова пришла на работу в Секретный отдел ВЧК сразу на должность помощника начальника Самсонова.

Областью деятельности Секретного отдела была борьба с антисоветскими группировками, а также с конкретными «врагами народа». О методах такой «борьбы» говорится в нижеприведенных документах, приуроченных к созданию в феврале 1922 года ГПУ при НКВД РСФСР вместо упраздняемой ВЧК.

«Всем губернским ЧК. Инструкция. 11. 06. 1921 года:

Губчека должны помнить и не забывать, что основной их работой является политическая борьба с антисоветскими партиями через секретно осведомленный аппарат, и что при отсутствии такого отсутствует и губчека как политорган данной губернии. В целях пресечения этого основного зла в работе губотдел ВЧК под личную ответственность предгубчека и завсекретотделами предлагает:

1). В трехдневный срок со дня получения сего выработать конкретный план вербовки и насаждения секретного осведомления в недрах политпартии.

‹...›

4). Осведомление по политпартиям должно вербоваться из рядов тех же партий, а не из числа беспартийных, которые могут быть только подсобными и попутными осведомителями, а не осведомителями основными.

‹...›

11). Все предгубчека и завсекретотделами, не успевшие в трехмесячный срок обзавестись осведомителями, будут считаться бездеятельными.

Нач-к СО оперуправления ВЧК Менжинский.

Нач-к ВЧК Самсонов».

«Всем губчека. Телеграмма. 30. 06. 1921 года:

...Принять меры насаждения осведомления фабриках, заводах, центрах губерний, совхозах, кооперативах, лесхозах, карательных отрядах, деревне. К работе по постановке осведомления отнестись возможно внимательней, соблюдая все принципы конспирации.

Менжинский. Самсонов».

«Циркулярное письмо ВЧК. № 11. 1921 год.

В настоящий момент все наше внимание должно сосредотачиваться на осведомлении, без которого работа аппарата ЧК будет кустарной, не достигшей цели, и возможны крупные ошибки. Центр тяжести нашей работы возлагается в настоящее время на осведомительный аппарат, ибо только при условии, когда ЧК будет достаточно осведомлена, ‹...› она сможет избежать ошибки, принять своевременные нужные меры для ликвидации как группы, так и отдельного лица, действительно вредного и опасного ‹...›

Нач. СО ВЧК Самсонов. Управдел Г. Ягода»

Важнейшим направлением деятельности Секретного отдела ВЧК еще с 1919 года была борьба с церковью. Ставилась задача «разрушить и разложить церковь», так как «коммунизм и религия взаимно исключаются». Этим особенно активно занимался Евгений Александрович Тучков (1892 — 1957). Занимался так активно, что с июня 1921 года возглавил отделение СО (секретного отдела) по борьбе с церковью. За успехи на этом поприще Тучков поощрялся неоднократно: получил золотые часы и боевое оружие, а также ему дважды присуждали знак «Почетный чекист».

Но и героиня нашей книги тоже отличалась активностью. Александра Азаровна Андреева-Горбунова в течение 1922 года успела стать помощником начальника Секретного отдела по следствию. Следственный орган в НКВД появился позже, в ноябре 1938 года. А до того времени все обязанности следствия вели оперативные работники Секретного отдела ВЧК. Александра Азаровна контролировала следственную работу оперативного состава, при необходимости исправляла ошибки, допущенные другими сотрудниками в ходе этой работы. Возможно, Андреева-Горбунова и сама вела дела проверяемых лиц до ареста, затем вела следствие, передавая материалы в суд.

Александру Азаровну заметили, оценили ее заслуги, она заняла новый пост — заместитель начальника Секретного отдела ОГПУ. Кроме того, эта волевая женщина ведала работой следственных изоляторов в ОГПУ — НКВД до апреля 1937 года. (Следственные изоляторы органов госбезопасности — те же самые тюрьмы, правда, состояние камер в них гораздо лучше, да и питание более полноценное).

Непосредственным начальником СО ОГПУ — НКВД являлся Молчанов, с которым Андреева-Горбунова проработала пять лет. Отношения этих людей были хорошими, их взгляды в вопросах деятельности спецслужб во многом совпадали.

В ноябре 1936 года Молчанов получил новое назначение — начальник Особого отдела ГУГБ НКВД БВО — и уехал в Минск. Отношения с новым руководителем СО у Александры Азаровны складывались непростые. Сыграл свою роль в ее карьере и уже упоминавшийся Тучков. Благодаря этому чекисту Александра Азаровна перешла на должность помощника Особоуполномоченного НКВД.

Однако на этом месте она проработала недолго. В июне 1938 года Андреева-Горбунова была уволена из НКВД по болезни. 5 декабря 1938 года она была арестована по обвинению во «вредительской деятельности, направленной на сохранение правотроцкистских кадров путем создания для заключенных условий, при которых они в изоляции продолжали свою контрреволюционную работу». Более того, обвинение гласило, что Александра Азаровна «одновременно проводила вражескую работу в Особом совещании НКВД, умышленно представляла дела на сокращение наказаний правоцентристских кадров».

Военная коллегия Верховного суда приговорила ее к 15 годам исправительно-трудовых лагерей. Впоследствии Андреева-Горбунова в своих заявлениях на имя Л. П. Берия писала: «Тяжело в лагере мне — чекисту, работавшему восемнадцать лет по борьбе с политическими врагами советской власти. Члены антисоветских политических партий и особенно троцкисты, знавшие меня по работе в ВЧК — ОГПУ — НКВД, встретив меня здесь, создали для меня невыносимую обстановку».

Александре Азаровне было трудно в лагерных условиях не только по причине враждебности, испытываемой к ней другими осужденными. Как мы помним, у этой женщины здоровье не отличалось крепостью. В 1943 году Андреева-Горбунова была признана инвалидом. Тогда был поставлен вопрос об ее освобождении. Но руководство НКВД — МГБ посчитало решение этого вопроса преждевременным, видя в больной шестидесятилетней женщине опасного врага советской власти.

17 июля 1951 года в поселке Абезь (Коми АССР) в лазарете лагерного пункта № 2 Минерального ИТЛ МВД Александра Азаровна умерла от «остановки сердечной деятельности и дыхательного центра». Последний документ в личном деле заключенной Андреевой-Горбуновой гласил: «Труп, доставленный... по месту погребения, одет в нижнее белье, уложен в деревянный гроб, на левой ноге умершей привязана дощечка с надписью (фамилия, имя, отчество), на могиле поставлен столбик с надписью «литер № И-16». Так закончилась жизнь этой чекистки: лагерь, болезнь, дощечка и могильный столбик.

Александра Азаровна Андреева-Горбунова за время работы в органах государственной безопасности была награждена боевым оружием (1926) и знаком «Почетный чекист» (1927 и 1932). Но ее карьера выделяется еще одним фактом. Александра Азаровна — единственная женщина-чекист, которой было присвоено звание майор госбезопасности. Жестокая несправедливость со стороны коллег в виде лишения свободы на 15 лет была признана позднее: в 1957 году Андрееву-Горбунову реабилитировали.

# НЕСГИБАЕМАЯ ДУША

В 1901 году в интеллигентной саратовской семье родилась девочка, которую родители назвали красивым именем Марианна. Беззаботное детство с игрушками и книжками, затем учеба в женской гимназии были ничего не предвещающими этапами ее жизни. Но молодость Марианны пришлась на годы революционного российского движения. А кто в пору юности не отличался жаждой активной деятельности и мечтами о славе? Таких людей просто нет.

Вот и Марианна Герасимова, героиня нашей книги, отважилась пойти по дороге грандиозных перемен. Окончив гимназию с золотой медалью, она с головой окунулась в революционные события 1917 года. Родители Марианны понимали ее настрой. Отец, Анатолий Герасимов, работая журналистом, сам принимал участие в революционной деятельности. Правда, такая активность имела для семьи Герасимовых неприятные последствия. Анатолия Герасимова сослали в Сибирь. Стоит заметить, что неравнодушие к общественной жизни — наследственная черта семьи Герасимовых. Младшая дочь, Валерия, уже в двадцать лет начала литературную деятельность с публикации своей повести «Ненастоящие» в журнале «Молодая гвардия». Позже Валерия Анатольевна стала известной писательницей. Будучи женой Александра Фадеева с 1925 по 1932 год, она находилась в центре литературной и общественной жизни страны. Фадеев был крупной фигурой: известный писатель, один из руководителей РАПП (1926—1932), член ЦК КПСС (1939 — 1956), депутат Верховного Совета СССР (1946—1956), генеральный секретарь и председатель правления Союза писателей СССР с 1939 года. Валерия Герасимова была верным помощником и другом А. Фадеева. (Об участии Фадеева в судьбе Марианны Герасимовой мы расскажем далее).

Не приходится удивляться тому, что в неполные восемнадцать лет Марианна Герасимова вступила в ряды РКП(б). Решение встать на сторону большевиков было вызвано тем, что Марианна с юности вращалась в революционной среде. Она своими глазами видела приход белогвардейцев в город, где жила ее семья. Бесчинства, устраиваемые белой армией, пугали молодую девушку. Впрочем, гражданская война — само по себе событие страшное.

Но наступило мирное время, возникла молодая держава — СССР. Все было в новинку! Новыми властителями человеческих судеб стали когда-то подвергавшиеся арестам и ссылкам революционеры.

Ценности былых лет становились ничем. Большевики отвергли правовую культуру прошлого, заменив ее идеей революционной целесообразности и приоритета классовых интересов рабоче-крестьянской партии.

Время было суровое, руководители молодого советского государства встали перед необходимостью создать чрезвычайную комиссию по борьбе с контрреволюцией и саботажем. ВЧК прекратила свое существование в феврале 1922 года. На ее основе возникло Главное политическое управление при НКВД РСФСР. Ему вменялось в обязанность бороться с особо опасными государственными преступлениями, шпионажем, бандитизмом, политической и экономической контрреволюцией. ГПУ не должно было выносить окончательного решения о наказании преступников, но имело право вести следствие. В ноябре 1923 года ГПУ переформировалось в Объединенное главное политическое управление (ОГПУ) при СНК СССР. Таким образом, это ведомство превратилось в общесоюзную структуру, не подчиненную НКВД. Реконструкция органов госбезопасности в мирное время была своевременной и носила позитивный характер. Но дальнейший ход истории доказал, что «благими намерениями выстлан путь в ад». Постепенно ОГПУ приобретало известность как жестокая карательная организация.

В реорганизованные органы государственной безопасности Марианна Анатольевна Герасимова пришла в 25-летнем возрасте. Она была назначена на самую маленькую должность — помощник уполномоченного Информационного отдела ОГПУ СССР. Обладая качествами лидера, широким кругозором и удивительной самостоятельностью, Марианна продвигалась по служебной лестнице весьма успешно. В 1927 году она стала помощником начальника отделения ИНФО, а в следующем году — начальником этого отделения.

В 1931 году Герасимову назначили начальником отделения Секретно-политического отдела (СПО) ОГПУ. Данное отделение занималось изучением процессов, происходивших в творческой среде (литература, театр, кино, печать и т. д.) Начальником Марианны Герасимовой был Георгий Андреевич Молчанов.

Для читательского представления об этом человеке приведем некоторые данные из его биографии. Молчанов родился в 1897 году в Харькове, в семье служащего артели официантов (в одной из биографий он указал, что его отец был крестьянином). В декабре 1917 года он вступил в партию большевиков, бросив харьковскую торговую школу во время учебы в последнем классе. Неоднократно арестовывался за хранение нелегальной литературы и оружия. В Рабоче-Крестьянскую Красную армию Георгий Андреевич вступил ординарцем в штабе Верховного Главнокомандующего войск Юга России (Антонова-Овсеенко) в ноябре 1917 года. А к маю 1920 года Молчанов стал адъютантом Главкома войск Туркестана. Деятельность в органах госбезопасности начал в должности завполитбюро ЧК Кабардинского и Балкарского округов (май 1920 — июль 1921). Далее его карьера складывалась так: председатель Грозненской губернской ЧК (июль — октябрь 1921); начальник СОЧ и зампредседателя Грозненского губернского отдела ГПУ, начальник СОЧ (март — декабрь 1922); замначальника Новониколаевского губернского отдела ГПУ, начальник СОЧ (декабрь 1922 — май 1925); начальник Иваново-Вознесенского губернского отдела ГПУ (май 1925 — март 1929); начальник СПО ОГПУ СССР (ноябрь 1931 — июль 1934); начальник СПО ГУГБ НКВД СССР (июль 1934 — ноябрь 1936); нарком внутренних дел БССР, начальник ОО ГУГБ НКВД БВО (декабрь 1936 — февраль 1937). Репрессии коснулись и его. Молчанова расстреляли в особом порядке в феврале 1937 года, а орден на его арест выписали задним числом — 7 марта 1937 года.

Самой известной страницей чекистской жизни Молчанова стала его совместная с Ягодой разработка Зиновьева, Каменева и других оппозиционеров. Однако проведя длительную работу, Молчанов и Ягода не добыли доказательств существования враждебных советской власти организаций. «Разработчики» пытались провести ускоренное расследование деятельности оппозиционеров, осудить последних без громких процессов. В 1934 году о своей работе они доложили в записке Сталину. Его не удовлетворил результат выполнения чекистских обязанностей, за что Молчанов и Ягода поплатились.

Интересно привести данные о жизни и служебной карьере главного участника упомянутых событий.

Ягода Генрих Григорьевич (Енох Гершенович) родился в 1891 году в Рыбинске. Отец его был мелким ремесленником. Генрих Григорьевич экстерном окончил 8 классов гимназии в Нижнем Новгороде. Затем работал наборщиком в подпольной типографии, был членом боевой дружины в Сормове. Он поддерживал коммунистов-анархистов, являлся ближайшим помощником И. А. Чемборисова. По приезде в Москву жил у сестры под фамилией Галушкин. В мае 1912 года был арестован, после чего отправлен в Симбирск под надзор полиции на два года. В ссылке Ягода не работал. Приехав в Петербург в 1913 году, Генрих Григорьевич работал в статистической артели Союза городов, больничной кассе Путиловского завода, журнале «Вопросы статистики». В 1914 году он женился на племяннице Якова Свердлова Иде Авербах. В армии дослужился до ефрейтора. Во время первой мировой войны был ранен на фронте. В апреле 1918 — сентябре 1919 гг. Генрих Григорьевич — управляющий делами Высшей военной инспекции РККА. Он являлся членом ЦК ВКП(б) и членом ЦИК СССР 4-го и 5-го созывов. Этапы карьеры в органах госбезопасности: управляющий делами ОО ВЧК (сентябрь 1919 — декабрь 1920); замначальника управления ОО ВЧК (ноябрь 1920); член коллегии ВЧК (июль 1920 — 1922); управляющий делами ВЧК — ГПУ (сентябрь 1920 — апрель 1922); управляющий делами и член коллегии Наркома внешней торговли РСФСР (1920 — 1922); замначальника ОО ВЧК — ГПУ (январь 1921 — июнь 1922); замначальника СОУ ВЧК — ГПУ — ОГПУ СССР (март 1921 — июль 1927); начальник АОУ ВЧК (июль — сентябрь 1921); начальник ОО ГПУ РСФСР — ОГПУ СССР (июнь 1922 — октябрь 1929); второй зампредседателя ОГПУ СССР (октябрь 1929 — июль 1931); зампредседателя ОГПУ СССР (июль 1931 — июль 1934); нарком Внутренних дел СССР (июль 1934 — сентябрь 1936); нарком Связи СССР (сентябрь 1936 — март 1937). Официально отстранен от должности 3 апреля 1937 года, будучи арестованным по делу правотроцкистского блока. По приговору суда расстрелян. Впоследствии не реабилитирован.

Вот такие были начальники у Марианны Анатольевны. Однако следует заметить, что по проблемам, связанным с настроениями творческой интеллигенции, Герасимова — в дозволенных ей пределах — придерживалась позиций, которые декларировал Сталин.

Например, в пьесе Михаила Булгакова «Дни Турбиных» — по мнению сотрудников секретно-политического отдела ОГПУ СССР антисоветской, с большим количеством «минусов» — И. В. Сталин отметил не только «минусы». Он так и заявил: «Я считаю, что в основном плюсов больше. И в такой области искусства, как художественная литература, нельзя применять понятие партийность!» Общеизвестно, что благодаря вмешательству Сталина роман Михаила Шолохова «Тихий Дон» был опубликован без значительных сокращений, которых требовала оппозиция. Герасимовой импонировали такие замечания «отца народов».

Вообще говоря, Марианна Анатольевна не понаслышке знала о положении в литературных кругах. Она была первой женой известного русского советского писателя Юрия Николаевича Либединского. Либединский (1898-1959) являлся одним из руководителей РАПП, принимал активное участие в борьбе литературных группировок конца 20-х — начала 30-х годов. Вот что написала о нем сестра Марианны Герасимовой, Валерия, в своем очерке «Беглые записи»: «Сражался с различными „правыми“ и „левыми“ уклонистами. Сражался на фронтах: в юности с белогвардейцами на Урале, уже поседевшим немолодым человеком добровольно пошел на фронт воевать с фашистами. Чудом уцелел, не терял веры, не отступал перед врагами ‹...› Либединскому — Юре, кем он был для меня всегда, даже в шестьдесят лет, — принадлежала, по-моему, очень умная, много объясняющая фраза. Размышляя вслух о том, как же могло случиться, что целое поколение попало под железный гнет, под стальной пресс «культа» и — что усугубляет трагичность — даже признавало этот пресс как нечто целесообразное, Юра сказал: „Мы оказались морально не вооруженными. Против зла, подкравшегося в правдоподобном обличье того священного, что было для нас связано с идеями социальной справедливости, с именем Ленина, со всеобщим грядущим освобождением человечества. В исказившемся лице мы все еще искали прекрасные и чистые черты. Вспоминались даже люди «Народной воли», такие, как С. Перовская, А. Желябов, Н. Кибальчич. По-ученому подобное явление, кажется, называется аберрацией зрения"».

Действительно, снежный ком репрессий нарастал. Многие люди испытали на себе взаимность «любви к отцу народов».

С 1931 года Марианна Анатольевна Герасимова возглавляла отделение СПО (секретно-политического отдела). Она пыталась повлиять на деятельность состава своими взглядами: старалась не применять оперативные средства «для вскрытия враждебных элементов среди интеллигенции», пробовала внедрять такой метод работы, как предупредительные беседы.

Такая самодеятельность была негативно встречена Ягодой, по указанию которого в конце 1934 года Герасимову уволили из НКВД «по болезни». Репрессии 1937 — 1938 гг. не миновали и Марианну Анатольевну. В августе 1939 года она была арестована, а в декабре того же года Особым совещанием НКВД СССР осуждена на пять лет лагерей.

Многие не последние люди в стране хлопотали о судьбе Герасимовой. Приведем отрывок из письма Юрия Николаевича Лебединского Сталину:

«На днях особое совещание приговорило к пяти годам лагеря Марианну Анатольевну Герасимову, мою бывшую жену, оставшуюся на всю жизнь моим лучшим другом и товарищем, человека, которому в молодости я посвятил свою первую книгу «Неделя» ‹...› Но я знаю все чувства и мысли этого человека ‹...› И я уверен, что она невиновна, что здесь имеет место какой-либо гнусный оговор или несчастное стечение обстоятельств. Я уверен в этом, так как знаю, что Марианна Герасимова коммунист поразительной душевной чистоты, стойкости, высокой большевистской сознательности. До 1935 года она работала в НКВД, и ее могли оговорить те враги народа, которые работали вместе с ней. Я уверен, что она не могла сделать ничего такого, что было бы преступно направлено против Советской власти.

Не я один так думаю. Не говоря уже о том, что я готов хоть сейчас назвать не менее десяти человек, коммунистов и беспартийных, которые подпишутся под каждым словом этого письма, — все, кто мало-мальски близко знает этого человека, удивлены, огорошены, больше скажу, дезориентированы этим арестом. С 1935 года она на пенсии по временной инвалидности, после мозговой болезни. Эта мозговая болезнь является следствием многолетнего переутомления. Этот человек отдал свой мозг револю-

162

ции — и вот ее, страдающую страшными припадками головной боли, доводящей ее до потери сознания, — арестовывают. Товарищ Сталин, я уверен, что напрасно!

Вы сказали великие слова о том, что для нас, рядовых членов партии, вопрос о пребывании в ее рядах — есть вопрос жизни и смерти. Судите же, в какой степени я уверен в Марианне Герасимовой, если, зная приговор и легко представляя себе ту ответственность, которую я на себя принимаю, я пишу Вам это письмо. Но я знаю, так сделаю не один я, так сделает всякий, кто знает Герасимову так, как знаю ее я.

Товарищ Сталин, вся моя просьба состоит единственно в том, чтобы дело Марианны Герасимовой рассматривалось бы судом, пусть военным, беспощадным и строгим, советским справедливым судом со всеми его демократическими особенностями. И я уверен, она будет оправдана!

Мне кажется совершенно нелепым, чтобы человека, в такой степени безмерно преданного делу партии, можно было бы запереть в лагерь. Не сомневаюсь, что и там, если только позволит ее здоровье, она будет трудиться в первых рядах. Но зачем брать у неё насильно то, что она сама в любой момент отдаст добровольно — труд, самую жизнь...»

На это письмо Сталин не ответил. Участь Марианны Анатольевны была предрешена.

Перед отъездом Герасимовой в ссылку с утра до позднего вечера Юрий Либединский стоял у ворот

Бутырской тюрьмы, ждал возможности передать Марианне теплые вещи, но так и не дождался.

Известный критик и литературовед Корнелий Люцианович Зелинский (1896 — 1970) в своей публикации «В июне 1954 года» привел рассказ Александра Фадеева о случившемся с Марианной Герасимовой:

«Красивая женщина была и замечательная коммунистка. Она в НКВД занималась как раз делами культуры. Но к тому времени, когда Берия ее арестовал, она уже ушла из этого ведомства. Я написал ему письмо. Проходит месяц, другой, третий — нет ответа. А ведь я — Фадеев, член ЦК, как же так? Ну, думаю, я сделал ошибку, что опустил письмо в общий ящик в приемной на Кузнецком, куда жены опускали свои письма со слезами. Я передал ему (Лаврентию Павловичу Берии — *авт.*) новое письмо другим способом. В нем я писал, что считаю Марианну (мы все ее Мурашей звали) кристально честным коммунистом и готов ответить за нее, как и за себя, партийным билетом. Опять идет неделя за неделей. Недели через три, а может быть, и через месяц раздается звонок.

— Товарищ Фадеев?

— Да.

— Письмо, которое вы написали Лаврентию Павловичу, он лично прочитал и дело это проверил. Человек, за которого вы ручались своим партийным билетом, получил по заслугам. Кроме того, Лаврентий Павлович просил меня — с вами говорит его помощник — передать вам, что он удивлен, что вы, как писатель, интересуетесь делами, которые совершенно не входят в круг ваших обязанностей как руководителя Союза писателей и как писателя.

Секретарь Берии повесил трубку, не ожидая моего ответа. Мне дали по носу, и крепко. Марианну в общем порядке послали в «Алжир». Все работники ГУЛАГа, то есть Главного управления лагерей, конечно, лично ее хорошо знали, любили и жалели. Ей предложили работать в администрации или даже в ВЧК, но она, гордый человек, была оскорблена несправедливо возведенным на нее обвинением до последней степени... Если даже сам Берия не сумел ей ничего пришить, кроме недогляда по службе (мало, оказывается, арестовывала), значит, за ней решительно ничего не было».

Наказание Герасимова отбывала в Карлаге. Ее подругами по несчастью были жены «врагов народа». Эти женщины были осуждены не за какие-то преступления. Приговор им был подписан только на том основании, что они состояли в браке с неугодными руководству страны мужчинами. Герасимова решительно отказалась от каких-либо «поблажек». Она наравне с другими женщинами резала камыш для утепления, работала на молочной ферме... Герасимовой трудно было справиться со случившимся. Она практически ничего не писала. Фадеев вспоминал: «Она, которая сама допрашивала, сама вела дела и отправляла в лагеря, теперь вдруг оказалась там.

Это она могла представить себе только в дурном сне. Она была вообще немного фанатичным человеком. В ней было что-то от женщин Великой французской революции. Анатоль Франс, вероятно, мог бы написать эту фигуру. Это красивая и романтическая женщина, у которой судьба отняла ее положение, ее партийный билет, даже ее веру в правоту того, чем она сама занималась, и согнула ее не только перед коровами и травой».

В ноябре 1944 года Марианна Анатольевна была освобождена. Она просила Фадеева в письме помочь ей вернуться в Москву. Ходатайство председателя Союза писателей СССР было удовлетворено.

В своей книге «Зеленая лампа» вторая жена Юрия Либединского Лидия вспоминала о возвращении Марианны Герасимовой в Москву: «Едва открылась дверь на Лаврушинском, как меня охватило ощущение праздника. Анна Сергеевна, мать Мураши и Вали (Марианны и Валерии Герасимовых — *авт.*), всегда тихо-грустная и озабоченная, встретила меня с просветленным счастливым лицом, словно разом отступили от нее все горести...

Когда я вошла в комнату, где находились Юрий Николаевич, Валя и Марианна, первое волнение, вызванное встречей, уже улеглось, они говорили о малозначащих пустяках, казалось, не было страшных пяти лет разлуки. Валя и Марианна собирались в баню, шутили, смеялись. Смех у Мураши ровный, немного монотонный, но очень приятный. Ей исполнилось тогда сорок три года, она была еще очень хороша, высокая, статная, с вьющимися светлыми волосами. Но как-то само собой в разговоре возникли серьезные ноты.

— Знаешь, Юрочка, я поняла, что в нашей стране, если честно трудиться, везде можно прожить... И даже заслужить уважение! — сказала Мураша.

— Наша-то и там героем оказалась! — с ласковой усмешкой проговорила Валя. — И спасла от бандитов бутыль со спиртом. Рассвирепевшие алкоголики чуть не убили ее...

(В лагере Марианна работала на аптечном складе).

Взволнованная всем происходящим, я за все время, пока мы находились у Герасимовых, не сказала почти ни одного слова. Поэтому я была очень удивлена, когда, прощаясь в полутемной передней, Мураша вдруг крепко обняла меня, поцеловала в обе щеки и в волосы, погладила по голове. Потом, не снимая руки с моего плеча, обняла Юрия Николаевича и сказала негромко, не то серьезно, не то в шутку:

— Юрочка, тебе эту девочку Бог послал... — И, обратясь ко мне, добавила: — Да ведь он этого стоит...

Мы вышли на улицу счастливые и растерянные...

— Конечно, я понимаю, пока существует государство, и люди будут управлять людьми, возможны ошибки, но такого человека... — сказал Юрий Николаевич...»

Фадеев описал дальнейшую судьбу Герасимовой так: «И вот через некоторое время мы встретили словно прежнюю Марианну, к которой опять вернулась человеческая речь, улыбка и вера в завтрашний день. Она поселилась через двор, в том же доме, где жил я, у своей матери, и отдала свой паспорт коменданту в прописку. Комендант через день сказал ей:

— Товарищ Герасимова, начальник паспортного стола хотел бы лично с вами поговорить, хотя вы и живете в доме НКВД.

— Как же вы, товарищ Герасимова, — сказал начальник паспортного стола, — такой опытный человек и не знаете порядок. Ведь мы же с вами бывшие коллеги. Я вас знаю давно и многое о вас слышал. Но ничего для вас сделать не могу. У вас же в паспорте стоит другая литера.

— Что за литера? — побледнев и стараясь казаться спокойной, спросила Марианна.

— А такая литера, которую вы сами прописывали людям. Эта литера не дает вам права жить в Москве, а только за сто километров от столицы.

— Как же так? — растерянно спросила Марианна. — Как же мне быть? К кому я должна обратиться? Мне же обещали...

— Вы можете обратиться лично к товарищу Берии, чтобы было принято специальное разрешение об оставлении вас в Москве. А пока я вам дам временную прописку на две недели».

Лидия Либединская вспоминала: «Когда через несколько дней мы вновь пришли к Герасимовым, я не сразу узнала Мурашу. Она лежала на диване бледная, голова ее была туго перевязана мокрым полотенцем, — снова начались страшные, доводящие до потери сознания припадки головной боли. Разговаривала она мало и неохотно, все больше слушала, редко смеялась, — в ней словно погасло что-то.

— Что случилось?

— Должны были привезти из милиции ее паспорт, и вот до сих пор не привезли. Мураша твердит, что ее снова арестуют. Мы не знаем, как ее успокоить, — ответила Валя.

Друзья делали все, что могли. Приезжал Фадеев и, чтобы отвлечь ее, читал новые главы из романа «Молодая гвардия», Сергей Герасимов предлагал устроить Мурашу на Мосфильм. От работы она не отказывалась, но говорила, что хочет немного отдохнуть.

Мы не знали тогда, как мучили ее в тюрьме, пытаясь заставить подписать ложные показания на друзей и близких. Ей не давали пить, спать, ее заставляли стоять до тех пор, пока не начинала идти кровь из почек. Мураша ничего не подписала.

— Второй раз я этого не выдержу, — сказала она сестре.

Мураша почти не выходила из дому, не хотела никого видеть. Юрий Николаевич почти каждый день звонил ей по телефону, но когда говорил, что хочет повидаться, Мураша ссылалась на головную боль и просила повременить с приездом».

После многочисленных отказов, мотивированных каждый раз по-новому, Герасимова была вынуждена согласиться на переезд в город Александров, в ста километрах от столицы. Фадеев решился написать о сложившейся ситуации Сталину. Однако ответа не получил. Накануне отъезда Марианны Анатольевны в Александров, 4 декабря, ее мать пошла в магазин. Вернувшись, Анна Сергеевна застала свою дочь висящей на лампе.

Самоубийство Герасимовой стало для всех, знавших эту женщину, шоком.

Бывший муж Марианны, Юрий Николаевич Либединский, сказал сам себе: «Твоя первая любовь повесилась в сортире, понимаешь! Кто в этом виноват? Кто?!»

Для тех, кто близко не знал Герасимову, существовала версия, что Марианна Анатольевна покончила с собой по причине психического расстройства. Александр Александрович Фадеев пережил сильное потрясение. Его собственная жизнь также была трудна. Вся государственная система СССР корежила Фадеева, вносила душевные тревоги в каждый день этого человека. Многое он пересмотрел и переосмыслил, в чем-то, очевидно винил себя. В 1956 году он трагически ушел из жизни. Близкие друзья вспоминали горькие слова, сказанные им незадолго до смерти: «Знаешь, у меня такое чувство, что ты благоговел перед прекрасной девушкой, а в руках у тебя оказалась старая б-дь!..», «Такое чувство, точно мы стояли на карауле по всей форме, с сознанием долга, а оказалось, что выстаивали перед нужником».

Фадеев как никто другой понимал Марианну Герасимову. Вспоминая все тяготы ее жизни, он сказал: «Но это была несгибаемая душа... Ее человеческая гордость была, пожалуй, выше всего. Она не могла признать насилия над собой».

# ПОБЕДА ЖИЗНИ НАД СМЕРТЬЮ

Невольно приходится верить в ангела-хранителя, когда в схватке жизни и смерти побеждает жизнь. А когда этот поединок повторяется неоднократно с тем же результатом, то уже не сомневаешься в чудесах. Похоже, в свою счастливую звезду верила и Мария Фортус. Судьба готовила ей страшные испытания, но удивительная женщина была словно бы хранима небесами. Один из авторов этой книги, Василий Иванович Бережков рассказывает о жизни своего боевого товарища — Марии Фортус.

В 1900 году в Херсоне в семье банковского служащего Александра Владимировича Фортуса родилась дочь. Новорожденную назвали Марией, красивым и ласковым именем. Спустя 13 лет отец покинул семью, оставив жену с несовершеннолетними дочерьми и сыном без средств к существованию.

Но те не унывали. Мать и сестра Марии — Аделаида, окончив краткосрочные курсы сестер милосердия, поступили на работу в госпиталь. Юная Машенька, славившаяся талантом рукоделия, пошла в вышивальщицы в швейную мастерскую. Тянулись серые рабочие будни. Но в дом к Фортусам стал все чаще приходить знакомый Аделаиды. Это был студент юридического факультета, приезжавший в Херсон на каникулы, Миша Крепис. Веселый энергичный молодой человек интересовался жизнью сестер Фортус. Он даже предложил Марии, бросившей четвертый класс гимназии по семейным обстоятельствам, помочь в подготовке к сдаче экзаменов экстерном. За два года старательная девочка успешно подготовилась. Но не только к экзаменам, которые, кстати, сдала блестяще, но и к революционной работе. К своим шестнадцати годам Мария уже прочитала такие книги, как «Женщина и социализм» Бебеля и «Пауки и мухи» Либкнехта. Вскоре она стала членом литературного кружка при городской публичной библиотеке, которым руководили социал-демократы.

Мария Фортус несмотря на свои юные годы уже достаточно хорошо понимала политику большевиков, тем более, что «учитель» Миша помог овладеть такого рода знаниями. Первыми революционными поручениями девочки стали расклеивание антиправительственных листовок и налаживание связи с отбывающими наказание арестованными коммунистами. Для выполнения второго задания Марию устроили на должность цветочницы в оранжерею местной тюрьмы. У нее на глазах произошел штурм этой тюрьмы! Рабочие-революционеры освободили арестованных товарищей. В возрасте семнадцати лет, сразу после Октябрьской революции, Мария вступила в партию большевиков. Сразу же она занялась ответственной работой: пропагандой, распространением листовок на судах, бросивших якорь у Херсона, и созданием первых красногвардейских отрядов.

Укреплению советской власти в Херсоне помешала интервенция — немецкие, французские, английские и греческие войска осадили город. Местные жители отважно защищались. На баррикадах Мария Фортус познакомилась с Иваном Васильевичем Басненко, недавно вернувшимся с фронта артиллеристом. Кто мог подумать, что судьба соединит их вместе на чекистской работе? Однако так и случилось.

В 1919 году по рекомендации нового знакомого с баррикад Мария стала служить в органах ВУЧК. Опытных работников, пришедших на работу в Херсонскую чрезвычайную комиссию, было мало, и поэтому выполнение основных заданий легло на плечи молоденькой Фортус. Мария Александровна занималась выявлением укрывавшихся жандармов и саботажников, составляла списки обеспеченных людей с целью изъятия у них драгоценностей. Интересный случай произошел как раз во время такой экспроприации. Басненко вместе с Фортус изъяли у херсонских частных предпринимателей и священников драгоценности и собрались вывезти это имущество в Киев, но тут чекистов схватили бандиты и стали обыскивать. Марию приняли за беременную женщину, поэтому обыскивали небрежно. Браслеты, оружие, монеты и золото она спрятала в широкий пояс у себя на животе. Таким образом, обманув бандитов, на товарном поезде и пешком Фортус с Басненко добрались до Киева. Председатель ВУЧК М. И. Лацис восхитился этим рискованным поступком: «Вы настоящие солдаты революции! Сегодня же доложу Феликсу Эдмундовичу!»

После разгрома полков Деникина положение в Советской России усугубилось нападением Польши и Японии. А из Крыма наступал Врангель. Внутри республики было неспокойно: бандитизм, контрреволюционеры, мятежники, украинские националисты заявляли о себе громкими выступлениями. Особенно отличался своими «походами» Нестор Махно, «отец анархии». Он-то и устроил первое смертельное испытание Марии Фортус.

Однажды в Мелитополе Фортус с другими товарищами заявилась к разгульному батьке в гости. В то время подпольным большевикам остро не хватало денег. Захваченный махновцами город был обложен контрибуцией в размере три миллиона рублей. Добыть деньги на покупку оружия и продовольствия решили у самого Махно. Представившись местными учителями, Фортус с товарищами вымаливали материальную помощь: «Вы сами учитель, всегда стояли за просвещение народа. А теперь школы закрыты, дети разбрелись кто куда. Надо спасать цивилизацию!» Нагрузившийся алкоголем и кокаином Махно, у ног которого полулежала молодая красавица, достал из шкатулки деньги и швырнул к ногам «учителей». В тот вечер большевики «разбогатели» на шестьдесят тысяч деникинских «колокольчиков» и петлюровских карбованцев.

В конце 1920 года Мария работала в Елисаветградской ЧК, занимая сразу три должности — ответственного секретаря, заведующей экономотделом и помощника начальника секретной разведки. Но ее основным делом в то время являлась подготовка операции по ликвидации армии Махно. Для этого она сама проникла в окружение «батьки» под видом добродушной медсестры. На самом деле Фортус сообщала коллегам-чекистам все сведения, узнаваемые из уст бандитов, докладывала обстановку в махновских отрядах, попутно предоставляя дезинформацию махновцам.

Но однажды наступил роковой момент. Январским днем на эвакопункт, где работала Мария Фортус, прибыла Галина Кузьменко. Эта женщина была правой рукой Махно, выполняя обязанности по контрразведке. Атаман наделил своих контрразведчиков неограниченными правами: убивать и вешать без суда и следствия всех, кто кажется подозрительным. Галина Кузьменко тоже обладала такими правами. Она сразу сказала своим сподвижникам из эвакопункта, кто такая на самом деле медсестра Мария Фортус. Чекистка тоже узнала эту «амазонку» — Кузьменко была той красавицей, возлежавшей у ног Махно в Мелитополе.

Махновцы пришли в ужас от того, что среди них долгое время находилась сторонница советской власти. Приговор вынесли однозначный: расстрел. Простясь мысленно с жизнью, Фортус встала под дуло пистолета.

Но судьба не позволила ей умереть. Разбуженные выстрелами крестьяне (махновцы тогда казнили не только Фортус) после ухода бандитов обнаружили на месте расправы полуживую Марию. Пуля пробила легкое, но удар от нее смягчила большая медная пуговица на пальто нашей героини. Крестьяне на подводе доставили раненую Марию, находившуюся в бессознательном состоянии, в Елисаветградскую больницу. Так завершилось первое смертельное испытание Марии.

Она и в больнице не утратила чекистских навыков! Находясь в больнице, Фортус отметила странное поведение главного врача. Он неодобрительно высказывался о советской власти, критикуя ее за то, что перемены в обществе раздражают интеллигенцию. Сотрудники Елисаветградской ЧК, навещавшие Марию в больнице, взяли врача на заметку. Обыскав его рабочий кабинет, чекисты обнаружили в стене тайник, содержимое которого подтверждало связь главврача с белогвардейцами. Арестованный работник больницы признался, что в скором времени последует визит зарубежного гостя. При помощи Марии Фортус приехавшего визитера встретили сотрудники ЧК.

Агентурную деятельность поправлявшаяся Мария Фортус продолжила в Одессе. Времена нэпа были отмечены разгулом спекуляции, проституции, черного бизнеса. Чекистам удалось задержать немало новоявленных преступников из этой среды. Но и среди коллег, людей, работавших в органах госбезопасности, тоже находились «опасные» личности. Мария Александровна долгое время присматривалась к Федору Федоровичу Красновскому, когда-то служившему в царской армии штабс-капитаном, а в годы советской власти предложившему свои услуги ЧК. За Красновским установили наблюдение, которое дало следующие результаты: во время каждой поездки в Херсон Федор Федорович встречается с подозрительными личностями. Но поймать сотрудника ЧК с поличным никак не удавалось.

Смекалистая Фортус пробралась в квартиру Красновского, спряталась за диван и установила-таки причастность хозяина квартиры к преступной группировке. Правда, Марии сначала представилась весьма пикантная сцена: Красновский предавался любовным утехам с актрисой Марсовой, бывшей замужем за известным профессором. После того, как герой-любовник отдал должное прелестям дамы, он вдруг произнес: «В этом пакете сведения для Булак-Булаховича, те самые, что он просил на прошлой неделе.

Надо передать без промедления». И вручил Марсовой какой-то сверток. Пока Красновский провожал актрису, Мария Фортус про себя изумлялась: «Булак-Булахович! Белый генерал, сколачивающий в Румынии шайку для нового нападения на Советскую Россию!» Вернувшийся Красновский заметил свою коллегу — та неожиданно чихнула (за диваном скопилось немало пыли). Рассвирепевший, он выстрелил два раза в Фортус. Испугавшись, что тело убитой найдут в его квартире, Красновский на извозчике доставил свою жертву в больницу. Врач сообщил, что вряд ли «пытавшаяся покончить с собой ревнивая жена» доживет до вечера. Наступало второе смертельное испытание.

Покинувший больницу встревоженный Красновский долго размышлял над возможными последствиями случившегося. Он придумал, как будет горевать о смерти Марии Фортус вместе с коллегами, вряд ли подозревающими его в причастности к убийству. Но надежды Красновского растаяли, когда он увидел живую Марию Александровну в кабинете ЧК. Вслед за «изменником» арестовали и изменницу, Марсову, и еще полсотни активных членов белогвардейской подпольной организации, пытавшейся спровоцировать военный конфликт с Румынией. О том, какую меру наказания определил революционный трибунал, говорить не будем.

В 1922 году врачи признали продолжение деятельности Фортус в ЧК нецелесообразным. Марию послали на учебу в Москву. Но чтобы поступить в вуз, наша героиня решила восстановить выветрившиеся из головы за годы гражданской войны знания. Она устроилась на должность секретаря в Комуниверситет трудящихся Востока.

Судьба преподнесла Марии подарок: в университете молодая женщина встретила отца своего ребенка! Да, да, у нее был сын! Долгая разлука Марии Фортус и Рамона Касанеляса кончилась. Рамон познакомился с Марией в Херсоне, они клялись друг другу в вечной любви. Результатом отношений стало рождение сына, названного в честь отца Рамоном.

После нескольких спокойных лет совместной жизни в Москве пара уехала в Испанию, оставив ребенка на родине. Начало 30-х годов в Испании было отмечено антифашистскими настроениями. Рамона Касанеляса избрали членом Политбюро ЦК Компартии. А его жена — советская подданная — боролась в то время с фашистскими захватчиками на участке фронта под Мадридом, вела подпольную работу в Барселоне, писала листовки, в совершенстве овладев испанским языком, и собирала материалы для коммунистической газеты. Полиция устраивала многочисленные аресты. Какое-то время Фортус и Касанеляс жили на юге Франции. Потом Рамона выдвинули кандидатом в депутаты парламента Испании от Компартии.

Незадолго до выборов он вместе с оргсекретарем ЦК Каталонской Компартии Франсиско Дель-Баррио поехал в Мадрид на заседание Политбюро. Эта поездка стала последней в жизни Рамона. Фашисты подстроили автокатастрофу, в которой Касанеляс погиб.

Убитая горем Мария Фортус хотела только одного: вернуться в Москву, к сыну, к Рамону-младшему. Испанские коммунисты вошли в ее положение, и вдова Касанеляса вернулась на Родину.

Не прошло и двух лет пребывания в СССР, как Марию Александровну определили на работу в Коминтерн. Но события в Испании заставили ужаснуться Фортус, как любого человека, привязавшегося к земле, где он провел много лет, откуда родом его любовь... Фашистский вооруженный мятеж против испанского народа побудил испанских коммунистов просить Марию о том, чтобы она отпустила шестнадцатилетнего сына Рамона в Мадрид для работы с молодежью. Конечно, Марию Александровну очень волновал отъезд ее мальчика в неспокойную страну. В беседе правительственной делегации республиканской партии Испании Игнасио Идальго де Сиснерос со Сталиным она, будучи переводчицей, получила право уехать к сыну.

В Мадриде Марию Фортус знали как Хулию Хименес-Карденас. Боевая женщина работала переводчицей маршала К. А. Мерецкова. Вместе с ним Фортус воевала на передовых позициях.

Борьба за освобождение Испании была тяжелой. Мария Александровна много раз приезжала в эту страну из СССР, помогая населению выдержать натиск фашистов. Она принимала участие в боевых действиях во многих испанских городах. Под Сарагосой ее сын Рамон, ставший летчиком, был сбит врагами. Еще одну утрату Мария пережила мужественно. Казалось, что те пули, чуть не лишившие Фортус жизни в давние 20-е годы, стали роковыми для двух самых любимых людей, для двух Рамонов... Но размышлять о превратностях судьбы было некогда — ведь шла настоящая война.

После испанских событий Мария Александровна вернулась в СССР, где окончила Академию имени Фрунзе с отличием. (Этой Академией впоследствии была издана книга «Рассказы о фрунзенцах», состоявшая из двадцати очерков, посвященных славным выпускникам. Среди воспитанников Академии — Гречко, Конев, Малиновский, Покрышкин. Тринадцатый очерк «Всегда в строю» — о Марии Фортус, единственной женщине, попавшей в эту книгу).

Великую Отечественную войну Фортус встретила в партизанском отряде известного разведчика, полковника Медведева. Она была партийным руководителем отряда и одновременно заместителем командира по войсковой разведке. Марии Александровне приходилось ходить в разведку, разоблачать изменников, внедрявшихся по заданию немцев в отряд Медведева, заниматься воспитательной работой. Фортус в очередной раз была ранена, а потому ее отправили на Большую землю. После выздоровления она получила новое назначение. Фортус возглавила разведывательный отряд штаба 3-го Украинского фронта в тылу противника.

В январе 1945 года проходили тяжелейшие бои под Будапештом. Мария Александровна не только обучала разведывательному делу новичков, но и сама часто ходила в тыл врага, каждый раз возвращаясь победительницей. Например, она добыла данные о противнике, нашла секретные документы в бункере королевского дворца. Дворец располагался на том берегу Дуная, в части венгерского города, называвшейся Буда, где предполагались бои. (Кровопролитные бои тогда продолжались в Пеште). Фортус переправилась через Дунай, добыла документы, навестила жену венгерского разведчика, офицера-перебежчика, и вернулась к соотечественникам. Для Марии Александровны такой подвиг был вполне обыкновенным явлением. Комендант советского гарнизона в Будапеште генерал И. Т. Земерцов говорил: «Лишь немногие знали, какой трудный путь прошла эта умная, высокообразованная, мужественная женщина, сколько подвигов совершила за свою жизнь». Мария Александровна отличалась и таким качеством, как скромность. Фортус не любила хвастаться героическими этапами своей жизни.

Маршал О. С. Бирюзов в книге «Советский солдат на Балканах» написал: «Наш фронт славился своими разведчиками, действовавшими нередко в глубоком тылу врага. Среди них были женщины. Мне до сих пор помнятся многие из этих бесстрашных патриоток. Одна из них — Мария Фортус».

Когда Великая Отечественная война закончилась, Мария Александровна стала начальником оперативной группы по розыску имущества гитлеровцев. Такая работа требовала знаний в следственной и дипломатической сферах. Группа сотрудников, выполнявших ответственное задание, размещалась в Вене, в Центральной группе войск.

Спустя два месяца Мария Александровна получила новое задание от командующего ЦГВ маршала Конева. Оно состояло в следующем. Имелись сведения, что где-то на севере Чехословакии немцы построили подземный военный завод, на котором работали пленные. По окончании второй мировой войны немцы не успели его взорвать. Фортус поручалось этот завод найти, а оборудование отгрузить в Советский Союз. С помощью местных патриотов Мария Александровна выполнила это задание. Завод был найден, материалы о характере производства и условиях труда пленных отправлены в отдел расследований. Хотя скорее это был не завод, а подземный ад. Гитлеровцы оставили там тысячи трупов пленных. Несчастные люди, обращенные в рабство, погибли от холода, голода, болезней и зверских издевательств.

Еще одна трагедия не обошла стороной нашу героиню. Брат Марии Фортус Михаил был арестован в 1937 году как враг народа. Время репрессий для многих людей обернулось личной болью.

О прославленной разведчице писали воспоминания выдающиеся люди, даже был снят фильм «Салют, Мария». Последние годы жизни Марии Александровны прошли в Москве. В маленькую квартиру почтальон доставлял письма со всех концов света. Ведь Фортус была членом многих международных организаций, активно работала в комитете ветеранов войны. И это несмотря на то, что полученные в военное время ранения давали о себе знать. Мария Александровна была награждена двумя орденами Ленина, двумя орденами Красного знамени, другими, в том числе и иностранными, орденами и медалями. Она неоднократно представлялась к званию Героя Советского Союза, но безрезультатно.

Мария Фортус — женщина удивительной судьбы и великого мужества. Множество раз она подвергалась смертельной опасности и каждый раз выходила победителем в поединке жизни со смертью, словно доказывая превосходство человеческого духа над непредсказуемой судьбой.

# ЗВЕЗДА НЕЛЕГАЛЬНОЙ РАЗВЕДКИ

С незапамятных времен работа с источниками информации — агентами — является одной из основных сфер деятельности разведок и контрразведок мира. Ведь для привлечения к агентурной работе (а проще, для вербовки) от сотрудника требовались многие качества, необходимо было приложить опыт и умение, чтобы человек согласился давать информацию. В СССР такая проблема осложнялась тем, что взятый на заметку будущий агент не столько требовал материального вознаграждения за свою работу, сколько пытался решить для себя вопрос об идейной правоте спецслужб. Профессиональный вербовщик становился притчей во языцех! Его выдающиеся способности склонить человека на свою сторону, убедить в необходимости получения конкретной информации высоко ценились начальством. Стоит отметить, что большинство сотрудников разведки до официальной работы в органах госбезопасности сами являлись агентами. Используя личный опыт добывания информации, они становились высококлассными вербовщиками. Одной из таких находок для внешней разведки Советского Союза была Елизавета Зарубина. Как же органам государственной безопасности удалось заполучить эту необыкновенно артистичную, красивую женщину?

Елизавета Юльевна (Иоэльевна) Розенцвейг родилась 31 декабря 1900 года в селе Ржавенцы Хотинского уезда Северной Буковины (тогда эта территория являлась частью Австро-Венгрии, позже отходила к Румынии, а сегодня входит в состав Черновицкой области Украины). Ее отец был арендатором и управляющим лесхоза в имении польского помещика Гаевского. Образование Лиза Розенцвейг получила прекрасное: по окончании гимназии она училась на историко-филологическом факультете университета в Черновицах, затем в Сорбонне (сентябрь 1921 — август 1922) и Венском университете (октябрь 1922 — июнь 1924). Таким образом, девушка стала дипломированным переводчиком с немецкого, французского и английского языков. Она свободно владела идиш, русским, румынским языками.

И вот в 1919 году, когда Буковина вошла в состав Румынии, юная Розенцвейг при содействии двоюродной сестры Анны Паукер (впоследствии ставшей известной румынской коммунисткой, брат которой Карл одно время возглавлял личную охрану Сталина) примкнула к революционному подполью.

13 июня 1923 года Елизавета Юльевна вступила в коммунистическую партию Австрии. Ее партийный

псевдоним был Анна Дейч. В 1924 году Елизавета Юльевна, являясь переводчицей в торговом представительстве и посольстве СССР в Австрии, получила предложение сотрудничать с разведкой ОГПУ. Согласившись на это предложение, Розенцвейг получила советское гражданство. В этот период Розенцвейг вышла замуж за румынского коммуниста Василя Спиру и некоторое время носила его настоящую фамилию — Гутшнекер.

С марта 1925 по май 1927 года она являлась сотрудницей в резидентуре ИНО ОГПУ в Вене в качестве переводчицы и связистки. «Эрна» — такой псевдоним был у начинающей чекистки Розенцвейг. В этот период она привлекла к сотрудничеству ряд важных источников информации. Для выполнения специальных заданий Центра «Эрна» выезжала в Турцию. После подготовки к нелегальной работе советские спецслужбы направили ее во Францию.

А в феврале 1928 года эта разведчица впервые приехала в Москву, где ее под фамилией Горская зачислили в кадровый состав Иностранного отдела. Стоит заметить, что Елизавету Юльевну рекомендовал для работы в спецслужбах СССР помощник начальника ИНО ОГПУ И. В. Запорожец.

Елизавета Юльевна идеально подходила для нелегальной работы за рубежом. Элегантная, умная, образованная молодая женщина казалась лучшей представительницей Западной Европы. Талант до неузнаваемости менять манеру поведения и внешность (порой эту даму можно было принять за латиноамериканку) только способствовал карьерному росту Горской. В июле 1929 года нашу героиню зачислили уполномоченным Закордонной части ИНО ОГПУ.

Елизавета Юльевна была настолько выдающейся личностью, что в кабинете истории СВР ей посвящена отдельная музейная экспозиция. Деятельность этой женщины до сих пор содержит немало секретов. Вот, например, какие сведения приводят Владимир Денисов и Павел Матвеев в своей публикации «Таинственная Эрна»:

«[Решение Политбюро] датируется ноябрем 1929 года и связано со знаменитым Яковом Блюмкиным, обвиненным в связях с Троцким:

«а). Поставить на вид ОГПУ, что оно не сумело в свое время открыть и ликвидировать изменническую антисоветскую работу Блюмкина;

б). Блюмкина расстрелять;

в). Поручить ОГПУ установить точно характер поведения Горской».

Из этого эпизода многие историки делают неверное по сути заключение, что Горская была женой Блюмкина, когда тот в качестве резидента ОГПУ встречался с Троцким в Стамбуле. Об этой тайной встрече Блюмкин не поставил в известность свое руководство. Роль Горской, судя по документам, сводилась к тому, чтобы выяснить у Блюмкина его дальнейшие намерения. К тому времени она уже имела опыт работы в нелегальной разведке и вышла замуж за опытного разведчика Василия Зарубина».

Действительно, чекистку Розенцвейг многие знают как Елизавету Зарубину. Именно будучи замужем, эта женщина творила историю отечественных спецслужб. Нужно заметить, что ее выбор спутника жизни был отнюдь не случаен. В советской разведке для нелегальной работы, как правило, создавались или подбирались супружеские пары. Непростое это дело — найти подходящих партнеров. Однако определяющим в те времена было чувство долга.

Итак, в 1928 году Елизавета Юльевна вышла замуж за Василия Ивановича Зарубина. Стоит сообщить некоторые биографические сведения о нем. Зарубин родился в 1894 году в деревне Панино Бронницкого уезда Московской губернии. Глава семьи, Михаил Зарубин, работал кондуктором товарного поезда ст. Москва — Курская Нижегородской железной дороги.

В 1903-1908 гг. Василий учился в двухклассном училище Министерства народного просвещения при Московско-Курской железной дороге, а потом начал работать в товариществе В. Лыжина, которое занималось производством сукна. Первая должность Василия Зарубина была «мальчик», вторая — «помощник упаковщика», а затем — «конторщик». Рано потеряв отца, Вася (тогда ему было 14 лет) был вынужден работать, чтобы помогать матери содержать многочисленную семью. Вместе с трудовой деятельностью Зарубин продолжал учебную. Во время первой мировой войны он воевал в рядах Красной Армии. Авторы книги «Все о внешней разведке» Александр Колпакиди и Дмитрий Прохоров приводят следующие сведения о красноармейце Зарубине: «С 1914 года — рядовой 33-го Елецкого полка 9-й пехотной дивизии на Юго-Западном фронте, с 1915 года — рядовой 58-го запасного пехотного полка запасной бригады в Воронеже. Находясь в действующей армии, вел антивоенную агитацию, за что был направлен в штрафную роту. В марте 1917 года был ранен и находился на излечении в Воронеже. По возвращении в часть был избран в полковой комитет солдатских депутатов. <...> В апреле 1918 года вступил в РКП(б). С сентября 1918 года — В. М. Зарубин — командир отделения 35-го резервного Рогожско-Самсоновского полка 8-й армии Южного фронта. С февраля по июнь 1919 года он — начальник конной связи и помощник начальника штаба по оперчасти 1-й бригады 1-й Московской рабочей дивизии Южного фронта, затем был ранен и длительное время лечился в Москве и Воронеже. С февраля 1920 года — инструктор-контролер 24-1 бригады ВОХР Орловского сектора. С октября 1920 года — сотрудник для поручений при начальнике 5-й дивизии ВНУС в городе Козлове».

Позже войска ВНУС были расформированы, и хорошо себя зарекомендовавшего военного Василия Зарубина направили в органы ВЧК. Начался самый важный этап в карьере Зарубина. Работа в спецслужбах прославила его. Хотелось бы детально рассмотреть чекистский путь Василия Михайловича.

Придя в органы государственной безопасности, Зарубин с 12 января 1921 года стал работать помощником уполномоченного по борьбе со спекуляцией районной транспортной чрезвычайной комиссии Центра в Москве. Спустя пять месяцев Василия Михайловича назначили уполномоченным, заместителем начальника СОЧ, а затем — начальником СОЧ Отдельной дорожно-транспортной ЧК и одновременно заместителем начальника этого ведомства.

Службу в ПП ОГПУ ДВО Зарубин начал в апреле 1922 года. Его направили в Николаевск-Уссурийск как заместителя начальника ОО 17-го Приморского корпуса. 1923 год для Василия Михайловича стал временем «высоких должностей»: в феврале Зарубин — начальник экономического отделения ОГПУ во Владивостоке, а с мая — еще и член комиссии Приморского губотдела ГПУ.

Заметная фигура в спецслужбах, Зарубин не мог не продолжить свою карьеру в престижных подразделениях разведки. В феврале 1924 года он был зачислен в негласный штат по закордонной работе ПП ОГПУ ДВО. Под прикрытием должности завхоза консульства СССР Зарубин выезжал со спецзаданиями в Харбин и Пекин. С марта 1924 года он отвечал за борьбу с контрабандой наркотиков и оружия из Европы в Китай, будучи начальником 4-го отделения ЭКО Приморского губотдела ПП ОГПУ ДВО во Владивостоке.

Службу в Иностранном отделе ОГПУ Василий Михайлович начал в сентябре 1925 года (зачислен оперуполномоченным Закордонной части). Зарубин превосходно владел английским, немецким и французским языками. Это позволило ИНО ОГПУ назначить его легальным резидентом в Хельсинки. С декабря 1925 по 1926 гг. Василий Михайлович выполнял разведывательную работу в Финляндии под прикрытием должности атташе полпредства СССР.

В 1927 году Зарубин продолжил чекистскую деятельность в Дании, а по возвращении в Москву стал работать особоуполномоченным Закордонной части (с апреля 1929 года) и помощником начальника 8-го отделения Иностранного отдела ОГПУ СССР (с января 1930 года).

Именно в тот период состоялось знакомство Зарубина с героиней нашей книги. До брака с Горской (Розенцвейг) Василий Михайлович уже был женат, у него имелась дочь Зоя.

Зоя Васильевна впоследствии вспоминала: «Вообще отец был очень добрый человек и до глубины души русский. Я не могу не сказать о нашей замечательной Лизочке. Язык у меня не поворачивается назвать ее мачехой. Это была не просто любящая жена, а добрый, чудесный человек. И вот это был образец нормальной, хорошей семьи. С одной стороны — русская часть, много родственников. С другой стороны — еврейская часть, тоже много родственников. И все жили очень дружно».

Заключив брак, Елизавета и Василий Зарубины в 1929 году начали готовиться к нелегальной работе во Франции под видом чехословацких коммерсантов — супругов Кочеков. Они легализовались в Дании, откуда в течение двух лет добывали информацию по Германии. Затем Центр направил Зарубиных во Францию с целью создания там резидентуры. Вячеслав Лашкул в статье «Разведчицы-нелегалы» упомянул о деятельности Елизаветы Юльевны: «В Париже у нее на связи был испытанный агент советских спецслужб, бывший царский генерал П. Дьяконов, который в прошлом занимал пост военного атташе России в Англии и имел широкие связи среди русской эмиграции. Через него Лиза получила сведения об антироссийских акциях французской военной разведки». Сначала «Кочеки» проживали в городе Ангиб (на юге Франции), а затем обосновались в пригороде Парижа. Василий Михайлович получил вид на жительство, действуя под прикрытием совладельца гаража, а позднее — совладельца рекламной фирмы.

В 1931 году у Зарубиных родился сын Петр. (Впоследствии Петр Васильевич Зарубин стал профессором, выдающимся ученым. Он более тридцати лет занимался организацией работ по созданию лазерной техники, в том числе лазерного оружия в СССР, возглавлял Главное управление министерства оборонной промышленности).

194

Особо важным заданием Зарубиных являлся сбор информации по германскому направлению.

Часть их контактов впоследствии была задействована во время фашистской диктатуры в Германии. Связи «Кочеков» с немецкими дипломатами оформились во время работы в Париже. Находясь во Франции, Елизавета Юльевна под псевдонимом «Вардо» исполняла обязанности разведчицы. В те годы ей удалось привлечь к сотрудничеству стенографистку германского посольства «Ханум». Через нее советская разведка получила ряд весьма ценных материалов по франко-германским отношениям.

С декабря 1933 г. Зарубины находились на нелегальной работе на территории Германии. Там «Вардо» не только оказывала помощь мужу, но и вела самостоятельное направление. Был восстановлен контакт с «Ханум», работавшей уже в центральном аппарате МИД. От легальной резидентуры разведчица получила на связь посыльного, а затем чиновника внешнеполитического ведомства Германии «Винтерфельда», имевшего доступ к секретной, в том числе шифрованной переписке.

Владимир Денисов и Павел Матвеев в публикации «Таинственная Эрна» написали: «Это был период, когда советская нелегальная разведка не имела проблем с квалифицированными кадрами, — эпоха «великих нелегалов». Даже некоторые оглушительные провалы, которые иногда случались в разных странах, не снижали возможностей «соседей», оперативных успехов других групп и системы в целом.»

Невозможно, конечно, было даже представить, что во внешней разведке Главного имперского управления безопасности (РСХА) могли действовать советские разведчики. Ведь это подразделение (IV управление, служба безопасности СС) являлось органом нацистской партии. Для того, чтобы работать во внешней разведке фашистской Германии, кандидаты проходили тщательную проверку. Однако Зарубиным удалось действовать даже в гитлеровском рейхе (декабрь 1933—1935 гг.) через ранее завербованного агента советской разведки. Василий Михайлович и Елизавета Юльевна привлекли к работе на ИНО сотрудника гестапо Вилли Лемана («Брайтенбах»).

О этой личности следует рассказать подробнее. Вилли Леман родился в 1884 году в семье учителя, проживавшей недалеко от Лейпцига. После школы он работал учеником столяра, затем добровольцем служил в имперском военно-морском флоте. Полученная специальность артиллериста позволила ему принимать участие в морских походах. Вилли Леман был очевидцем знаменитого Цусимского сражения. После демобилизации в чине старшины-артиллериста в 1911 году Леман поступил на службу в берлинскую полицию. Стоит заметить, что этот человек отличался усердием, добросовестностью, ответственностью, а потому и весьма преуспел в карьере. В 1920 году Леман стал начальником канцелярии контрразведывательного отдела берлинского полицай-президиума. В его обязанности входила слежка за иностранными посольствами, в том числе советскими. В 1927 году «Брайтенбах» предложил свои услуги советской разведке. Герман Геринг, с которым он был знаком, после 1933 года взял его на работу в гестапо. «Брайтенбах» снабжал советскую разведку ценными сведениями, в том числе и документальными материалами по оборонным, промышленным и другим вопросам. За 12 лет сотрудничества с советской разведкой у Вилли Лемана не было провалов, так он своевременно информировал обо всех операциях гестапо.

Существует несколько версий, объясняющих причины сотрудничества «Брайтенбаха» с органами госбезопасности СССР. Вальтер Шелленберг, в 1930-е годы руководивший контрразведывательным отделом гестапо, писал о Лемане в своих мемуарах следующее:

«В нашем отделе, ведавшем промышленным шпионажем, служил пожилой, тяжело больной сахарным диабетом инспектор Л., которого все на службе за его добродушие звали дядюшкой Вилли. Он был женат и вел скромную жизнь простого бюргера. Правда, у него была страсть — лошадиные бега. В 1936 году он впервые начал играть на ипподроме, и сразу же его увлекла эта страсть, хотя он проиграл большую часть своего месячного заработка. Знакомые дали потерпевшему неудачу новичку хорошие советы, и дядюшка Вилли утешился возможностью скоро отыграться. Он сделал новые ставки, проиграл и остался без денег.

В отчаянии, не зная, что делать, он хотел тут же покинуть ипподром, но тут с ним заговорили двое мужчин, которые явно видели его неудачу. „Ну и что ж с того, — произнес тот, кто назвал себя Мецгером, — со мной такое раньше тоже случалось, так что нечего вешать голову“.

Мецгер проявил понимание к страстишке дядюшки Вилли и предложил ему в виде помощи небольшую сумму денег, с условием, что он будет получать пятьдесят процентов от каждого выигрыша. Дядюшка Вилли согласился, но ему опять не повезло — и он проиграл. Он получил новую субсидию и на этот раз выиграл. Но эти деньги ему теперь были крайне необходимы для семьи. Однако Мецгер предъявил ему счет. Он потребовал вернуть все полученные за игру деньги, и, поскольку дядюшка Вилли не в состоянии был расплатиться, пригрозил заявить об этом вышестоящему начальству. Во время этого разговора Л. был под хмельком и согласился на условия своего сердобольного „друга“. За предоставление новой ссуды он обещал передавать ему информацию из центрального управления нашей разведки. Отныне он состоял на службе у русских».

Борис Журавлев, последний оператор Лемана, считал, что «Брайтенбах» работал на советскую разведку по другим соображениям. Писатель Теодор Гладков взял интервью у Журавлева, в котором последний сделал следующее заявление: «Я и сегодня не сомневаюсь, что Леман работал исключительно на идейной основе. Хоть и кадровый полицейский, он был антинацистом. Возможно, даже именно поэтому. Тем более, что, очутившись в гестапо, видел изнутри, насколько преступен гитлеровский режим, какие несчастья он несет немецкому народу.

В самом деле, после временного разрыва с нами связи он сам восстановил ее в 1940 году, прекрасно осознавая, что в случае разоблачения ему грозит не увольнение со службы, не тюрьма, а мучительные пытки в подвалах своего ведомства и неминуемая казнь. Такой судьбой никого ни за какие деньги не соблазнишь. К тому же Леман был человеком в годах, без юношеской экзальтации и романтизма, он все прекрасно понимал и шел на смертельный риск совершенно осознанно».

Александр Колпакиди и Дмитрий Прохоров в своей книге «Все о внешней разведке» выразили такую точку зрения по поводу деятельности Вилли Лемана: «Будучи свидетелем ужасов первой мировой войны, он был сторонником мира с Россией, но во время его первых контактов с советской разведкой Гитлер еще не пришел к власти. Как и всякий немец, он умл считать деньги и понимал, что его жалованья не хватит, чтобы поддерживать доставшиеся жене в наследство гостиницу и ресторан в надлежащем состоянии. Кроме того, после выхода на пенсию он собирался открыть в Берлине частное сыскное бюро. Поэтому с советской разведкой Леман начал сотрудничать исключительно по материальным соображениям. Об этом говорит и тот факт, что с 1934 по 1938 год он получал от своих операторов 580 марок ежемесячно».

Василий Зарубин работал оператором «Брайтенбаха» вплоть до своего отъезда домой. Центр высоко ценил сведения, предоставляемые Вилли Леманом (или агентом А/201, как он значился в оперативной переписке), щедро оплачивая важную информацию и беспокоясь о безопасности этого сотрудника СД. К 1940 году положение немецкого агента улучшилось. Он — гауптштурмфюрер СС, криминал-комиссар, сотрудник отдела IV-Е, занимавшегося контрразведкой. 19 июня 1941 года «Брайтенбах» сообщил советским спецслужбам, что в 3 часа 22 июня Гитлер начнет войну с СССР. В декабре 1942 года агента арестовало и впоследствии расстреляло гестапо. Кстати, столь любимый в нашей стране Штирлиц, персонаж, созданный Юлианом Семеновым и воплощенный Вячеславом Тихоновым в телефильме «Семнадцать мгновений весны», имеет реальных прототипов. Именно Вилли Леман и Василий Зарубин послужили ключевыми фигурами для создания образа легендарного штандартенфюрера СС.

Владимир Денисов и Павел Матвеев в материале «Таинственная Эрна» так охарактеризовали сотрудничество источников из высших кругов фашистской германии с советскими спецслужбами: «Даже провал в 1942 году „Красной капеллы" не затронул ценной агентуры, подготовленной Зарубиными в середине 30-х. Так, чиновник германского МИД, он же агент „Винтерфельд", продолжал успешно действовать и после войны. В известной мере благодаря „содействию" ИНО НКВД перед войной американским властям удалось нейтрализовать активность профашистских группировок и германской агентуры в политических кругах США».

В 1937 году Василий Михайлович Зарубин был награжден орденом Красного знамени за успешную работу в условиях фашистского режима, а Елизавете Юльевне присвоено звание капитана государственной безопасности. К началу Великой Отечественной войны Василий Михайлович стал генерал-майором.

Елизавета Юльевна в 1938 году для поддержания связи с ценной агентурой дважды по советским документам прикрытия выезжала в Таллин, а также нелегально в Париж и Лондон. В июне 1938 года она была отозвана в Москву и переведена в резерв назначения 5-го Отдела 1-го УГБ НКВД СССР.

Еще одним «фронтом» чекистской деятельности Зарубиных стали Соединенные Штаты Америки. «Американский» период супругов-разведчиков разделился на несколько этапов.

Впервые Зарубины нелегально посетили США в 1937 году. Но летом 1938 года их срочно отозвали в Москву. Во время репрессий в Советском Союзе почти весь кадровый и агентурный аппарат ИНО был разгромлен.

При Берии в руководстве многих подразделений разведки появились молодые сотрудники, которых набирал Ежов. По словам авторов статьи «Таинственная Эрна», «один из лейтенантов, будущий генерал-лейтенант, в конце 50-х ненадолго возглавивший нелегальную разведку КГБ, написал на «звезду» нелегальной разведки 13 февраля 1939 года следующую справку: «До 1924 года Зарубина-Горская состояла в румынском подданстве, отец и мать ее <...> проживают в настоящее время в Румынии. В 1928 году, по рекомендации врага народа Запорожца, Зарубина поступила на работу в органы ОГПУ и, начиная с 1928 по 1929 год и с 1930 по 1938 год, все время находилась на закордонной работе по линии ИНО. За границей, во Франции и Румынии, Зарубина имеет много родных и родственников, с которыми поддерживает связь. В целях освежения аппарата отдела считал бы целесообразным откомандировать Зарубину-Горскую в распоряжение отдела кадров НКВД СССР».

Елизавета Юльевна была уволена из органов госбезопасности 1 марта 1939 года. Ей назначили выходное пособие в размере четырех месячных окладов за 16 с половиной лет работы. Но уже 19 апреля 1940 года Елизавету Юльевну восстановили на службе, так как требовалась активизация деятельности разведсетей в Германии и Эстонии. Должность Зарубиной в советских органах госбезопасности значилась следующая: оперуполномоченный 5-го отдела ГУГБ в резерве назначения ОК НКВД. С 15 сентября 1940 года Елизавета Юльевна стала опреуполномоченным 3-го отделения 5-го отдела. Предстояла командировка в Германию. В связи с этим Зарубину зачислили в особый резерв.

10 декабря 1940 года в Берлине Елизавете Юльевне удалось восстановить связь с агентом «Августой», женой крупного немецкого дипломата, находившейся ранее на связи с арестованным к тому времени в Москве нелегалом Ф. К. Парпаровым.

Новые должности Зарубиной стремительно сменялись: с февраля 1941 года наша героиня — в аппарате 1-го Управления НКГБ СССР, с марта 1941 года — старший оперуполномоченный 1-го отделения 4-го Отдела, затем — заместитель начальника 2-го отделения 5-го Отдела.

Зарубина приехала в Берлин для возобновления работы в апреле 1941 года. Она восстановила связи с ценными источниками: шифровальщиком германского Министерства иностранных дел и «Винтерфельдом», который к тому времени являлся сотрудником экономико-политического отдела внешнеполитического ведомства. Спустя два месяца ее вместе с персоналом советских представительств отправили через Турцию в СССР. В Москве Елизавета Юльевна была зачислена в особый резерв НКВД.

Что касается чекистской деятельности Василия Михайловича Зарубина, то она продолжалась по нескольким направлениям. Стоявший у власти в Германии Адольф Гитлер внушал серьезные опасения политикам многих стран. Все спецслужбы остро нуждались в информации о планах фюрера.

Советской разведке крупно повезло: в ее агентурные сети попалась крупная «рыба»! С Центром начал сотрудничество Вальтер Стеннес, ближайший соратник Гитлера. Стеннес познакомился с фюрером еще в 1920 году в берлинском салоне фрау Бехштейн. Кулуарное обсуждение программы Гитлера, направленной против условий Версальского договора привело к тому, что Стеннес обнаружил себя как сторонник будущего палача XX века. Начав с организации штурмовых отрядов (СА) в Берлине и на севере Германии, он вскоре стал фюрером НСДАП Северной Германии.

Однако 1931 год стал поворотным временем в отношениях Гитлера и Стеннеса. Последний со своими штурмовиками посчитал, что немецкий лидер национал-социалистов не выполняет многих своих обещаний относительно национализации экономики и ликвидации монополистического капитала. Гитлер был взбешен выступлениями Стеннеса, снял его со всех постов и исключил из НСДАП. После подавления бунта (штурмовики захватили берлинские учреждения) отрядом фашиста № 1, Стеннес отказался от компромисса, предложенного верхушкой приближенных Гитлеру людей. Он так бы и закончил свои дни в тюрьме, как того хотел Гитлер, но вмешательство Геринга определило его дальнейшую судьбу. В конце

204

1933 года Вальтер Стеннес в составе группы немецких военных советников был направлен в Китай. Там он работал начальником личной охраны Чан Кайши. По прошествии пяти лет Стеннесу пришлось принять решение о пребывании в стране. Гитлер не доверял Чан Кайши и опасался, что отношения Германии с Китаем могут негативно сказаться на отношениях Германии с Японией. Поэтому приказ фюрера о срочной отправке немецких военных советников в Берлин Стеннес не приветствовал. Еще бы! По возвращении на Родину его ждал бы неминуемый арест, а то и казнь.

Помощь Стеннес решил искать у СССР. Встретившись в Чунцине с сотрудником легальной резидентуры ИНО НКВД Николаем Тищенко, он объяснил свою гражданскую позицию. Стеннес вдохновенно говорил о создании демократической Германии, уничтожении Гитлера, агитационной работе в немецкой армии, своем руководстве разведкой Чан Кайши. В конце разговора Тищенко понял, что этот «Друг» (так позднее называли Стеннеса в оперативной переписке) готов к сотрудничеству с советскими спецслужбами и надеется на гостеприимство в СССР.

Центр одобрил готовность нового источника к работе и начал сотрудничество с ним. С января 1939 года по ноябрь 1940 связь между Стеннесом и советскими разведчиками неожиданно прервалась. Но уже в январе 1941 года в Китай на связь с «Другом» выехал Василий Михайлович Зарубин, под прикрытием сотрудника Госбанка СССР. От денег за предоставленную информацию Стеннес отказался, мотивировав свой поступок идейной солидарностью с советскими коммунистами. 23 февраля 1941 года в Центр поступили сведения, полученные Зарубиным от «Друга». Источник сообщал об отношениях Токио и Берлина.

Очередная встреча Зарубина и Стеннеса состоялась 9 июня 1941 года. Срочность новой информации была определена экономическими и военными приготовлениями Германии к нападению на Советский Союз. О надвигающейся опасности Стеннеса известил крупный немецкий чиновник из Берлина. 20 июня 1941 года Василий Михайлович Зарубин отправил в Центр шифрограмму: «В беседе со мной Друг категорически утверждал: на основе достоверных данных ему известно, что Гитлер полностью подготовлен к войне с Советским Союзом. Друг предупреждает нас, и мы должны из этого сделать соответствующие выводы».

Зарубин немедленно выехал в Москву. Но начавшаяся Великая Отечественная война сорвала планы Стеннеса о прибытии в СССР.

Василий Михайлович продолжал работать над новыми заданиями. С января 1939 года он был назначен старшим оперуполномоченным 7-го отделения, с мая того же года — 10-го отделения, а с августа 1940 года — заместителем начальника 10-го отделения 5-го отдела ГУГБ НКВД СССР. Он привлек к сотрудничеству с советской разведкой латиноамериканского дипломата, аккредитованного в Москве. Для выполнения спецзаданий Зарубин часто выезжал в Австрию, Швейцарию, Турцию, Польшу и Италию. 26 февраля 1941 года Василий Михайлович был назначен заместителем начальника 1-го управления НКГБ СССР.

А потом наступил новый этап чекистской деятельности. Причем работать Зарубину пришлось не одному. Его жене предстояло провести с ним несколько лет вдали от Советского Союза.

Зарубины получили задание для работы в США. 12 октября 1941 года Василия Михайловича лично проинструктировал Сталин. Он требовал оказывать воздействие на политику США через агентуру «в выгодном СССР направлении». Сталин поставил перед Зарубиным пять конкретных задач:

— добывать сведения о планах Германии в войне против СССР, которые могут быть известны госучреждениям США;

— выяснить секретные планы и цели союзников в войне и по возможности установить, когда они собираются открыть второй фронт в Европе;

— смотреть за тем, чтобы руководство США не заключило с Германией сепаратного мира и не выступило против СССР;

— отслеживать планы союзников, касающиеся послевоенного мирового устройства;

— добывать информацию о новейшей военной технике.

В те годы Кремль был озабочен намерениями американских правительственных кругов признать правительство Керенского в качестве законной власти в Советском Союзе в случае поражения в Великой Отечественной войне.

В декабре 1941 года в Нью-Йорк прибыл новый легальный резидент Василий Михайлович Зарубин, официально значившийся как вице-консул. Зарубину предстояло создать легальную резидентуру под прикрытием секретаря советского посольства в США. Жена Зарубина назначалась на должность сотрудника резидентуры.

Прибыв в США, Зарубин приложил максимум усилий для выполнения поставленных перед ним задач. И хотя в 1941 году нью-йоркская резидентура насчитывала всего тринадцать человек, ее сотрудники сумели проникнуть в правительственные учреждения и военно-промышленные объекты США. Среди тех, кто в годы войны работал в США, следует отметить Леонида Квасникова, Семена Семенова, Виктора Лягина, Александра Феклисова, Анатолия Яцкова, Константина Чугунова, Михаила Шаляпина, Ольгу Шимель и Степана Апресяна, который исполнял обязанности резидента после отзыва Зарубина в Москву в августе 1944 года.

Будучи резидентом, Зарубин не только требовал от своих сотрудников расширения агентурной сети, но и сам постоянно искал новые источники. Так, в конце 1942 года им был установлен контакт с бывшим министром авиации Франции Пьером Котом, эмигрировавшим в США в 1940 году. Связь с ним продолжалась до конца 1943 года, когда Пьер Кот выехал в Алжир. Среди других завербованных агентов можно назвать инженеров Джоэля Барра и Альфреда Саранта.

Непревзойденной вербовщицей показала себя Елизавета Юльевна. В резидентуре она отвечала за линию политической разведки. Находясь в США, Зарубина поддерживала связь с двумя десятками агентов, среди которых было немало весьма ценных источников. Она быстро завоевывала доверие людей, свободно могла выдавать себя за американку, француженку, немку, а когда требовалось — и активистку сионистского движения. Создание разведсети — дело далеко не простое. Но красавица Елизавета не боялась трудностей. Обаятельная, артистичная, она доказала свою состоятельность как разведчицы.

Деятельность Зарубиных оказалась направленной на информирование советского руководства о создании атомного оружия. Никто не ожидал, что агенты советских разведчиков помогут начать проведение операции «Энормоз». В переводе с английского это означает «громадный», «ужасный». И, действительно, предметом этой масштабной операции явилось расследование фатального для всей мировой истории проекта.

Начиналось все обыкновенно. Агент Елизаветы Зарубиной, русская эмигрантка Маргарита Ивановна Воронцова-Коненкова, супруга знаменитого скульптора, была близкой подругой Альберта Эйнштейна. Коненковы часто гостили в доме великого ученого. Создатель теории относительности испытывал к Маргарите Ивановне самые нежные чувства. Он даже посвящал ей свои стихи и писал письма, когда в 1945 году супруги Коненковы вернулись в СССР. Эйнштейн несколько раз упоминал в своих разговорах с Маргаритой Ивановной о том, что стоит на пороге величайшего открытия. Он не подозревал, что содержание этих разговоров становилось известным советской разведчице Зарубиной. Елизавета Юльевна попросила Коненкову поинтересоваться у Эйнштейна, в чем состояла суть этого открытия. Бесконечно далекая от мира науки Маргарита Ивановна расспросила великого физика о его замыслах. Эйнштейн был приятно удивлен интересом своей возлюбленной к его занятиям. Он не только рассказал ей обо всем, но и для лучшего понимания набросал несколько схематичных рисунков. Коненкова не решилась вызвать недоверие у своего близкого друга и потому не взяла их. Но хорошая память позволила ей в точности воспроизвести наброски Эйнштейна.

В окружение Коненковой входил и Роберт Оппенгеймер, талантливый ученый, известный своими левыми взглядами. Через своих агентов Зарубиной удалось подружиться с его супругой Кэтрин, которая симпатизировала Советскому Союзу. Елизавета Юльевна сумела через нее убедить Оппенгеймера воздерживаться от публичного выражения своих политических взглядов, чтобы не привлечь внимание сотрудников ФБР.

Спустя некоторое время в работе над созданием атомного оружия приняли участие вывезенные из фашистской Германии ученые. Они трудились под руководством Оппенгеймера. Одним из них был Клаус Фукс, впоследствии передавший Советскому Союзу секрет атомной бомбы.

Об отношении нашей героини к своей работе Вячеслав Лашкул рассказывал: «О трудоспособности Елизаветы Зарубиной говорит хотя бы вот что. Когда в годы Великой Отечественной войны она работала уже в легальной резидентуре Советского Союза в США, на связи у нее были двадцать два агента, в том числе наиболее ценные источники информации. И Лиза успевала регулярно проводить встречи со связниками в Вашингтоне, Нью-Йорке, Сан-Франциско и других городах Америки».

И еще несколько слов о причастности Елизаветы Юльевны к операции «Энормоз». Беженец из Польши вывел Зарубину на другого выдающегося американского физика — Сцилларда. При помощи ученого к разработке атомного проекта в США были подключены многие агенты советской разведки.

Но наиболее ценным информатором оказался Георгий Антонович Гамов, самый молодой член-корреспондент Академии наук СССР, бежавший в США в 1934 году. В США Гамов прославился как автор теории альфа-распада, как ученый, выдвинувший знаменитую гипотезу «горячей Вселенной» и как первый человек, рассчитавший генетический код. Карьера Георгия Антоновича складывалась весьма успешно. Он преподавал в Джорджтаунском университете (Вашингтон) и руководил ежегодными семинарами по теоретической физике. Ведущие ученые консультировались у Гамова по научным вопросам, он вместе с ними обсуждал различные проекты. Именно от этого человека Зарубиной удалось получить характеристики американских ученых, узнать их политические взгляды и отношение к созданию атомной бомбы.

Кроме того, в резидентуре была создана специальная группа под руководством Квасникова, которая целенаправленно работала по добыванию информации об американской атомной бомбе. К 1944 году внешняя разведка имела нескольких агентов, передававших материалы по «Манхэттенскому проекту». Это, прежде всего, Клаус Фукс, Теодор Холл, Сэвил Сакс, Бруно Понтекорво, Дэвид Грингласс и супруги Юлиус и Этель Розенберги. Кроме того, необходимо упомянуть Мориса и Леонтину Коэн и Гарри Голда, исполнявших роль связников.

Однако работу над этим, так называемым «Манхэттенским проектом», супругам Зарубиным не удалось довести до конца. В декабре 1944 года их неожиданно вызвали в Москву. По материалам отдела расследований значится три версии этого срочного вызова:

«Во-первых, как нередко бывает у талантливых людей, их недостатки являются продолжением их достоинств. По мнению некоторых бывших сотрудников нью-йоркской резидентуры военной поры, Василию Михайловичу, привыкшему к более активному поведению, было трудно сдерживать свою неуемную энергию. Дело доходило до того, что он сам начинал выполнять задания, с которыми вполне справились бы и рядовые сотрудники легальной резидентуры. Так, например, когда в Вашингтон прилетал нарком иностранных дел СССР Вячеслав Михайлович Молотов, Зарубин, будучи великолепным водителем, всегда сам садился за руль и возил главу советского внешнеполитического ведомства, как простой шофер (хотя в таком положении были и свои выгоды: можно было беседовать с наркомом с глазу на глаз). В результате деятельность Зарубина стала известна ФБР.

Во-вторых, как отмечают исследователи истории советской разведки военных лет, Зарубиных срочно отозвали в Москву для того, чтобы проверить выдвинутые в их адрес обвинения. Сверхбдительный сотрудник нью-йоркской резидентуры подполковник Миронов написал в Центр письмо, в котором утверждал, что Василий Зарубин и его жена завербованы агентами ФБР. Такой вывод подполковник сделал на основе негласного наблюдения, которое он вел за своим начальником, когда тот встречался с агентами и источниками информации. Более того, Миронов направил письмо не только в Центр, но и директору ФБР Эдгару Гуверу. Последнему были предоставлены сведения обо всех резидентах советской разведки на территории США! Проверка Зарубиных в Москве заняла полгода, и все обвинения, выдвинутые Мироновым, были отметены. Миронов же предстал перед судом за злостную клевету, и от тюрьмы его спасло лишь заключение судебно-психиатрической экспертизы, признавшей его невменяемым. Однако Александр Колпакиди и Дмитрий Прохоров в книге «Все о внешней разведке» утверждают, что Миронова арестовали и расстреляли.

Наконец, в-третьих, в середине 40-х годов в разведке уже наступал новый этап — время охоты за атомными секретами, и на посту американской резидентуры нужен был человек, имеющий достаточно глубокие представления о проблемах современной науки и техники. Как говорится, требовалась «смена караула».

После проверок, устроенных по милости Миронова, Василий Михайлович был назначен заместителем начальника внешней разведки. В сентябре 1944 года он получил звание комиссара государственной безопасности 3-го ранга, а в июле 1945 года — звание генерал-майора государственной безопасности. Подобные почести были весьма редки в то время, а потому следует признать, что заслуги перед Родиной у Зарубина были громадные. Кроме того, Василий Михайлович Зарубин был награжден тремя орденами Красного Знамени, орденом Красной Звезды, орденом Октябрьской революции, серебряными часами от ПП ОГПУ ДВО, серебряным портсигаром от Коллегии ОГПУ, знаком «Почетный сотрудник органов государственной безопасности» и другими медалями.

Что касается его супруги, то Елизавета Юльевна по возвращении из США была назначена начальником 3-го отделения 8-го отдела внешней разведки НКГБ.

Вскоре Зарубина стала начальником 1-го отделения 8-го отдела ПГУ МГБ, то есть возглавила всю информационную службу по американскому направлению. Для многих сотрудников это было несколько удивительно: иностранка (напомним, что Елизавета Юльевна — уроженка Австро-Венгрии) заняла такой высокий пост в советском политическом ведомстве! Однако работу Зарубиной вышестоящее руководство оценило: 22 октября 1944 года за участие в «атомном» проекте отважную разведчицу наградили орденом Красной Звезды.

На новом месте работы Елизавета Юльевна занималась обработкой поступающей информации, касавшейся научно-технических вопросов по созданию атомной бомбы. Зарубина была переводчицей на Ялтинской и Потсдамской конференциях.

Но вдруг ее уволили! 14 сентября 1946 года Зарубину вынудили уйти в отставку из МГБ. Причину в постановлении написали такую: «За невозможностью дальнейшего использования». Суть дела заключалась в том, что новый министр МГБ Абакумов решил обновить кадры для последующей реорганизации разведывательного управления, которое в 1947 году слилось с ГРУ Генштаба, образовав новый Комитет информации.

Муж разведчицы, Василий Михайлович, не сомневался в истинной причине ее увольнения, заявляя новому руководству внешней разведки: «Когда моя жена и спутница жизни выполняла оперативные задания наравне со мной, она была вам нужна, и тогда вы не обращали внимания на ее биографию и национальность».

Василий Михайлович тяжело переживал несправедливое увольнение супруги. В 1948 году, в возрасте 54 лет он вышел в запас «по состоянию здоровья с правом ношения военной формы».

Но судьба на некоторое время вновь улыбнулась Зарубиной! После смерти Сталина Елизавета Юльевна работала в 9-ом отделе МВД (разведка и диверсии) под руководством Павла Анатольевича Судоплатова. Но период деятельности был недолгий: май — август 1953 года. Подполковник Зарубина была окончательно уволена из органов госбезопасности.

После долгой и опасной службы в советской внешней разведке Елизавета Юльевна Зарубина приступила к более спокойной работе. Ведь среди качеств, высоко оцененных прежним руководством, было такое, которое вполне соответствовало другой деятельности — превосходное знание нескольких иностранных языков. Зарубина поступила на работу в Московский институт иностранных языков, где вскоре стала деканом одного из факультетов. Эта должность стала последней в ее жизни.

Василий Михайлович снова вернулся на работу в органы в мае 1953 года. Павел Анатольевич Судоплатов назначил его оперработником 1-й категории негласного штата 9-го (разведывательно-диверсионного) отдела МВД СССР. 8 июля 1953 года Зарубин был уволен из органов МВД с переводом в запас Министерства обороны.

А Василий Михайлович Зарубин, выйдя на пенсию, возглавил федерацию тенниса спортивного общества «Динамо». Действительно, он отличался выдающимися способностями теннисиста. (Этот факт был отражен кинематографистами в образе Штирлица. Вспомним личное дело штандартенфюрера СС. Среди прочих общих фраз, характеризующих «истинного арийца», значится следующая: «Теннисист»). Известно, что в своей первой спецкомандировке в Дании Зарубин обыграл на корте датского короля. На все укоры в недипломатичности Василий Михайлович отвечал: «В спорте, как и в жизни, побеждает сильнейший!»

Кроме того, после смерти Сталина и расстрела Берии Зарубина приглашали в ЦК КПСС. Василий Михайлович писал объективные характеристики на сотрудников разведки, арестованных в период репрессий, проведших много лет в лагерях и некоторых даже расстрелянных. Благодаря оценкам Зарубина очень многие несправедливо осужденные были освобождены и полностью реабилитированы.

Занимался Василий Михайлович и педагогической деятельностью — читал лекции по нелегальной работе и писал учебник для специального учебного заведения ПГУ КГБ — то есть принимал активное участие в подготовке кадров для разведки.

О последнем этапе жизни Зарубина материалы отдела расследований рассказывают следующее:

«В 1967 году в связи с 50-летием органов государственной безопасности было принято решение о награждении наиболее заслуженных сотрудников разведки орденами, а некоторым из них планировалось присвоить звание Героя Советского Союза. В подготовленном списке первой стояла фамилия Василия Михайловича Зарубина. Однако когда список попал на утверждение к тогдашнему идеологу КПСС Михаилу Андреевичу Суслову, тот вычеркнул фамилию Зарубина, мотивируя это следующим образом: «Как человек такого возраста может быть Героем Советского Союза?» Василию Михайловичу в ту пору исполнилось семьдесят два года. (Кстати, сам Суслов был дважды удостоен звания Героя Социалистического Труда соответственно в возрасте шестидесяти и семидесяти лет).

Во время торжественного заседания по случаю 50-летия органов госбезопасности именно Зарубин оказался в президиуме единственным из заслуженных сотрудников, кто пришел на работу в разведку еще в 20-е годы, и кого не наградили в связи с юбилейной датой. Вопиющую ошибку исправили тихо, по-советски: вскоре на квартиру к Зарубиным приехал один из руководителей внешней разведки и от лица Президиума Верховного Совета СССР вручил Василию Михайловичу орден Ленина». Это был второй орден Ленина (первый Зарубин получил в 1945 году).

Зарубин скончался в 1972 году. Многие из тех, кто знал Василия Михайловича, не смогли прийти на похороны по оперативным соображениям. Но среди прочих провожавших Зарубина в последний путь был Председатель КГБ СССР Юрий Владимирович Андропов. По воспоминаниям дочери Зарубина, «он подошел к родственникам покойного и сказал, что страна потеряла большого разведчика».

Елизавета Юльевна пережила своего супруга на пятнадцать лет. Она, старенькая, следовавшая своему европейскому воспитанию, старалась не утруждать близких и знакомых заботой о себе. Восьмидесятисемилетняя Елизавета Юльевна однажды отправилась в аптеку, чтобы купить лекарств. Но когда она выходила из автобуса, длинные полы ее пальто затянуло под передние колеса. Зарубину, попавшую под автобус, отвезли в больницу. Елизавете Юльевне пришлось ампутировать ногу. Проводивший операцию врач впоследствии сказал родственникам, что никогда не видел человека, столь мужественно перенесшего тяжелое испытание. 14 мая 1987 года Зарубиной не стало. С воинскими почестями Елизавета Юльевна была похоронена рядом со своим супругом на Калитниковском кладбище в Москве.

# ВОСХИТИТЕЛЬНАЯ АФРИКА

Испанский офицер Зоило де Лас Эрас Хименес и подумать не мог, что его фамилия останется в истории спецслужб Советского Союза! Оказавшись в опале (за оппозицию существовавшему режиму на родине), он был отправлен в ссылку в Сеут (испанское Марокко), (по другим данным: Тетуан — *авт*.), на африканский континент. Там Зоило де Лас Эрас Хименес начал службу военного архивариуса. Он был очень благодарен Африке, приютившей его семью. А потому и свою дочку, родившуюся 26 апреля 1909 года, назвал в честь этого материка. В 1926 году ссыльный офицер де Лас Эрас умер, и юной Африке пришлось начать самостоятельную жизнь.

До 1923 года девочка училась в мадридской школе при монастыре «Святого сердца Христова», а потом — в монастырской школе в городе Мелилья.

В 1932 году Африка стала работать на трикотажной фабрике в Мадриде. Но вскоре молодая испанка посвятила себя политической деятельности. Она вступила в коммунистическую партию и приняла активное участие в подготовке восстания горняков в провинции Астурия. Первым опасным заданием для нее стало распространение оружия. А затем Африку использовали в качестве связной. Однако восстание рабочих было подавлено, и де Ла Эрас пришлось более года находиться на нелегальном положении. Такой опыт позволил будущей разведчице не бояться трудностей и неприятных неожиданностей по работе.

С началом гражданской войны в Испании Африка де Лас Эрас в 1936 году была призвана на фронт. Там она сражалась на стороне республиканцев.

А в следующем году отважная испанка приступила к сотрудничеству с советской внешней разведкой, выполняя специальные задания в разных странах. За преданность СССР Африке дали псевдоним в оперативной переписке «Патрия», что на испанском языке означало «Родина». Второй Родиной для отважной испанки стал Советский Союз. Поэтому Африка без колебаний выполняла все указания органов, которые заботились о безопасности великой державы. Как правило, у сотрудников спецслужб немало кодовых имен. Наша героиня не была исключением в этом плане. Де Эрнандес Дарбат де Лас Эрас Мария, де Марчетте Мария Луиза, де ла Сьерра Мария, Зной, Африка, Мария Павловна... Но «родство» испанка-чекистка обрела только с псевдонимом «Патрия».

Она была внедрена в секретариат Троцкого еще во время его пребывания в Норвегии. Затем Африка де Лас Эрас вместе с Львом Давыдовичем уехала в Мексику для сбора информации о «враге советской власти» по заданию спецслужб СССР. Однако ее деятельность в качестве «помощника» Троцкого в 1937-1939 годах была сорвана. Дело в том, что резидент внешней разведки в Испании Орлов сбежал. Возникла опасность, что он, хорошо знавший «Патрию», разоблачит круг «помощников» Троцкого, и операция «Утка» по уничтожению революционного деятеля станет невыполнимой. Поэтому де Лас Эрас в срочном порядке отозвали из Мексики.

В 1939 году Африку нелегально вывезли в СССР, где она получила советское гражданство. Наступила Великая Отечественная война. Желая участвовать в боевых действиях, де Лас Эрас стала настойчиво добиваться отправки на фронт. Но одного желания было мало. Требовалось пройти специальную подготовку. Сначала Африка попала в медицинское подразделение Отдельной мотострелковой бригады особого назначения НКВД, затем — на ускоренные курсы радистов, которые окончила на отлично в мае 1942 года.

После учебы на курсах де Лас Эрас была направлена в формировавшийся партизанский отряд «Победители» под командованием Героя Советского Союза Д. Н. Медведева. Для действий в этом отря-

де набирали лучших бойцов, которые предваритель-
но беседовали с несколькими ответственными
за набор партизан лицами. Как вспоминала впоследствии Африка, ее собеседование происходило
так:

«Когда я открыла дверь, там меня уже ждали товарищ Медведев и еще два неизвестных мне человека.
Меня спросили:

— Умеешь стрелять?

— Да, у меня есть значок Ворошиловского стрелка.

— Умеешь плавать?

— Да, я плавала лучше всех в своей деревне.

— Прыгала с парашютом?

— Нет, но я готова сделать это в любое время.

— Хорошо. Завтра тебя представят комиссару отряда товарищу Стехову, и ты перейдешь к нам.

На следующий день ранним утром я пришла в отряд. Меня представили товарищу Стехову. А вскоре,
уже с вещами и санитарной сумкой через плечо, я
входила в казарму. Там я встретила товарищей, вместе с которыми сражалась потом в тылу врага почти
три года».

Все новобранцы в отряде проходили подготовку:
многокилометровые кроссы, стрельба, маршброски,
прыжки с парашютом. О том, чтобы отдохнуть после
утомительных учений, никто и не думал.

А неучебная практика началась совсем скоро. Африка де Лас Эрас вспоминала: «Через некоторое время я дала клятву радиста. Я торжественно поклялась,

что живой врагу не сдамся и, прежде чем погибну, подорву гранатами передатчик, кварцы, шифры... Мне вручили две гранаты, пистолет, финский нож. С этого момента все это снаряжение я постоянно носила с собой».

В ночь на 16 июня 1942 года группа, где находилась де Лас Эрас, была выброшена на парашютах близ станции Толстый Лес в Западной Украине. В отряде находилось три радиста, которые работали почти без перерыва на сон в тылу врага. Они принимали телеграммы от тридцати боевых групп. Работа была сложная: шифровки, передачи, приемы, расшифровки... Но строгая дисциплина и дружеские отношения внутри отряда помогали преодолевать трудности.

О том времени Африка написала: «Для связи с Москвой из лагеря выходили сразу три радиста. Шли в разных направлениях километров 15—20 в сопровождении бойцов. Работу начинали все одновременно на разных волнах. Одна из нас вела настоящую передачу, а две других — для дезориентирования противника, так как нас все время преследовали немецкие пеленгаторы. Затем мы возвращались в лагерь и, если не было переходов, принимались за работу. Задачей нашей группы было поддержание постоянной связи с Центром, поэтому рация была нашим основным оружием. В отряде Медведева ни разу не прерывалась связь с Москвой. В течение полутора месяцев мы поддерживали также связь с отрядом Ковпака во время его перехода в Карпаты».

Командир отряда в своей книге «Сильные духом» описал возникавшие трудности: «Радистов и радиоаппаратуру мы охраняли как зеницу ока. Во время переходов каждому радисту для личной охраны придавалось по два автоматчика, которые помогали также нести аппаратуру... Ежедневно, в точно установленный час, мы связывались с Москвой. Если отряд находился на марше и останавливать его было нельзя, мы оставляли радиста и с ним человек двадцать охраны в том месте, где заставал радиочас».

Случалось и так, что группе приходилось участвовать в боевых действиях. В отряде «Победители» сражался известный разведчик, герой Советского Союза Николай Кузнецов. Африка де Лас Эрас передавала в Центр добытые им сведения. Участие отважной испанки, к тому времени ставшей гражданкой СССР, в партизанском движении отметило руководство страны. Де Лас Эрас была награждена орденами Отечественной войны 2-й степени и Красной Звезды, а также медалями «За отвагу» и «Партизану Отечественной войны» 1-й степени.

Летом 1944 года Африка возвратилась в Москву. Комиссар специального партизанского отряда Стехов подписал выданную де Лас Эрас справку, в которой говорилось следующее: «Дана настоящая справка партизанке де Лас Эрас Африке в том, что она с июня 1942 года по апрель 1944 года находилась в специальном партизанском отряде. Вначале она была радистом и за отличную работу была назначена помкомвзвода. Находясь на этой должности, де Лас Эрас показала себя как умелый командир и хороший радист. Ее радиоаппаратура всегда находилась в образцовом состоянии, этого же она требовала и от подчиненных».

Находясь в тылу врага, Африка приобрела ценный опыт в проведении радиосвязи в специальных условиях. Мужество и находчивость, проявленные ею во время войны, позволяли говорить о том, что эта женщина могла бы стать ценным сотрудником органов госбезопасности. К тому же де Лас Эрас владела помимо родного испанского, французским и русским языками. Вполне естественно, что ей предложили работу в подразделении внешней разведки. Африка согласилась без колебаний.

Для работы в органах госбезопасности ей пришлось пройти очередную подготовку, чтобы овладеть навыками ведения разведки с нелегальных позиций. Осенью 1946 года, когда разворачивалась «холодная война», в соответствии с решением ЦК КПСС и советского правительства создавалась специальная служба разведки и диверсий. Во главе этой службы стал Судоплатов. Необходимость создания такого объединения объяснялась готовностью проводить боевые действия в случае войны с другими государствами. В радиоцентр группы Судоплатова была направлена Африка де Лас Эрас. С января 1946 г. по декабрь 1948 г. «Патрия» прошла промежуточную легализацию во Франции. В стране «моды и духов» чекистка выдавала себя за испанскую беженку.

Приоритетным направлением работы спецслужбы разведки и диверсий были Соединенные Штаты Америки, с использованием, в частности, нелегалов из Латинской Америки, выезжавших в эту страну под видом бизнесменов. Среди них была и «Патрия».

Органы госбезопасности повлияли не только на ее деятельность как разведчика, но и на ее собственную личную жизнь — официальный муж Африки де Лас Эрас был назначен внешней разведкой! Об этом хотелось бы рассказать подробнее.

Валентин Маргетти (Бертони Джованни Антонио) — итальянец, с середины 20-х годов скрывавшийся в СССР от властей своей родины. В 1925 году он убил начальника штурмового отряда, начальника фашистской милиции и ранил одного фашиста в Италии. За это был приговорен специальным судом на двадцать пять лет тюремного заключения. Советский Союз, предоставив Джованни Антонио убежище, предложил ему сотрудничество в советских спецслужбах. «Марко» (такой псевдоним был у этого итальянца) выполнял различные поручения внешней разведки, так как являлся инструктором МОПР, техническим секретарем латиноамериканской секции Коминтерна, сотрудником аппарата Исполкома Коминтерна, с 1931 года — членом большевистской партии. Также Джованни Антонио как агент предоставлял информацию советским чекистам о деятельности некоторых властных структур Италии. Будучи сотрудником МИД в Риме, «Марко» оказался под наблюдением карабинеров. Вынужденный транзит в Гватемалу и Мексику оказался почти провальным. Для «законного» пребывания в Латинской Америке агенту советской внешней разведки требовались определенные основания.

Сотрудники Центра решили, что таким основанием может служить оформленный брак с гражданкой, несколько лет проживающей на территории латиноамериканского государства. Ею оказалась Африка де Лас Эрас. 9 июня (по другим данным: июля — *авт.*) 1956 года в Буэнос-Айресе «Марко» и «Патрия» впервые встретились, а спустя восемнадцать дней уже официально зарегистрировали свои отношения. Незнакомая им страна — Уругвай, начало новой жизни... Красивая пара — испанка и итальянец — производила эффект на окружающих. Однако мало кто знал, что огонь в глазах молодоженов вызван не только любовными отношениями. Их брак был решением не небес, а советских спецслужб. А потому и сплачивала южных европейцев не столько человеческая привязанность, сколько совместная работа в органах госбезопасности. «Патрия» и «Марко» вербовали агентов на территории иностранных государств, передавая собранную информацию в Москву, поддерживали связи с советскими работниками спецслужб, для «отвода глаз» перед местными жителями представляясь друзьями или соседями.

16 января 1957 года Центр послал телеграмму для «Марко»: «Просим вас передать „Патрии" наши поздравления в связи с присвоением ей звания „капитан"».

Главной задачей для разведчиков стала организация радиоточки для двусторонней связи с Центром. Однако опыта передачи радиосообщений с территории Латинской Америки ни у разведчиков, ни у Центра не было. За выполнение этой серьезной задачи взялась «Патрия», ведь работа радистки в годы Великой Отечественной войны предусматривала знание не только основ, но и различных нюансов радиодела. Африка постоянно сталкивалась с неисправностью антенны, приходилось самой ремонтировать аппаратуру. В конце концов де Лас Эрас справилась с возложенной на нее задачей. Советское руководство оценило старания испанки: в 1963 году ее наградили грамотой Председателя КГБ. В мае 1964 года «Патрии» было присвоено звание майора.

Совместная восьмилетняя деятельность разведчиков все больше становилась неэффективной. И причиной тому было ухудшавшееся состояние здоровья «Марко». Давала о себе знать рана, полученная тогда, когда его сбрасывали на парашюте в Югославию. К тому же супруг Африки болел туберкулезом. В декабре 1956 года «Марко» перенес операцию на ногах. Кости срастались медленно, да еще появились острые ревматические боли в правой руке. 1 сентября 1964 года Джованни Антонио скончался в возрасте пятидесяти восьми лет. Де Лас Эрас очень горевала по поводу смерти мужа — за долгое время совместной работы он стал ей близким человеком.

Из письма «Патрии» Центру (сентябрь 1964 года): «В связи с неожиданной смертью «Марко» и моей чрезмерной нагрузкой в последний месяц его жизни я очень устала и испытываю упадок сил... Врач находит у меня сильный невроз сердца, а все остальное без каких-либо изменений, и не рекомендует мне интенсивно работать.

Оформление наследства (антикварный магазин «Марко» и его автомашина) не должно вызывать каких-либо осложнений, поскольку я единственная наследница по закону. Прошу сообщить мне данные на человека, которому можно было бы передать дом как наследнику или администратору.

Убедительно прошу организовать мне встречу с представителем Центра для обсуждения и решения всех возникающих теперь вопросов».

«Патрия» — Центру, 17 ноября 1964 года: «В стране сейчас крайне напряженное положение и, по словам «Примо» (один из сотрудников разведки КГБ), неизбежен военный переворот.

У меня имеются возможности развивать прежние интересные связи. Считаю, что могу и далее продолжать разведывательную работу на американском континенте, в Европе или Центре. Настроение у меня боевое».

Анатолий Васильев отмечает в своей публикации «Полковник Африка»: «Работа „Патрии“ после смерти „Марко“ показала, что она настоящий боец-разведчик, мужественно переносивший трудности и невзгоды».

За достигнутые результаты в работе де Лас Эрас была награждена вторым орденом Красной Звезды и второй медалью «За отвагу». Эта женщина отличалась инициативой и настойчивостью в выполнении служебных поручений. Конечно, Африке было очень тяжело работать одной, здоровье ее ухудшалось, да ведь и возраст уже не позволял вести активную разведывательную деятельность. 21 октября 1967 года «Патрия» вернулась в СССР. Она не предполагала, что спустя два года ей придется вернуться к «загранкомандировкам». Так, в 1969 году Африка выезжала с разведывательным заданием в страны Западной Европы, а в 1970 — в Латинскую Америку. Почему пожилую женщину отправляли в столь дальние края? Да просто никто больше не мог так, как она, выполнить задание внешней разведки!

Свой опыт Африка де Лас Эрас впоследствии

(с 1971 года) стала передавать молодым разведчикам-нелегалам, инструктируя их на специальных подготовительных курсах. В марте 1976 года Указом Президиума Верховного Совета СССР за особые заслуги перед Родиной ее наградили орденом Ленина. Казалось бы — долг перед Советским Союзом исполнен, результаты деятельности восхищают, пора бы и на покой, поправить свое здоровье. Но не такой человек была Африка де Лас Эрас! Только в 1985 году «Патрия» (в возрасте 76-и лет!) ушла в отставку. Более сорока пяти лет она проработала в органах госбезопасности, двадцать два года — на самом ответственном и опасном направлении внешней разведки...

Африка писала незадолго до смерти: «Моя Родина — Советский Союз. Это укоренилось в моем сознании, в моем сердце. Вся моя жизнь связана с Советским Союзом. Я верю в революционные принципы, в избранный мною путь. Ни годы, ни трудности борьбы не поколебали моей веры. Напротив, трудности всегда были стимулом, источником энергии в дальнейшей борьбе. Они дают мне право жить с высоко поднятой головой и спокойной душой, и никто и ничто не сможет отнять у меня этой веры, даже смерть».

Редко можно встретить человека родом из другой страны так преданного СССР! Неизвестно, кто был «Патрией» более: де Лас Эрас для русской земли, либо та для нее...

8 марта 1988 года Африка де Лас Эрас скончалась. В тот день ей должны были вручить нагрудный знак «Почетный сотрудник госбезопасности». Но звание этой женщины означено на могильном камне, на Хованском кладбище в Москве: «Полковник Африка де Лас Эрас, почетный сотрудник госбезопасности».

# БЛОКАДНИЦА

Зима 1939-1940-х годов в Ленинграде была очень морозной. Война с Финляндией, названная «зимней кампанией» наложила отпечаток на всю жизнь города. Ленинград фактически был прифронтовым: патрулирование отдельных экипажей, сопровождение товарных железнодорожных составов, да еще и обострившаяся криминальная обстановка. 30 декабря 1939 года состоялось совещание партийного актива в горкоме партии. Повестка дня: «По укреплению общественного порядка в Ленинграде». Отмечалось, что «увеличение преступности и хулиганства в городе принимает политический характер». Принятое постановление способствовало очистке города от преступных элементов перед началом Великой Отечественной войны.

Быстрой победы в «зимней кампании» не состоялось. Официальные источники весьма неполно, односторонне освещали эту военную акцию. Скрывались потери Красной Армии, которые были результатом грубых просчетов в строгой военной науке. Госпитали Ленинграда были переполнены ранеными и обмороженными бойцами. Горожане чем могли помогали передовой, проходящей почти по окраинам Питера, добровольцы, преимущественно молодежь, осаждали военкоматы.

Участницей той войны была Полина Николаевна Георгиевская. Она родилась в 1918 году в Карельской АССР. Прямо со скамьи петрозаводского университета отправилась на фронт. Георгиевская служила переводчицей, отлично владея немецким, финским и эстонским языками, в разведотделе 9-й армии Ленинградского военного округа. Ее работа с военнопленными оценивалась руководством высоко.

На первый взгляд кажется, что выполнение функций переводчика — несложная работа. Это совсем не гак. Ведь требуется не только механический перевод вопросов и ответов, а еще и знание психологии допрашиваемого. Умение расположить к себе человека, вызвать его на откровенность, установить причины каких-либо его поступков — с этими обязанностями Полина Николаевна успешно справлялась.

После окончания военных действий с финнами она решила остаться в Ленинграде.

20 июля 1940 года Георгиевская вновь надела военную форму, так как стала переводчицей Особого отдела УВД 23-й армии Ленинградского военного округа. Эта армия воевала на Карельском перешейке,

236

освобождала его от финнов. Особенно тяжелые бои прошли в Выборге.

С началом второй мировой войны в Европе в СССР хлынул поток беженцев. Такой «миграцией» воспользовались иностранные разведки. Финские спецслужбы и абвер направляли в Советский Союз под видом беженцев шпионов, диверсантов, ракетчиков, факельщиков (как правило, из Прибалтики и западных стран).

8 сентября 1941 года Ленинград был полностью окружен противником. Началась блокада. Долгое страшное время, казалось, никогда не кончится. Шли дни, месяцы, годы... Прекрасный большой город превращался в пустыню. Сотни тысяч людей были обречены на смерть. Ленинградская блокада забирала родных и близких. Их, омытых слезами еще живых, становилось с каждым днем больше. Но ленинградцев не оставляло мужество. Город боролся. Вместе со всеми ленинградцами Георгиевская испытала ужасы артобстрелов, бомбежек, холода и голода. Мужество и самоотверженность не покидали ее. Об армейских заслугах Полины Николаевны свидетельствуют многочисленные награды.

В блокадном Ленинграде на Литейном проспекте, 4, в органах государственной безопасности служило немало женщин. Они, как и все, страдали от голода. В январе 1942 года суточная норма на человека составляла 200 грамм хлеба, 28 грамм мяса,

5 грамм масла и 10 грамм сахара. В результате истощения и различных заболеваний осенью 1941 — зимой 1942 года умерли 73 сотрудника Ленинградского Управления госбезопасности. Дистрофией болели чуть ли не целые отделения. Но ведь надо было работать! В дивизиях народного ополчения и специальных отрядах погибли 169 чекистов, при выполнении боевых заданий в тылу противника — 48, при артиллерийских обстрелах и бомбежках города — 50, от голода — 80 человек. Женщины наряду с мужчинами стойко переносили все тяготы жизни. Круглосуточно работали, хотя сил становилось все меньше...

Среди женщин-чекисток, работавших в блокадное время на Литейном, 4, автор, Василий Иванович Бережков, отмечает с благодарностью Веру Георгиевну Богданову, Нину Павловну Клевцову, Алевтину Ивановну Кузнецову, Валентину Михайловну Демидову, Зою Александровну Дмитриеву. Эти славные работники органов госбезопасности продолжали служить Отечеству, заботясь о политических интересах государства и после Великой Отечественной войны. Все вышеперечисленные женщины были награждены орденами и медалями.

В книге «Армейская контрразведка в годы войны» автор очерка «Девушки-разведчики» Александр Андреевич Богданов, участник Великой Отечественной войны, ярко описал нелегкий рейд двух девушек-разведчиц в тыл фашистских войск — Ольги Васильевны Большаковой и Надежды Ивановны Александровой. В течение нескольких лет они находились на оккупированной немцами территории, собирали ценную разведывательную информацию и передавали ее советскому командованию, за что были награждены правительственными наградами.

Ну а теперь вернемся к Георгиевской. В 1949 году она вместе со своим мужем, сотрудником органов госбезопасности, пять лет находилась в ГДР. Возвратилась в Ленинград и в 1955 году стала сотрудницей УКГБ по Ленинградской области, где сполна были использованы ее знания иностранных языков. Сослуживцы характеризовали Полину Николаевну как ответственного, отзывчивого человека. В январе 1982 года Георгиевская вышла на пенсию. В 1999 году эта чекистка-блокадница умерла.

# ПИСАТЕЛЬНИЦА ИЗ МИРОВОЙ ЧЕКИСТСКОЙ ЭЛИТЫ

Совсем не прост путь на вершины успеха. Тут все имеет значение: и личные качества человека, и воля случая, и помощь окружающих... Особенно трудна дорога к чекистской славе. Заслуги сотрудников органов госбезопасности порой влияют на важнейшие аспекты жизнедеятельности страны. Как правило, профессиональный успех выводит чекистов на новый уровень деятельности. Мировая элита спецслужб становится для таких людей привычной средой. Общение с высокопоставленными государственными персонами, светские рауты в дипломатических посольствах, разведоперации по выявлению вражеских агентов — все это наполняет жизнь выдающихся чекистов. И удивляться не приходится, когда ими становятся умные, эффектные женщины. «Почему?» — может спросить нас читатель. Повествование о судьбе еще одной героини нашей книги ответит на этот вопрос.

Но прежде хотелось бы подготовить читателя к возможному изумлению, ведь наша следующая дамачекистка хорошо известна многим поколениям людей, родившихся в СССР. Они помнят свои первые детские книжки. Миллионы бывших октябрят и пионеров зачитывались рассказами о Владимире Ильиче Ленине. Имя автора книжек было известно всем — Зоя Воскресенская. Когда эпоха «красных звездочек и галстуков» закончилась, писательница решила рассказать о своей жизни и работе. Ее многочисленные интервью, публикации и автобиографические книги в годы перестройки вызвали шок у аудитории. Еще бы! Всем стало известно, что Зоя Воскресенская, детская писательница, долгие годы служила во внешней разведке органов госбезопасности СССР! Только коллеги-чекисты не были удивлены, читая книги Зои Ивановны. Ведь ее имя вписано в историю отечественных спецслужб золотыми буквами.

Сама Зоя Ивановна даже не предполагала, что судьба ее будет отмечена непредсказуемыми карьерными взлетами. Воскресенская родилась 28 апреля 1907 года на станции Узловая (город Алексин) Тульской области. Отец будущей чекистки и писательницы, Иван Павлович Воскресенский, работал помощником начальника железнодорожной станции. Кроме дочери Зои (старшего ребенка) в семье были два брата — Коля и Женя. О своем детстве Воскресенская вспоминала:

«Осень семнадцатого. Уже отшумел февраль. В России Временное правительство, а впереди Октябрь... Помню, до того, как свергли царя, мой средний брат Коля все спрашивал, приставал к отцу: «Папа, а царь может есть колбасу с утра до вечера? Сколько захочет? И белую булку?.. Хорошо быть царем!» В Великую Отечественную Коля погиб под Курском, защищая страну, которая навсегда свергла царя...

Я помню, как-то отец принес домой кипу трехцветных флагов Российской империи. Дал нам и сказал: «Оторвите белые и синие полосы, а из красных сшейте один настоящий красный флаг».

Революционные ветры бушевали и в городе Алексине. Регулярно проходили митинги, гремели эшелоны, везде красовались лозунги: «Анархия — мать порядка», «Вся власть — Советам!», «Долой войну!». После эпохального октября 1917 года в обиход вошли новые слова: «ленинский декрет».

О произошедших переменах в жизни государства Зоя Ивановна говорила с волнением: «Первые декреты передавались из рук в руки. Нас часто просили их прочитать: грамотных было мало, а я уже окончила к тому времени один класс гимназии. Вскоре началась гражданская. К Туле рвался Деникин, и мы все, от мала до велика, работали на подступах к городу, помогали натягивать колючую проволоку. Потом был голод. По распоряжению Ленина в школах нам выдавали чечевичную похлебку: Ильич спасал наше поколение. Нам еще помогали леса — в них были грибы, ягоды. Ока была полна рыбы. Мы ставили плетеные верши в воду, и они быстро набивались рыбой, но соль — соль невозможно было достать...»

Не могла десятилетняя Зоя Воскресенская представить, что наступило время новых людей. Многие в то время рискнули изменить свою судьбу, чтобы отдать все силы на строительство молодой России. (Кстати, дед нашей героини принимал участие в революционных событиях 1905 года, за что его уволили с работы).

В 1920 году Иван Павлович умер от туберкулеза легких. Вдова, Александра Дмитриевна Воскресенская, с тремя маленькими детьми — Зоей, Колей и Женей — переехала в Смоленск к своим родственникам. Через год Александра Дмитриевна серьезно заболела, и все заботы о семье пришлось взять на себя единственной дочери. Зоя Ивановна спустя много лет в одном из радиоинтервью поделилась воспоминаниями о том тяжелом времени:

«Я осталась за хозяйку в доме. Восьмилетний Женя и одиннадцатилетний Коля были предоставлены самим себе, озорничали, приходили домой побитые, грязные, голодные... И здесь выручил случай. Я встретила на улице товарища отца, военного... Рассказала ему о своих бедах. Он велел придти к нему в штаб батальона... Так я вошла в самостоятельную жизнь. Мне было четырнадцать лет».

Тогда в трудовой книжке Воскресенской появилась первая запись: «Библиотекарь 42-го батальона войск ВЧК Смоленской области». Вскоре юная Зоя стала бойцом ЧОНа, а затем и политруком-воспитателем в колонии для несовершеннолетних правонарушителей, находящейся под Смоленском. Жизнерадостная и волевая, Воскресенская быстро завоевала доверие своих подопечных. Затем Зоя поднялась на очередную ступеньку карьерной лестницы. В 1927 году Смоленский губком ВКП(б) по комсомольской путевке отправил Воскресенскую на завод имени М. И. Калинина с поручением организовать там пионерские отряды из детей служащих и рабочих. Спустя некоторое время Зоя Ивановна стала кандидатом в члены партии. В Смоленске, работая в Заднепровском райкоме ВКП(б) заведующей учетно-распределительным подотделом, она зарекомендовала себя как активный участник любого общественного начинания. И признание ее трудовых успехов не заставило себя долго ждать.

Осенью 1928 года Зою Ивановну направили в Москву по партийной путевке для работы в Педагогической академии имени Н. К. Крупской (кстати, в Москве на партучебе находился тогда и муж Воскресенской). Но наша героиня поступила в распоряжение ТО ОГПУ. С ноября того же года она работала машинисткой отделения ДТО ОГПУ на Белорусском вокзале. А в мае 1929 года молодая активистка Зоя была направлена на Лубянку для работы оперативным сотрудником ИНО ОГПУ СССР. Конечно, пришлось постигать все азы чекистской деятельности.

Воскресенская работала в организациях прикрытия: заведующей машбюро Главконцесскома СССР (с мая 1929 года), заместителем заведующего секретной частью Союзнефтесиндиката (с ноября 1929 года).

Первым учителем Воскресенской стал Иван Андреевич Чичаев. «Мой крестный отец в разведке», — так называла его Зоя Ивановна.

Подготовка к новой работе включала в себя «обрубание хвостов» при слежке, изучение паролей и отзывов, рассекречивание тайников, знакомство с агентами, правила поведения на явках на конспиративных квартирах... После такой двухнедельной стажировки в Восточном отделении ИНО Чичаев направил Воскресенскую в Харбин для серьезной работы.

В Китай Зоя поехала не одна. Она взяла с собой мать для того, чтобы та заботилась о маленьком внуке. Да-да, к тому времени Зоя уже родила сына и успела развестись с первым мужем. Чекистскую работу облегчало и то обстоятельство, что зарплата Воскресенской позволяла держать домработника — он называл Зою Ивановну «мадама-капитано». Официальная должность новоявленной чекистки была, конечно, не капитан, а заведующая секретно-шифровальным отделом советского нефтяного синдиката. Не стоит пояснять, что служба в «Союзнефти» являлась только прикрытием.

В ту пору Воскресенской было всего двадцать три года. Несмотря на такой возраст, ее уважали, к ней обращались по имени-отчеству.

Вот как описывает в своем очерке «Другая жизнь Зои Воскресенской» Эдуард Шарапов, кандидат исторических наук, друг нашей героини, один из первых опытов ее чекистской деятельности:

«...Ехать на велосипеде становится все труднее. Твердый грунт все чаще сменялся укатанным песком. Среди прохожих реже встречаются европейцы, появились рикши. Это пригород Харбина — Фудзидзян, где в основном живет китайское население.

Зоя Ивановна остановилась и спросила у прохожего нужную ей улицу. Садясь на велосипед, поморщилась от боли — правая нога ниже колена была плотно забинтована... Но именно это ей и поможет выполнить задание Центра.

И вот нужная улица. Маленький домик за невысоким палисадником... Навстречу вышла женщина:

— Господи! Что с вами?

— Упала. Простите, ради Бога, еще не умею как следует ездить.

— Проходите. Я принесу теплой воды. Садитесь, садитесь.

...А потом пили чай, болтали о детях, о жизни в Харбине. Возвращалась Зоя Ивановна уже в сумерки, но не домой, а на конспиративную квартиру. Задание выполнено — установлен контакт с женщиной, муж которой, один из руководящих советских работников в Харбине, месяц назад, бросив семью, бежал в Шанхай, прихватив с собой большую сумму казенных денег... И, наконец, встреча с ним Зои Ивановны и его согласие явиться с повинной».

В 1932 году Воскресенская вернулась в СССР. В органах госбезопасности решили, что эту ответственную и талантливую молодую женщину стоит подготовить для нелегальной работы в европейских странах и Прибалтике. Для этого Зоя Ивановна выехала в Ленинград, чтобы ознакомиться с соответствующими материалами. В Иностранном отделе ПП ОГПУ ЛО она работала переводчиком (с 1933 года), а потом стала начальником и курировала чекистскую деятельность в Эстонии, Литве и Латвии.

«...В Риге появилась очаровательнейшая, роскошно одетая баронесса, от которой сходил с ума весь латышский бомонд», — писал Сергей Черных в статье «Баронесса Воскресенская дослужилась до полковника». Действительно, эффектная дама — а ею, как вы понимаете, была именно Зоя Ивановна, — производила впечатление на окружающих. Но мало кто догадывался, что эта «баронесса» не ради удовольствий светской жизни общалась с высокопоставленными людьми. «Прибалтийский» период чекистской деятельности Воскресенской давал возможность хорошо подготовиться к ожидавшим ее спецзаданиям в странах Западной Европы.

Потом последовали краткосрочные командировки в Берлин и Вену. Воскресенская в совершенстве овладела немецким языком, а также его диалектами.

Вскоре Центр сообщил ей о предстоящем задании. Воскресенской порекомендовали выехать в Женеву для знакомства с прогермански настроенным швейцарским генералом. Этот генерал служил в Геншtabe и владел информацией о намерениях Германии в отношении Франции и Швейцарии. Получить эти сведения было весьма затруднительно. Но Зое Ивановне вменялось в обязанности стать любовницей генерала и путем «доверительных разговоров» в постели выведать интересующие советскую разведку факты политической обстановки.

— А обязательно становиться генеральской любовницей? Без этого нельзя? — спросила Зоя Ивановна у своего начальства.

— Нельзя. Без этого невозможно выполнить задание.

— Хорошо, я стану любовницей, раз без этого нельзя, выполню задание, а потом застрелюсь.

— Нет, вы нам нужны живой...

Было и другое задание. О нем написал Олег Одноколенко в статье «Вальс с Шуленбургом»: «В Вене Зоя Воскресенская должна была выйти замуж и вместе с новоиспеченным мужем отправиться в Турцию. По дороге они должны были разыграть ссору, после которой незадачливый супруг исчезал бесследно, а Воскресенская продолжала путь на берега Босфора, где ей полагалось открыть салон модной одежды. Но и этот вариант не прошел — сотрудник, назначенный в женихи, по неизвестной причине так и не добрался до Вены».

248

Тогда руководство внешней разведки СССР направило Зою Ивановну в Северную Европу. В 1935 году Воскресенская под прикрытием представителя ВАО «Интурист» «Ирина» приехала в Хельсинки в качестве заместителя легального резидента.

Несколько эпизодов «североевропейского» периода мы приведем из воспоминаний, опубликованных в книге «Тайна Зои Воскресенской», написанной ею совместно с Эдуардом Шараповым.

«Памятна встреча с человеком, которому нужно было передать атташе-кейс с деньгами. В парке на ее скамью присел высокий мужчина: „Хорошо отдохнуть рядом с вами!“

Она ждала фразу „Вы позволите мне отдохнуть рядом с вами?» и готовилась ответить: „Пожалуйста, садитесь, но я предпочитаю одиночество». В пароле все имеет значение — и смысл, и порядок слов... Провокатор?.. „Что вам угодно?“ И тут он повторяет пароль как надо. Она проговаривает отзыв, передает деньги: „Пересчитайте». Мужчина оглядывает запечатанные долларовые пачки: „Здесь не вся сумма“. Зоя Ивановна возмущается: „Как это не вся?“. — „Здесь не хватает пятнадцати копеек, Зоенька“.

И она узнает человека, заплатившего за нее в московском автобусе, когда никто не смог разменять ей бумажную купюру. Захотелось броситься ему на шею — таким он показался родным и близким здесь, на окраине Хельсинки. — „Что же мне делать? —

чуть не плача, говорит Зоя, — у меня опять нет пятнадцати копеек...“»

А как она металась в ожидании агента в Стокгольме! В телеграмме значилось: «Место встречи — у памятника Карлу XII». И в той же телеграмме — «У памятника Карлу XIII». Запрашивать Москву некогда. «Оглядела скамейки. Почти все мужчины читают шведские газеты, но ни у кого не торчит из кармана немецкая (как должно быть). Сделала несколько кругов, чтобы еще раз внимательно посмотреть на сидящих, не привлекая чужого внимания. И вдруг, о ужас! Передо мной памятник Карлу XIII, в том же сквере, метрах в трехстах от XII-го. Но и здесь никого, кто читал бы местную прессу, а из кармана торчала бы немецкая газета. Бессонная ночь, самобичевание: сорвала задание. А утром новая шифрограмма: „Агент не приедет, возвращайтесь в Гельсингфорс“».

Вспоминала случай из собственной практики: «Со связной — женой японского посланника — я встретилась в лесу. А вечером, оказавшись на рауте, мы обнаружили: у обеих — красные, распухшие от комариных укусов шея и руки. Я тут же уехала. А японка объяснялась со всеми: „Ездила на дачу поливать цветы, и вот...“ „Кто бы подумал, что комары могут служить в контрразведке?!“ — смеялись мы при очередной встрече.

За Зою на рауте объяснялся муж».

О супруге Зои Ивановны Воскресенской стоит рассказать подробно.

Рыбкин Борис Аркадьевич (настоящие имя и фамилия — Рывкин Борух Аронович) родился 19 июня 1899 года в Екатеринославской губернии в семье мелкого ремесленника. Закончив четыре класса сельской школы, он переехал в Екатеринослав. Через три года после Октябрьской революции, в 1920 году, Рыбкин начал службу в Рабоче-Крестьянской Красной армии. Побыв красноармейцем один год, он был мобилизован на работу в Екатеринославскую чрезвычайную комиссию.

Карьера Рыбкина в органах государственной безопасности складывалась довольно удачно: начав в 1923 году учебу в Центральной школе ОГПУ, Борис Аркадьевич работал помощником начальника отделения КРО ОГПУ с 1924 по 1929 гг. Следующая его должность — помощник начальника Сталинградского окротдела ОГПУ.

Первые рабочие поездки Рыбкина состоялись в первой половине 30-х годов. Бориса Аркадьевича направили на Восток. С 1931 года Рыбкин являлся представителем ИНО в ПП ОГПУ по Средней Азии в Ташкенте. В декабре того же года он был направлен в Иран под видом сотрудника закупочной комиссии НКВТ, затем состоял в должности вице-консула СССР в городе Мешхед. Обе должности являлись прикрытием для его разведывательной деятельности. После работы на Востоке Борис Аркадьевич ездил в командировки в Европу: Австрию, Болгарию, Францию... За относительно небольшой промежуток времени Рыбкин приобрел несколько надежных агентов. Его работа в центральном аппарате Иностранного отдела ОГПУ СССР началась в 1934 году. Рыбкин разрабатывал и осуществлял разведывательные операции. Тогда же у него появился псевдоним — Кин.

В Хельсинки Рыбкин прибыл 25 сентября 1935 года в качестве легального резидента ИНО ОГПУ, стал консулом, а затем вторым секретарем полпредства СССР в Финляндии под именем Бориса Николаевича Ярцева. Заместителем Ярцева, как мы помним, стала Зоя Ивановна Воскресенская. Рыбкин и Воскресенская заключили фиктивный брак, для совместной разведывательной работы.

«Первоначально у резидента и его зама деловые отношения не складывались. „Мы спорили по каждому поводу! — вспоминала Зоя Ивановна. — Я решила, что не сработаемся, и просила Центр отозвать меня“. В ответ было приказано помочь новому резиденту войти в курс дела, а потом вернуться к этому вопросу. Но... возвращаться не потребовалось. „Через полгода мы запросили Центр о разрешении пожениться“».

Эта любовь, озарила теплым светом их непростую жизнь. Так начиналась в Хельсинки совместная работа советских разведчиков. Об этом эпизоде рассказывается в упомянутой уже книге «Тайна Зои Воскресенской».

Уверенно можно констатировать, что именно с командировкой в Финляндию связан самый плодотворный этап чекистской деятельности супругов Рыбкиных. Хотя, конечно, в той командировке они были «Ярцевы». На Лубянке брачный союз разведчиков встретили с пониманием, Рыбкиным пришла шифрограмма из Центра, благословляющая их отношения.

Трогательный эпизод встречи супругов с одним из агентов описал в своей книге Эдуард Шарапов: «Машина медленно пылит по лесной дороге в пригороде Хельсинки. Вот и поворот у большого валуна, неприметный забор из жердей. Здесь должна состояться встреча с Андреем, нелегальным сотрудником внешней разведки, выполняющим задание Центра по внедрению в руководство ОУНа (Организации украинских националистов).

Но Андрея на месте не оказалось. Машина сделала еще один круг, и вдруг сидевший за рулем Кин рассмеялся, увидев молодого парня, который сидел на жердях забора, беспечно болтая ногами. Зоя Ивановна удивилась, но потом поняла — Кин и Андрей знали друг друга в лицо.

В дальнейшем Зоя Ивановна уже самостоятельно проводила встречи с Андреем — Павлом Анатольевичем Судоплатовым (в будущем генерал-лейтенантом, начальником специального управления КГБ), всегда подкармливала его, так как он зарабатывал всего 700 финских марок, а 400 отдавал за комнату, которую снимал.

...Как-то, работая в библиотеке Зои Ивановны, я обратил внимание на книгу писателя Анатолия Андреева „Конь мой бежит“, выпущенную издательством „Политическая литература“ в 1987 году. На первой странице прочитал посвящение хозяйке дома: „На память милой Зоюшке, которая сняла меня с забора. Павел Судоплатов“. Он и был автором книги».

«Мадам Ярцева» привлекла к сотрудничеству с советской разведкой многих людей. Одним из агентов была жена сотрудника японского посольства в Финляндии. (О встрече в лесу мы упомянули выше). Зоя Ивановна руководила работой еще одного важного нелегального источника — С. М. Петриченко, бывшего участника Кронштадтского восстания.

Деятельность Воскресенской разворачивалась не только в Финляндии. В 1935 году Зоя Ивановна выезжала в Норвегию для координации работы нелегальной разведывательно-диверсионной группы Антона.

Пожалуй, стоит уделить внимание «загадочному» Антону. На самом деле этого человека звали Эрнст Вольвебер. Родился он в 1898 году в городе Ганновер-Мюнден в рабочей семье. Вольвебер работал грузчиком во многих портах Северного моря, в девятнадцатилетнем возрасте добровольцем пошел служить на военно-морской флот кочегаром. Будучи сторонником социалистического молодежного движения с 1915 года, он активно проводил антивоенную агитацию среди сослуживцев. А вскоре кочегар флота стал одним из руководителей матросского восстания в Киле. Поднятый Вольвебером красный флаг на крейсере «Хельголанд» стал предвестником ноябрьской революции 1918 года в Германии.

Политическая карьера бывшего кочегара начала складываться в Гамбурге. Вольвебер приехал туда в 1920 году, стал руководителем организации красных моряков, а в 1921 году был избран политическим секретарем коммунистической организации в Касселе (округ Гессен-Вальдек).

В 1920 — 1921 гг. в Германии находились сотрудники советской военной разведки (Разведупр РККА), которые участвовали в вооружении боевых отрядов германской коммунистической партии. По предположению Зои Воскресенской, Вольвебер был одним из первых немцев, завербованных советскими спецслужбами. Однако (опять же, по словам Зои Ивановны) он отошел от работы агента сразу после того, как стал одним из членов Центрального Комитета компартии Германии в 1923 году.

Политическая карьера Вольвебера была вполне успешной, при этом она переплелась со спецзаданиями разведки СССР. 1926 год — профсоюзный секретарь Компартии Германии, 1928 — депутат прусского ландтага, 1929 — политический руководитель Компартии в округе Силезия, депутат ландтага Нижней Силезии, с 1930 года — один из руководителей профсоюза «красной оппозиции» в северном округе Вассерканте, с 1932 года — руководитель Оргтдела ЦК, депутат рейхстага.

Находясь в Копенгагене в декабре 1932 года, Вольвебер создал филиал Западноевропейского бюро Коминтерна. Прикрытием этой организации было архитектурно-инженерное бюро «А. Сальво и компания».

Лето 1933 года стало решающим периодом в жизни Вольвебера. Именно тогда этот человек стал секретарем Международного союза моряков (МСМ), организации, имевшей множество филиалов по всему миру. Ячейки МСМ являлись прикрытием для нелегальной работы. Инструктаж агентов, планирование операций, передача информации, фальшивых паспортов и настоящих бомб — все это входило в режим работы филиалов.

Иностранный отдел НКВД поручил Эрнсту Вольвеберу (для советской внешней разведки проходившему под псевдонимом «Антон») подобрать портовых рабочих и надежных членов Международного союза моряков для проведения акций саботажа и диверсий. «Антон» превосходно справился с этой задачей, и вскоре результаты деятельности группы из двадцати пяти человек потрясли многие государства.

Просто перечислим боевые «подвиги» Вольвебера. Уничтожение японского судна «Таимо мару», следовавшего из Роттердама на Дальний Восток и транспортировавшего оружие для японской армии в Маньчжурии; затопление итальянского корабля «Фельце» в заливе Таранто; пожар на французском лайнере «Джодж Филлипар»; взрывы кораблей, поставлявших оружие и боеприпасы для фашистского мятежника, испанского генерала Франко: датское грузовое судно «Вестплейн», японский грузовой пароход «Казу мару», германское судно «Клаус Беге», польское судно «Стефан Баторий», румынский сухогруз «Бессарабия» — всего около двадцати немецких, три итальянских, два японских и один румынский корабль! Помимо этого, «Лиге Вольвебера» удалось остановить работу шведской электростанции, от которой зависела добыча и поставка железной руды в Германию.

Задания советских разведчиков, выполняемые «Антоном» и его группой, серьезно беспокоили гестапо. Летом 1937 года Вольвебера чуть не арестовали по приказу Геринга. Однако коммунисту-диверсанту удалось бежать.

Зоя Ивановна Воскресенская поддерживала связь с Вольвебером начиная с 1935 года. В своей книге «Под псевдонимом Ирина: записки разведчицы» она вспоминала об этой работе:

«Шел 1938 год. Понадобилось снабдить группу Антона новыми паспортами, шифрами, деньгами, инструкциями. Я была тогда представителем советского „Интуриста" в Финляндии. Поехала в Норвегию через Швецию, куда добралась пароходом, а оттуда поездом в Осло...

На одной из тропинок Холменколен еще издали увидела Антона. Он смотрел на часы и с беспокойством озирался вокруг. Я пришла на место встречи с опозданием на одну минуту. Антон, увидев позади меня какого-то прохожего, взял меня под руку и увлек в лес.

— Изобразим влюбленную парочку.

Мы уселись на пеньке. Он очень тщательно прочитал шифр, пролистал паспорта, проворчал, что одному из членов группы прибавили возраст на три года, поставили вместо „24 года" „27 лет".

— Узнаю русское „авось". Сойдет, мол. Ты мне скажи, как вы готовитесь к войне с Германией. Или все еще заповедь „чужой земли не хотим, но и пяди своей никому не отдадим"?..

— Милый Антон, ты мне не нравишься, желчный, раздражительный. Я таким тебя не знаю.

— Признаюсь, я болен, у меня опоясывающий лишай.

— Лекарство есть?

— Вот оно, лучшее лекарство, — похлопал он по паспортам. — Ребята примутся за дело, и я сумею пару деньков полежать. У нас все готово к операции. Будем хоронить немецкий транспорт с оружием для Франко... Скажи в Москве, чтобы на честность фюрера не рассчитывали. Я подготовил здесь письменный отчет о работе группы и финансовых расходах.

Антон вручил мне коробку игральных карт. В ней вместо карт была вложена его докладная записка. Я ее прочитала, записала содержание своим кодом в блокнот. Отчет посоветовала немедленно сжечь».

Долгая диверсионная деятельность привела Вольвебера к аресту. 18 мая 1940 года этот сотрудник ИНО
ОГПУ был арестован шведской полицией. «Под мо-
настырь» его подвел предатель, член группы Густав
Антон Седер.

Гестапо требовало выдачи Вольвебера на основании германского гражданства легендарного диверсан-
та. Советская разведка побеспокоилась о своем со-
труднике. Зоя Ивановна рассказала в своей книге об
этом следующее:

«Кин добился разрешения на свидание с Антоном в
тюрьме и посоветовал ему „признаться“ в шпионской
деятельности против Швеции. „Об остальном мы по-
заботимся сами“, — добавил Кин. Антон этот маневр
принял и дал показания, что занимался в Швеции шпионажем в пользу советской разведки. Тем временем в
Москве оформлялось советское гражданство Вольвебера.

Переговоры со шведами закончились тем, что они
отказались выдать его немцам, мотивируя свой от-
каз так — он должен быть судим по шведским законам».

Хотелось бы привести еще один эпизод чекистской деятельности Кина, мужа нашей героини. Он касается политических отношений Финляндии и СССР
перед второй мировой войной. Участие Бориса Аркадьевича в переговорах между этими государствами
позволяет привести несколько оценок исследовате-
лей по этому вопросу. В материалах, опубликован-

10*

ных в журнале «Итоги» (07.05.2000) преподнесена версия, сводящаяся к следующему. Замеченная активность представителя советского «Интуриста» внушила опасения многим финским гражданам, с которыми общались супруги Ярцевы. Поэтому санкционированные Сталиным переговоры Бориса Аркадьевича с политическими и военными лицами Финляндии прошли неудачно. Хоть Рыбкин и был весьма деликатен в переговорах, но определенная степень недоверия ему все-таки сказалась на дальнейшем развитии отношений стран-соседей. Олег Одноколенко в статье «Вальс с Шуленбургом» резюмировал: «И если бы они (переговоры — *авт.*) завершились успешно, не исключено, что в истории не было бы такой печальной страницы, как пресловутая «зимняя война» между СССР и Финляндией».

Но материалы из других источников свидетельствуют о другом. В апреле 1938 года Борис Аркадьевич Рыбкин был вызван в Москву, где его лично инструктировал Сталин о возможном заключении пакта о ненападении и сотрудничестве между СССР и Финляндией. Власти Финляндии тогда отвергли это предложение, не забыв проинформировать Адольфа Гитлера о взаимоотношениях с Советским Союзом. Известный политический деятель, бывший президент Урхо Кекконен по вопросам внешней политики Финляндии заявил: «Московские переговоры 1939 года не имели успеха не по вине поверенного в делах России в Финляндии господина Ярцева (резидент Б. А. Рыбкин), а вследствие недостатка интереса по этому вопросу со стороны Финляндии».

Что касается разведывательной деятельности супругов Рыбкиных, то Центр рекомендовал им сосредоточить внимание на немецком направлении. Зое Ивановне и Борису Аркадьевичу вменялось в обязанности заниматься сбором информации о намерениях Германии в отношении СССР, учитывая при этом складывающуюся политическую обстановку. Дело в том, что в то время Финляндия все больше ориентировалась на Германию. Кроме того, Рыбкины должны были оказывать содействие советским разведчикам, направлявшимся через «северного соседа» родной страны в другие страны или возвращавшимся в СССР. Например, известный разведчик Павел Судоплатов прибыл в Финляндию из Германии после выполнения правительственного задания по ликвидации одного из руководителей Организации украинских националистов — Павла Коновальца. Опекой Судоплатова занималась Зоя Ивановна.

Однако военный конфликт с Финляндией вынудил Рыбкиных вернуться в СССР.

В последние предвоенные годы Зоя Ивановна продолжила работу в Центре по немецкой линии, занимаясь анализом материалов, попавших из-за границы. Так она стала одним из главных аналитиков внешней разведки. Эдуард Шарапов написал об этом периоде работы Воскресенской следующее: «К ней стекались важные сведения, в том числе от представителей известной „Красной капеллы" — таких, как „Старшина" и „Корсиканец". По их сообщениям предстояло отгадать дату возможной гитлеровской агрессии. Было заведено агентурное дело „Затея". Такое название оно получило потому, что Сталин не верил до конца разведданным о готовящемся нападении Германии на СССР. Сложность работы заключалась еще и в том, что волна репрессий обрушилась и на разведывательные кадры. Очевидно, что данные, полученные разведчиком, который затем объявлялся врагом народа, подвергались сомнению. Трудно было разобраться и в противоречивой информации, исходившей от посла в Берлине Деканозова и резидента Кабулова».

Действительно, разведка получала сведения от многих агентов, которые утверждали, что грядет война между фашистской Германией и Советским Союзом. В 1-м управлении Зоя Ивановна работала с бывшим офицером царской армии, позднее завербованным абвером. Ее воспоминания подтверждают предостережение об опасности нападения Германии на СССР, полученное от упомянутого выше человека. «Арестованный польской разведкой, он попал во Львовскую тюрьму, оказавшуюся после освобождения Западной Украины на территории СССР. Имея отличную память на события, размещение армейских группировок, номера дивизий, калибры и число орудий, он начертил несколько наглядных и точных карт-схем. Объяснил значение синих стрел, направленных на столицу Белоруссии:

— Минск предполагается занять на пятый день после начала наступления.

Я рассмеялась. Он смутился и принялся клясться, что так рассчитал Кейтель. А спустя день агент, служивший железнодорожным чиновником в Берлине, прислал пакет с надписью «Вскрыть по объявлении мобилизации». В нем оказалось предписание «приступить к исполнению обязанностей начальника станции Минск 27.06.41». (Справка: Красная Армия оставила Минск 28 июня, то есть на шестой день после начала войны)».

Конечно, сомнения в нападении гитлеровских войск на Советский Союз в какой-то мере были объяснимы. Ведь Германия направляла в СССР не только своих политиков, но и деятелей искусств, демонстрируя таким образом верность договору от 1939 года (пакт, подписанный Молотовым и Риббентропом). Например, 17 мая 1941 года в Москву приехала группа солистов балета Берлинской оперы. По окончании выступления в германском посольстве в СССР проходил прием, на котором можно было заметить важных персон. Зоя Ивановна представляла там общество культурной связи с заграницей — ВОКС, заодно совмещая обязанности переводчицы.

Тот прием она описала в своей книге так:

«Начались танцы. Шуленбург (немецкий посол в Москве — *авт.*) пригласил меня на тур вальса. На меня напало смешливое настроение. Мой партнер был внимателен, вежлив, но не мог скрыть своего удрученного состояния.

— Вы не любите танцевать? — спросила я.

— Признаться, не люблю, но вынужден, — подчеркнул Шуленбург.

Танцуя, мы прошли по анфиладе комнат, и я отметила, что на стенах остались светлые пятна от снятых картин. Где-то в конце анфилады, как раз напротив открытой двери, возвышалась груда чемоданов».

Тот вальс с немецким послом вошел в историю разведки. Кстати, граф Шуленбург через несколько лет был среди участников заговора неудавшегося покушения на Гитлера, за что был казнен 10 ноября 1944 года. 17 мая 1941 года, танцуя с Зоей Ивановной в посольстве, он и не подозревал, что она — майор госбезопасности...

Уложенные чемоданы, снятые со стен картины, прием, как прощальный бал, — все свидетельствовало о том, что сотрудники немецкого посольства возвращаются в Германию. Зоя Ивановна, не переодевая бархатного вечернего платья со шлейфом, немедленно поехала на Лубянку с докладом, что торжественный прием сфабрикован для отвода глаз, аппарат немецкого посольства эвакуируется, что подтверждает информацию советской разведки о скором начале войны с фашистской Германией.

Учитывая сведения, предоставленные участниками «Красной капеллы», наша героиня подготовила аналитическую записку Сталину, в которой говорилось следующее: «По сообщениям агентов „Старшины" и „Корсиканца" все военные мероприятия Германии по подготовке вооруженного выступления против СССР полностью закончены, и удар можно ожидать в любое время». Это донесение было доставлено Сталину 17 июня 1941 года.

Однако «отец народов», ознакомившись с докладом Зои Ивановны, раздраженно сказал: «Это блеф! Не поднимайте паники. Не занимайтесь ерундой. Идите-ка и получше разберитесь». Между прочим, аналитическая записка Рыбкиной была седьмым или восьмым по счету сообщением Сталину, предупреждавшим о скором начале войны. Тогда же пришла очередная информация из Лондона. Ким Филби сообщал: «Германия начнет военные действия против СССР 22 июня». Реакция Сталина была такой же, как и на записку от Зои Ивановны.

Как встретили начало войны супруги Рыбкины, рассказал Эдуард Шарапов:

«Сотрудники НКВД перешли на казарменное положение. Зоя работала в Особом отделе: отбор, организация, обучение и переброска в тыл диверсионных и разведывательных групп. Из списков юношей и девушек, требовавших немедленной посылки на фронт, на передовую, она отбирала радистов, переводчиков со знанием немецкого языка, парашютистов, лыжников, „ворошиловских стрелков", разрабатывала легенды. Ночевали обычно в бомбоубежище: вместо подушки противогаз, вместо матраца — голые доски. Час-другой — и снова за работу. Бессонница изнуряла. Однажды коллега отлучился домой, чтобы сменить рубашку, и пропал. Зоя поехала выяснить, не случилось ли чего, и нашла его крепко спящим на лежанке из... тротиловых шашек.

Услышав, что на фронт просится епископ Православной Церкви, Зоя встретилась с ним, убедила стать архипастырем и взять под опеку двух разведчиков: они должны были тайно наблюдать за военными объектами и передвижением частей, выявлять засылаемых в тыл шпионов. На квартире Рыбкиных парни зубрили молитвы, обряды, порядок облачения (одеяния взяли из музейных фондов). Первый радист оказался, к сожалению, легкомысленным юношей. На вопрос владыки, выучил ли он „Отче наш", бойко затараторил: „Отче наш, блины мажь. Иже еси — на стол неси..." — „Свободен", — хором оборвали его епископ и Зоя Ивановна.

Результат работы этой разведгруппы был убедительный, членов ее наградили орденами „Знак почета", а епископу Синод присвоил сан архиепископа».

Мероприятия по подготовке разведывательных групп проводились по линии 4-го разведывательно-диверсионного управления НКВД, возглавляемого Павлом Анатольевичем Судоплатовым. В числе подобранных и подготовленных Зоей Ивановной кадров были Васько и Михась, находившиеся на временно оккупированной немецкими войсками территории в районе Калинина. Васько и Михась собирали и передавали разведданные о пособниках немцев, численности и расположении немецких штабов, складов и баз. По возвращении в Москву они предоставили подробный отчет о местах нахождения тайных складов оружия, а также сообщили о выявленных тридцати агентах гестапо.

Зоя Ивановна принимала участие в создании первого партизанского отряда. Его командиром был назначен Каляда Никифор Захарьевич (Батя), ставший впоследствии легендарным. Партизанское соединение действовало в Смоленской области и практически восстановило советскую власть в территориальном «треугольнике» Смоленск — Витебск — Орша.

Сама Зоя Ивановна предполагала, что будет работать сторожихой на железнодорожном переезде.

Но в октябре 1941 года посол Советского Союза в Швеции Коллонтай попросила Наркомат иностранных дел направить в Стокгольм супругов Рыбкиных. Зоя Ивановна раньше работала под руководством Александры Михайловны, а потому это предложение встретила с энтузиазмом.

Швеция соблюдала нейтралитет в период второй мировой войны, но попасть в эту страну было непросто. Она была окружена оккупированными и вражескими государствами. Поэтому Рыбкиным пришлось следовать в Швецию через Англию по Баренцеву морю и Норвегию самолетом.

Оказавшись в Эдинбурге, Зоя Ивановна и Борис Аркадьевич зашли поужинать в ресторан. Когда официантка принесла заказанные блюда (мисочка супа, картофелина в мундире, листок капусты и кусочек тушенки), чай и сахарный песок, Зоя Ивановна заметила: «Вы забыли подать ложечки». Официантка сразу поняла: гости — иностранные граждане. Она объяснила наличие одной ложечки тем, что весь металл идет на нужды фронта. Сидевшие за одним столом с Рыбкиными шотландцы, узнав, что те из СССР, почтительно встали:

— О, русские изумляют мир. Мы молимся Богу за вашу победу, иначе гитлеровцы ковентрировали бы весь наш великий остров.

(Фашистские войска тогда уничтожили город Ковентри, и в английском языке появился новый глагол «ковентрировать»).

Действительно, война чувствовалась везде... Из книги «Тайна Зои Воскресенской»: «В лондонском метро бросились в глаза трехъярусные нары: на них лежали, сидели, спали, читали и играли в карты. Удушливый запах, мусор, слабоосвещенные платформы являли собой жуткое зрелище. Рыбкины переглянулись: в московском метро даже в дни войны было тепло, чисто и светло».

В Стокгольме Борис Аркадьевич работал под прикрытием советника в представительстве СССР, а Зоя Ивановна находилась на должности пресс-атташе. В Швеции супруги развернули активную деятельность по пропаганде и информированию местной общественности и дипломатического корпуса о жизни и борьбе советского народа, настоящем положении дел на фронтах Великой Отечественной войны.

Как происходила эта работа? Стоит заметить, что инициатива исходила от Александры Коллонтай: «Мы заинтересованы, чтобы Швеция и далее оставалась нейтральной, ведь это одна из важнейших площадок в Европе, с которой мы можем вести наблюдение за противником. Другая наша задача — противопоставить клеветнической пропаганде гитлеровцев и их пособников в Швеции правду об СССР и советском народе. Будем выпускать „Информационный бюллетень“, сообщать сводки Совинформбюро. На русском, шведском и английском языках».

Сначала тираж бюллетеня не превышал тысячи экземпляров, но очень скоро возрос до двадцати тысяч. Парад на Красной площади в Москве, посвященный очередной годовщине Великой Октябрьской социалистической революции, после которого красноармейцы сразу ушли на фронт, сказался на духовном единении шведов с русскими — тираж «Информационного бюллетеня» вырос до тридцати тысяч экземпляров.

Приведем отрывок из публикации «Избранные страницы шпионской жизни»: «В витрине „Интуриста“ на Вокзальной площади публику привлекали разящие карикатуры Кукрыниксов на Гитлера.

Шведские газеты публиковали очерки, статьи и рассказы Алексея Толстого, Константина Паустовского, Ильи Эренбурга. После этого к Зое Ивановне уже не обращались со странной просьбой рассказать о „социализации детей в СССР" (знают ли дети своих родителей? имеют ли те право давать детям имена? встречаются ли они?) Долго не удавалось пробить идею демонстрации советских фильмов — владельцы кинотеатров отвечали: „Ваши ленты некоммерческого характера". Но выход нашелся: для пресс-бюро подобрали помещение с кинозалом, и статус „экстерриториальности" позволил показать жителям Стокгольма трилогию Донского о Максиме, „Мечту»,“,„Цирк"... Услышав по радио „Ленинградскую симфонию" Шостаковича, Зоя Ивановна попросила выслать партитуру, установила контакт с Гетеборгским симфоническим оркестром... Заключительные аккорды завороженная публика слушала стоя».

По линии прикрытия супруги Рыбкины направляли свои силы на расширение торгово-экономических связей между СССР и Швецией. Павел Анатольевич Судоплатов вспоминал впоследствии: «В дипломатических кругах Стокгольма <...> эту русскую красавицу (Зою Ивановну — *авт.*) знали как Зою Ярцеву, блиставшую не только красотой, но и прекрасным знанием немецкого и финского языков. Супруги пользовались большой популярностью в шведской столице».

270

Не вдаваясь в подробности, отметим, что не без содействия Зои Ивановны был осуществлен контракт по поставке из Швеции в Советский Союз высококачественной стали, столь необходимой для отечественного самолетостроения в годы второй мировой войны.

Другой задачей советской разведки в Швеции был сбор информации о политическом и экономическом положении Германии. Велось наблюдение за немецким воинским транзитом, уточнялся характер транспортируемых по морю грузов. В то военное время Швецию окружали оккупированные Дания и Норвегия и сторонница фашистской Германии Финляндия, страна была наводнена немецкой агентурой, что создавало определенные трудности для работы советской разведки. Разведывательные группы СССР и подчиненные им агенты из Швеции и Норвегии регистрировали переброску в Финляндию немецкой военной техники, воинских частей, докладывая Центру и о германо-шведских взаимопоставках. Не оставляли в беде и советских военнопленных, вырвавшихся из концлагерей. Этим людям помогала норвежская организация Сопротивления, связь с которой поддерживали сотрудники ИНО ОГПУ. Бывшие военнопленные находили помощь в совершенно неожиданных местах — на деревьях висели одежда, обувь, компасы, чертежи с указанием дорог и мостов. Зое Ивановне удалось привлечь к сотрудничеству немало ценных источников информации. Одним из них стала боец норвежской организации Сопротивления Альма. Эта женщина передала советской разведке важное сообщение о ведении фашистами секретных работ по созданию сверхоружия, в частности, о расширении производства на территории Норвегии «тяжелой воды», могущей уничтожить все живое. Также Альма регулярно оповещала через курьеров Рыбкиной о передвижении военно-морских судов и германских войск.

Зоя Ивановна проводила дни и ночи в шифровании сообщений для Центра. А что же ее супруг?

Из «Избранных страниц шпионской жизни»:

«Кин каждое утро играл в теннис и регби. Это не было просто спортивным увлечением. На корте собирались дипломаты, шведские промышленники, связанные коммерческими интересами с иностранными государствами. Здесь заключались торговые сделки и формировалось общественное мнение по актуальным вопросам. И разведчики, конечно, не упускали своего интереса. Начались поиски контактов с людьми, которые способствовали бы выводу Финляндии из войны. Получив сверхоперативное задание Центра: „Подыщите подходящего человека, которому можно доверить передачу «Красной капелле» нового шифра и кварцев для радиостанции“ (справка: «Красная капелла» — группа немецких антифашистов, работавших в недрах Главного имперского управления — гестапо), Рыбкины перебрали

272

десятки персонажей. Надо было найти кого-то, кто имел бы деловые связи с Германией и совершал регулярные поездки из Стокгольма в Берлин. Зоя познакомилась с женой шведского промышленника, русской по национальности, и это решило вопрос». Этот шведский предприниматель стал вскоре спецкурьером «Директором», передавшим шифр и кварц для радиостанции. В Берлин «Директор» летал неоднократно, провозя секретные материалы, зашитыми в галстук на шее.

Начальник внешней разведки СД Вальтер Шелленберг впоследствии в своих мемуарах писал о мероприятиях «Красной капеллы»: «Русские благодаря регулярно поставляемой информации были лучше других осведомлены о нашем положении с сырьем, чем даже начальник отдела военного министерства, до которого такая информация не доводилась вследствие бюрократических рогаток и трений между различными ведомствами <...> Фактически в каждом министерстве рейха среди лиц, занимавших ответственные посты, имелись агенты русской секретной службы, которые могли использовать для передачи информации тайные радиопередатчики».

Однако вскоре все члены «Красной капеллы» были арестованы. От пыток, устраиваемых гестаповцами на допросах, погибли семь человек, трое — самостоятельно свели счеты с жизнью. 6 января 1943 года Имперский военный суд огласил следующий приговор:

«2-я судебная коллегия
Секретное дело командования

## ПРИГОВОР ВОЕННО-ПОЛЕВОГО СУДА

Именем немецкого народа!

2-я судебная коллегия имперского военного суда на заседании 19 декабря 1942 года на основании устного судебного разбирательства 15-19 декабря 1942 года постановила приговорить подсудимых Х. Шульце-Бойзена, Л. Шульце-Бойзен, д-ра А. Харнака, Г. Гольнова, Х. Хальнеманна, К. и Э. Шумахер, Г. Коппи, К. Шульце, И. Грауденца к смертной казни, за исключением Э. фон Брокдорф и М. Харнак, приговоренных к 10 и 6 годам каторжной тюрьмы соответственно, длительному поражению в гражданских правах; а в отношении военнослужащих, кроме того, лишению воинских званий и знаков отличия...»

Авторы книги «Все о внешней разведке» написали о страшной участи членов «Красной капеллы»: «Всего по приговору суда было казнено 49 антифашистов. Более 25 человек приговорены в общей сложности свыше чем к 130 годам каторги, а еще пятеро получили вместе 40 лет тюремного заключения. Восемь осужденных были направлены для „искупления вины“ на фронт».

Узнав, что «Красная капелла» провалилась, Рыбкины не спали всю ночь. Более того, они подозревали, что возможная ответственность за трагедию лежит на «Директоре». (По окончании войны выяснилось, что виновным в провале антифашистской организации оказался агент из абвера).

Бориса Аркадьевича срочно вызвали в Москву. А Зое Ивановне пришлось еще девять месяцев работать в Стокгольме исполняющей обязанности резидента.

Гитлеровские войска разработали план вторжения в Швецию — «Полярная лиса». Но битва на Курской дуге сорвала намерения фашистской Германии. Наставница Зои Ивановны Александра Коллонтай внесла свой вклад в важнейший исторический момент второй мировой войны — 20 сентября 1944 года Финляндия порвала свой союз с Германией и подписала мирный договор с Советским Союзом. Понятно, что разведывательная информация очень сильно повлияла на ход переговоров этих стран. Необходимо отметить, что активное участие в намечавшихся дипломатических отношениях сыграл шведский банкир и промышленник Маркус Валленберг, организовавший неофициальную встречу Коллонтай и прибывшего в Стокгольм представителя финского правительства — Паасикиви. (Для справки: Маркус Валленберг был племянником Рауля Валленберга, занимавшегося во время войны спасением евреев. В 1945 году Рауль был задержан советской контрразведкой в Венгрии и вывезен в СССР. Жизнь его закончилась трагически — Рауль Валленберг погиб в лагере).

Приведем слова Воскресенской-писательницы из ее книги «Под псевдонимом Ирина: Записки разведчицы»: «Мы, первые поколения разведчиков, должны низко поклониться нашим предшественникам, российским революционерам, за науку конспирации, умение находить верных людей, вовремя предвидеть опасность, грозящую извне, способствовать могуществу и безопасности Отчизны. Одним из таких наставников была Александра Михайловна Коллонтай. Жизнь подарила мне возможность длительное время работать под ее началом».

После того как Советский Союз заключил перемирие с Финляндией, Зоя Ивановна, передав обязанности новому резиденту, решила вернуться в Москву.

Опять пришлось ехать через Англию. В публикации «Избранные страницы шпионской жизни» Эдуард Шарапов рассказал о возвращении Рыбкиной на родину:

«И снова Англия, и по-прежнему здесь туго с продовольствием. Но, узнав, что покупательница из России, владелец магазинчика достает откуда-то лимоны, сыр, сахар и просит принять в подарок. Ее пообещали „пристроить“ к конвою (справка: конвой — до шестидесяти транспортных пароходов, груженных танками, пушками, самолетами, консервами, зерном, медикаментами — всем, что поставляли американцы по ленд-лизу. В сопровождении конвоя — крейсера, миноносцы, торпедные катера). В Глазго Зоя оказалась свидетелем митинга. Транспаранты „Привет советским солдатам!“, „Требуем открытия второго фронта!“, ораторы на трибуне, крики „Виват!“, баночки с краской в руках людей. Броня танков покрывается надписями: „Спасибо, русский брат Иван“, „Good luck uncle Joe!“ («Удачи, дядя Джо!» — так англичане называли Сталина). С плаката „Смерть фашистским оккупантам“ рабочий срисовывает русские буквы „Желаю скорой победы“. Очередной оратор призывает: „Поможем восстановить Сталинград!“, площадь откликается единым возгласом: „Поможем!“ В толпе появляются люди с беретами в руках. „Шапка по кругу“ наполняется купюрами и монетами, царит великолепное чувство локтя...

Потом были свирепый шторм, мертвая зыбь, сказочные хрустальные дворцы — в которые превратились палубы с обледеневшим такелажем. Потом разрывы глубинных бомб и торпед, разломившиеся корабли... Зоя мысленно повторяла путь к шлюпке № 4, в которую должна была сесть, если их пароход будет торпедирован. Повезло... И вот — Здравствуй, причал родной земли! — Мурманск в руинах, потом Москва».

Встречу с близкими после долгой разлуки Зоя Ивановна не могла вспомнить без слез:

«На перроне мама. Боже мой, неужели это она? Нет, это ее тень. Худенькая, маленькая, хрупкая. Рядом моя подруга — мы звали ее Пампушкой, а сейчас она превратилась в тростинку с опавшего одуванчика.

— Мамочка, ты больна? Почему так безумно похудела?

Я переводила ей всю зарплату в валюте и считала, что они с моим сыном хорошо обеспечены. Но обмен на рубли по твердому курсу давал им лишь добавочное ведро картошки (хотя в Швеции за эту же месячную зарплату можно было купить отличную шубу).

— Где Борис?

— На фронте.

Через несколько дней он появился — непривычно усатый-бородатый, в армейской форме. Я спросила, удалось ли ему повидаться с родными. Он отвернулся, вышел в соседнюю комнату, и я услышала глухие рыдания. Справившись с собой, он рассказал, что брат погиб в бою, а родителей расстреляли в гетто за то, что их сын — „важный комиссар в Москве". Ему сообщила об этом колхозница, на плечах которой он увидел знакомую шаль, а на столе — знакомую скатерть: мы покупали их в Финляндии в подарок старикам».

Но война продолжалась, и нужно было работать несмотря ни на что. В 1944 году Борис Аркадьевич был назначен начальником отдела 4-го управления НКГБ СССР. По сведениям авторов книги «Все о внешней разведке»: «Курировал заброску нелегальной агентуры и разведывательно-диверсионных групп в оккупированные немцами страны Восточной Европы». С марта 1944 года супруга Рыбкина находилась на руководящих должностях в немецком направлении внешней разведки. Она, как и накануне Великой Отечественной войны, занималась аналитической работой, подсчитывала по переписи 1939 года население Германии, подлежащее призыву в действующую армию и на трудовой фронт. Вышестоящие начальники Зои Ивановны проводили соответствующие расчеты, учитывая предоставленные ею данные.

В последние годы войны Рыбкина работала начальником 1-го отделения 1-го отдела 1-го управления НКГБ. А Борис Аркадьевич являлся офицером связи со службами безопасности союзников на Ялтинской конференции (февраль 1945 года). И вот пришла выстраданная, великая Победа! Миллионы погибших, ожесточенные бои, разрушенные города — эта горькая страница мировой истории не будет омрачена забвением никогда. Триумф победителей фашистской Германии достоин славы и глубокого уважения. 9 мая 1945 года — величайший день XX века. И сотрудники органов госбезопасности СССР заслужили право памяти этой Победы.

По окончании войны Зоя Ивановна работала начальником 3-го отделения отдела «5 — А» ПГУ МГБ, заместителем начальника 3-го (немецкого) отдела 2-го (европейского) управления КИ при СМ — МИД СССР. А в сентябре 1947 года она с мужем впервые за свою двенадцатилетнюю совместную жизнь получили отпуск. Златоглавая Москва праздновала свое 800-летие. Но торжественные огни праздника супруги Рыбкины видели из иллюминатора. Самолет уносил их на чехословацкую землю...

О своем отпуске Зоя Ивановна вспоминала: «Мы бродили по окрестностям Карловых Вар и мечтали, что, уйдя в отставку, попросим дать нам самый отсталый поселок или район и вложим в него весь наш жизненный опыт, все, что познали в странствованиях: финскую чистоплотность, немецкую экономность, норвежскую любознательность, австрийскую любовь к музыке, английскую привязанность к традициям, шведский менталитет, в котором объединились благоразумие, зажиточность и тот внешний вид, когда трудно определить возраст — от 30 до 60. Мы ничего не нажили — зато у нас была великая жажда познания. А еще в те дни мы пережили взлет влюбленности. „Это наше, хотя и запоздалое, свадебное путешествие", — смеялся Борис».

Неожиданно романтичная сказка закончилась. Из Центра пришла срочная телеграмма с требованием возвращения Зои Ивановны в СССР. Бориса Аркадьевича руководство направляло в Баден-Баден на встречу с дипломатическим курьером, доставлявшим особо важные задания. С февраля 1947 года Рыбкин работал в группе Павла Судоплатова (спецслужбе МГБ СССР). Он выезжал в Турцию и другие страны для восстановления связей с нелегальными агентами на Ближнем Востоке и в Восточной Европе. Обычные трудовые будни разведчика — оперативные мероприятия, специальные командировки... Но

27 ноября 1947 года жизнь Рыбкина трагически оборвалась. Борис Аркадьевич погиб в автокатастрофе под Прагой «при исполнении служебных обязанностей».

Последние часы с мужем, проведенные в отпуске в Чехословакии накануне отъезда в Москву, навсегда остались в памяти Зои Ивановны...

«Я очень редко плачу. Но в эту ночь рыдала, не знаю отчего... На аэродроме Борис сунул мне в карман какую-то коробочку. Догадалась: духи „Шанель". Знала, что в Москве буду искать в перчатках, в пижамных карманах, в несессере записку: крохотный листок с объяснением в любви он обычно упрятывал в моих вещах.

— До скорого свидания, — сказал он...

А мне кричать хотелось: все, мы больше не увидимся! 28 ноября, на работе. Я просто не находила себе места. Когда меня вызвали к начальнику управления, первой мыслью было: „Борис звонит по «ВЧ»".

— Звонил? — спросила я с порога.

Начальник затянулся сигаретой, помолчал.

— Ты прошла все: огонь, воду, медные трубы. Ты баба мужественная. — Он набрал воздух и выдохнул: — Борис погиб. В автомобильной катастрофе под Прагой.

Я вернулась к себе в кабинет, собрала со стола бумаги, уложила их в сейф, опечатала, вызвала машину. Я была спокойна, чересчур спокойна, и это меня пугало. Ведь накануне металась, а тут окоченела. 29 ноября тело было доставлено самолетом в Москву, но мне об этом не сказали. Только 2 декабря меня привезли в клуб имени Дзержинского. Гроб утопал в цветах, было очень много венков. Я склонилась над Борисом. Лицо не повреждено, руки тоже чистые, ни ссадин, ни царапин. Но когда я хотела поправить надвинувшуюся на щеку розу, то увидела за правым ухом зияющую черную рану. В крематории речи...салют...Урну с прахом захоронили на Новодевичьем кладбище в склепе, поверх которого насыпали могильный холм. И снова речи...

Каждое воскресенье мы с трехлетним сыном ездили туда. В парк культуры — объясняла я, — сажать цветы на нашей клумбе. Отец для него долго оставался живым, он ждал его каждый день... Сразу после похорон я написала министру Абакумову рапорт с просьбой поручить мне вести дальше дела полковника Рыбкина Б. А. Мне в этом было отказано, хотя мы с Борисом Аркадьевичем были на одинаковых должностных ступенях».

Ближайший друг Зои Ивановны Эдуард Шарапов вспоминал: «Она много раз говорила мне, что отчетливо видела за ухом отверстие от пули. Не поверю, что мужественная, волевая сорокалетняя женщина-военнослужащая могла перепутать пулевое ранение с обычной, хотя и смертельной травмой. Вопрос о гибели мужа жег ее на протяжении десятилетий. Кому и зачем нужна была смерть полковника Рыбкина? Возможно, она явилась результатом какой-то внутренней, служебной борьбы, внутренних неурядиц и неразберих. А возможно, это был один из эпизодов тогдашней антисемитской волны. За две недели до пражской трагедии в автомобильной же катастрофе погиб народный артист СССР Михоэлс. Органы государственной безопасности, как известно, были одним из тех учреждений, в которых ярко просматривалась линия то взлета, то падения роли евреев в политике нашей страны: в ВЧК при Дзержинском они были на всех ключевых постах, затем они же явились жертвами репрессий. В середине 40-х годов „еврейский вопрос" был на устах советского руководства: решался вопрос о создании автономной республики в Крыму или в Палестине... Смерть Рыбкина могла быть и результатом его участия в организации и проведении знаменитой Ялтинской конференции 1945 года».

Что явилось причиной гибели Бориса Аркадьевича, точно неизвестно. Существует официальная версия, существует прямо противоположное ей мнение теперь уже покойной вдовы... Оставшись без мужа, Зоя Ивановна с трудом находила силы продолжать свою чекистскую деятельность. Однако в 1950 году наша героиня стала начальником 3-го отдела ПГУ МГБ, а с марта 1953 года — возглавила ВГУ МВД СССР. Она разбирала и анализировала документы гитлеровских спецслужб, захваченных военной контрразведкой Красной Армии. После войны Берия вынашивал идею объединения восточной и западной частей Германии. Тогда же Зоя Ивановна выезжала в специальную командировку в Берлин. Там она инструктировала известную разведчицу Ольгу Чехову. Планировалась встреча с немецким канцлером Конрадом Аденауэром. Находясь в столице Германии, Зоя Ивановна узнала о том, что Советский Союз пережил траурное событие.

5 марта 1953 года умер Сталин. Вместе с ним ушла целая эпоха. Зою Ивановну, как и миллионы других людей, преследовало чувство невосполнимой потери. Однако народ наряду с сожалением испытывал странное ощущение внезапной свободы от страха. На Лубянке сразу после траурных дней начались массовые увольнения, сокращения и аресты участников в репрессиях 1937—38 гг. Органы государственной безопасности освобождались от старых кадров и неугодных сотрудников. В июне 1953 года был арестован, а впоследствии расстрелян Берия. Как его соратник был арестован Павел Анатольевич Судоплатов.

Зоя Ивановна не могла остаться в стороне от этого события. С Судоплатовым ее связывали не только служебные отношения, но и крепкая давняя дружба. На отчетно-выборном партийном собрании управления в состав нового партийного комитета была выдвинута кандидатура Рыбкиной. Но Зоя Ивановна выступила с самоотводом, объясняя такую позицию несправедливым арестом Павла Анатольевича.

Это крайне негативно отразилось на ее собственной судьбе. На следующий день после выступления на собрании Рыбкиной объявили, что она уволена «по сокращению штатов». Должность начальника отдела не была сокращена, до пенсии Зое Ивановне оставалось проработать около года (стаж разведчика составлял 25 лет)... Будучи настойчивым и волевым человеком, Рыбкина стала ходить по различным инстанциям, добиваясь справедливого разрешения своего дела. Ей сознательно «урезали» срок службы в органах государственной безопасности — не могли найти приказ о двухлетней работе Зои Ивановны в Китае. Встречное предложение руководства сводилось к тому, чтобы полковник Рыбкина выехала на работу оперуполномоченным в Омск. Зоя Ивановна была возмущена: «Это вызовет недоумение. Полковник понижается на пять ступеней?» Тогда ей предложили работу начальником контрразведки в Балашове (Куйбышевская область). У Рыбкиной на руках были больная мама и ребенок. Ехать с ними на периферию не представлялось возможным. Тогда Зою Ивановну направили в распоряжение ГУЛАГа.

«На Колыму согласны?» — спросили там. «Согласна». — «В Магадан?» — «Тоже согласна». — «Да вас там немедленно проиграют в карты, а я отвечай. Потом вы знаете какие-то иностранные языки, а там в употреблении только матерный». — Такой разговор, состоявшийся в кабинете руководства, вспоминала Зоя Ивановна.

Ее командировали в Воркуту для работы начальником спецотдела лагеря, где содержались заключенные. Зоя Ивановна спокойно отнеслась к новой должности, ведь еще в молодости приобрела опыт общения с правонарушителями (вспомним ее политруководство в колонии малолетних преступников).

Период своей деятельности за Полярным кругом она описала в одной из своих книг:

«Мое появление в Воркуте произвело сенсацию. Оказалось, что во всей Коми АССР появился единственный полковник, и тот — женщина! Даже министр внутренних дел был майором, а начальником внутренних войск — подполковник. В мужских парикмахерских втрое увеличилась клиентура, в парфюмерном магазине раскупили весь одеколон. Под разными предлогами в мой кабинет заходили начальники и сотрудники других отделов. Перед совещанием руководящего состава офицеров особо инструктировали: вместо „ссучиться" (что означало работать на администрацию) говорите „сотрудничать". Меня развлекали байками из жизни:

— Уйдешь на работу, затопишь печку, поставишь щи варить. Вернешься обратно — ни печки, ни щей. Вечная мерзлота подтаяла, и печка провалилась.

На четвертый день у меня был тяжелейший сердечный приступ: сказалась нехватка кислорода. Потом привыкла, проработала полгода — это засчитывалось за год службы, и я могла уйти по выслуге лет. Но в это время слили наш лагерь с Особым, в котором содержались политические, и меня уговорили стать начальником спецотдела объединенного лагеря. (Заметим, что возглавляемый ею Оперотдел объединения лагерей насчитывал в 1954 году 60 тысяч заключенных — *авт.*) В качестве лектора-международника я выезжала в воинские части, бывала у заключенных, работавших в шахтах. По привычке обращалась к присутствующим: „Товарищи" и слышала ответ: „Мы не товарищи, а зэки и каэры (заключенные и каторжане)", „Но вы будете товарищами", — уверенно говорила я.

В марте 1955-го, в день выборов в Верховный Совет СССР, в лагере был поднят мятеж. Заключенные протестовали против условий лагерной жизни, предъявили ультиматум: всех „двадцатипятилетников", отсидевших десять лет, выпустить. На реющих простынях было написано: „Даешь уголек Родине, а нам Свободу!" Мятеж подавили прибывшие танковые и артиллерийские части, шестнадцать человек были расстреляны с вышек. Но приехавшие из Москвы прокуроры никого не привлекли к уголовной ответственности: слишком велик был накал противостояния лагерному режиму.

Два года в Воркуте стали для меня большой жизненной школой. Я познакомилась с тысячами изломанных, исковерканных судеб. Видела и пыталась помочь тем, кто наказан несправедливо. Самым большим подарком считаю белоснежный кустик флоксов, выращенных для меня заключенными-шахтерами. Его принесли на квартиру в сорокаградусный мороз. Таких душистых цветов я никогда не встречала!..»

По возвращении в Москву Зоя Ивановна решила заняться творчеством. Она написала повесть о комсомольцах, мечтавших сражаться с фашистами на стороне республиканцев в Испании. В 1956 году Зоя Ивановна пришла в издательство «Детская литература» с предложением опубликовать это произведение. Сначала редактор сомневался, стоит ли пускать повесть в печать, но после рассказа начинающей писательницы о жизни, решил, что стоит. Так на небосклоне советской литературы взошла новая звезда по имени Зоя Воскресенская.

Рассказы «Первый дождь», «Зойка и ее дядюшка Санька», «Городская булочка», сборник «Рассказы о Ленине», сценарии «Сердце матери», «Верность матери», «Сквозь ледяную мглу», повести «Надежда», «Встреча», «Утро» и другие произведения бывшей сотрудницы органов госбезопасности пользовались громадной популярностью. В 1968 году за повесть и сценарий к фильму «Сердце матери» Зоя Воскресенская получила Государственную премию в области литературы для детей. А за книгу «Надежда» Зоя Ивановна была удостоена Ленинской премии. Последующие годы своей жизни Воскресенская посвятила общению с подрастающим поколением. Она поддерживала связь с детскими домами, библиотеками (не только родного Алексина), передавала в детские дома свои гонорары, присылала брошенным детишкам

книги, ездила на слеты красных следопытов, расска-
зывая им о мальчиках и девочках, ставших свидете-
лями революции 1917 года.

Сама Зоя Ивановна вышла на пенсию в 1966 году
в звании полковника МВД. Бывшая разведчица, любимая писательница миллионов советских ребят, Воскресенская тяжело заболела. Ей, прикованной болез-
нью к постели, со всех концов мира люди писали
письма, присылали вырезки из газет и журналов, да-
рили цветы.

8 января 1992 года на похороны Зои Ивановны
пришли чекисты, читатели, литераторы и просто почитатели ее таланта. Все знали Воскресенскую как
человека необычайно широкой души, отличавшегося
добрым сердцем и преданностью Родине. Зоя Ивановна была умной и красивой женщиной. Такой она осталась в памяти многих знавших ее.

После смерти в архиве Воскресенской обнаружили
шесть писем, адресованных покойному мужу. Отрывок из одного письма мы позволим себе опубликовать.

«Боренька, солнце души моей!

Померкло солнце. И я в черной ночи вишу над без-
дной, над страшной пропастью. Зачем я пишу тебе,
куда пишу тебе, зачем обманываюсь? Совсем недавно я чувствовала себя 25-летней. А сейчас мне даже
не 40 — 70. Тянет вниз, но ты не простил бы мне,
если бы я сорвалась. Сегодня Алешенька гадал на ро-
машке „любит — не любит" и, как в прошлом году,
уверенно воскликнул: „Любит папа маму!"

Часто я сижу с закрытыми глазами, а иногда просто глядя перед собой. И вдруг начинаю кричать — протяжно, дико, протестующе. Я готова вырвать сердце из груди — такое горячее и колючее. Оглядываюсь кругом: люди сидят и говорят со мной, на их лицах деловое, обычное выражение. Значит, я кричала молча.

Я живу как птица с поломанными крыльями. Как мне не хватает тебя!»

После смерти Бориса Аркадьевича Зоя Ивановна замуж больше не выходила. Она свято чтила то сильное чувство, что связывало их вопреки утрате. Воскресенская была настоящей женщиной — любящей, сильной и бесконечно преданной.

# ПРИЛОЖЕНИЕ

История отечественных спецслужб хранит имена многих женщин, посвятивших годы своей жизни нелегкой чекистской работе. В этой книге мы рассказали подробно лишь о некоторых из них. Считаем своим долгом представить читателю и других деятельниц органов госбезопасности нашего государства. Многие из них выполняли ответственные задания разведки, зачастую находясь вдали от СССР. Среди них немало иностранок. Некоторые женщины занимали довольно скромные должности или просто числились завербованными агентами. Объем книги не позволяет нам подробно описать жизнь и трудовую деятельность чекисток, упоминаемых ниже. Приносим свои извинения за относительно неполные сведения об этих славных героинях.

## Анчева Свобода Михайловна
## (Милка Владимирова Мирчева, «Вера»)

Родилась в Болгарии 26 октября 1912 года в Гевгели. В 1925 году, после ареста за революционную деятельность в Болгарии ее отца, была отправлена в детский дом МОПР в Германию, а в апреле 1928 года — в СССР. В Москве окончила школу, а затем, в 1938 году — Станкоинструментальный институт.

В 1938—1940 гг. вместе со своим мужем Гиню Георгиевым Стойновым проходила спецподготовку в разведывательном управлении (РУ) Генштаба РККА и разведывательном отделе (РО) штаба Черноморского флота. Анчева являлась членом Болгарской коммунистической партии с 1940 года.

Приведем некоторые данные из характеристики Свободы Михайловны: «Настойчива. Инициативна. Политически хорошо развита. Спокойна. В разговоре сдержанна. Изучение языков дается легко. Скромна. О себе говорит мало. Добросовестно изучила радиодело. Может самостоятельно изготовить радиопередатчик и вести непрерывную двустороннюю радиосвязь. Показала умение и хорошую оперативность работы в эфире <...>»

В ноябре 1940 года вместе с мужем Свобода Михайловна была переброшена в Болгарию Разведотделом Черноморского флота. Здесь до февраля 1943 года она была радисткой разведгруппы «Дро», которую возглавлял ее муж.

Из служебной аттестации: «... На протяжении всей войны находится в тылу противника, выполняя задания особой государственной важности. Своей честной и безупречной работой, сопряженной ежедневно с исключительным риском <...> своевременно и регулярно информируя командование по интересующим вопросам, активно помогает разгрому немецко-фашистских захватчиков». Но случилось непредвиденное. В результате пеленгации 22 февраля 1943 года Анчева была арестована болгарской полицией. Однако судьба была милостива — 8 сентября 1944 года партизаны освободили отважную болгарку из тюрьмы. Затем Свобода Михайловна работала в системе Министерства путей сообщения Болгарии.

За свою трудовую деятельность Анчева была награждена орденом Ленина (1966), Г. Димитрова (1970, 1983), а также ей было присвоено звание Героя социалистического труда НРБ (1973).


## Бенарио Гутман Ольга

Родилась 12 февраля 1908 года в Мюнхене в семье адвоката. С 1923 года Ольга являлась активным членом КСМ Германии. С 1926 по 1928 гг. работала машинисткой в советском торгпредстве в Берлине. В октябре 1926 года Ольгу арестовывали по подозрению в шпионаже. Смелости этой девушке было не занимать — в апреле 1928 года Ольга руководила организацией побега из зала суда обвинявшегося в «государственной измене» Отто Брауна. Спустя три месяца они вместе нелегально выехали в СССР.

В Советском Союзе Ольге была поручена ответственная работа. С 1930 по 1934 гг. она являлась сотрудником IV управления ГШ РККА. Ольга неоднократно выезжала в зарубежные командировки: инструктором ИККИМ, нелегально находилась в Германии, работала в Англии, во Франции, Романском секретариате КИМ. Новую, неожиданную для молодой женщины специальность она осваивала в Тамбове. В этом городе Ольга училась в авиашколе Военно-воздушной академии.

15 апреля 1935 года она прилетела из Уругвая в Бразилию в качестве помощника лидера бразильских коммунистов Л. К. Престеса, ставшего ее мужем. Цель поездки была — организовать социалистическую революцию в Бразилии. Ольга Престес участвовала в деятельности НОА, в частности, подготовке восстания 1935 года. Но 4 марта 1936 года ее вместе с мужем арестовала полиция. Как жена Престеса Ольга должна была считаться гражданкой Бразилии и не подлежала высылке из этой страны. Однако власти посчитали нужным депортировать «сторонницу коммунизма» в гитлеровскую Германию.

Вместе с Э. Эверт 23 июня 1936 года Ольга была выслана на свою историческую родину по декрету президента Ж. Варгаса. В заключении Ольга Престес родила дочь Аниту Леокадию, которая была передана на воспитание свекрови, находящейся в Бразилии. К сожалению, весьма скоро малютка осталась сиротой. В 1942 году в концлагере Бенбург Ольга погибла в газовой камере.

## Беннет Раиса Соломоновна

Родилась в Петрозаводске 8 апреля 1899 года. До 1927 года проживала в США. Там была активной участницей рабочего и коммунистического движения, являясь членом Компартии США. Получив высшее образование, приехала в Советский Союз. Вступила в ВКП(б). Затем работала преподавательницей английского языка в Военной академии им. Фрунзе. В 1928 — 1935 гг. Раиса Соломоновна состояла в распоряжении IV управления Штаба РККА. Некоторое время работала в Китае, занимая должность старшего руководителя по языкам в Разведывательном управлении. Ее арестовали 15 июля 1935 года по так называемому «кремлевскому делу». По постановлению Особого совещания при НКВД СССР в 1935—1937 гг. Беннет отбывала наказание в лагере. 9 октября 1937 года по обвинению в «участии в антисоветской деятельности» Военной коллегией Верховного суда СССР Раиса Соломоновна Беннет была приговорена к расстрелу. Приговор привели в исполнение в тот же день. Беннет реабилитировали в 1957 году.

## Бердникова (Черкасова, Берзина) Вера Васильевна

Родилась в 1901 году в крестьянской семье. В ВКП(б) вступила в 1917 году (по другим сведениям — в 1920).

В сентябре 1920 года Вера Васильевна по партийной путевке прибыла в Иркутск в распоряжение Регистрационного отдела 5-й Краснознаменной армии. Некоторое время она являлась сотрудницей Регистрационного отдела 5-й армии, затем разведывательного управления НРА ДВР (сентябрь 1920 — январь 1923). Бердникова работала в Чите и на территории Китайской Военной железной дороги (КВЖД) в качестве разведчика-нелегала.

В январе 1923 года Веру Васильевну демобилизовали. Бердникова в 1928 году была награждена орденом Красного Знамени «за боевые отличия и заслуги, оказанные в период гражданской войны».

В 1935 году она окончила Школу Разведупра РККА. В распоряжении Разведуправления РККА Вера Васильевна находилась до 1938 года. Стоит отметить, что ей было присвоено звание капитана (в 1936 году). Вера Васильевна являлась супругой М. П. Шнейдермана. В апреле 1938 года ее уволили в запас РККА.

## Боговая (Циварева, Третьякова) Серафима Федоровна

Родилась в Архангельской губернии 11 августа 1900 года. Во время гражданской войны молоденькая Серафима Федоровна была партизанкой и пулеметчицей на Архангельском фронте. Затем вступила в ВКП(б). Боговая являлась сотрудницей Разведупра

Штаба РККА. В 1934 году она была награждена Наркомом обороны золотыми часами. Но репрессии не миновали и ее. В 1937 году Серафима Федоровна была арестована. В мае 1938 года ее приговорили к 8 годам исправительно-трудовых лагерей и последующей ссылке. К сожалению, точная дата смерти Боговой неизвестна. Возможно, Серафима Федоровна умерла в 1947 году.

## Болотина Мария Самуиловна

Родилась в августе 1895 года в городе Мглин Черниговской губернии (ныне — Брянской области) в мещанской семье. В 1917 году Мария Самуиловна окончила гимназию в Рославле Смоленской губернии. Там же и начала работать. Должность Болотиной в марте 1917 — июне 1918 гг. — корректор в редакции газеты «Известия Рославльского совета». С июня 1918 по март 1923 гг. сфера обязанностей Марии Самуиловны значительно расширилась. В указанный период времени Болотина работала секретарем, делопроизводителем и машинисткой в частях и учреждениях в Москве, Минске, на Западном фронте, в Пятигорске. В 1922 году она вступила в ВКП(б).

Сотрудницей Разведупра РККА Мария Самуиловна стала в октябре 1923 года. До марта 1924 года она работала машинисткой в центральном аппарате, а затем была направлена в Чехословакию в полпредство.

С ноября 1929 года Болотина продолжила свою деятельность в Берлине по легальной линии. В июле 1931 — июне 1933 гг. Мария Самуиловна исполняла обязанности помощника начальника сектора 2-го отдела IV управления Штаба РККА. Следующие полгода она являлась слушательницей подготовительной группы Военно-химической академии РККА. Затем карьера Болотиной стремительно развивалась: с декабря 1933 года до марта 1935 года Мария Самуиловна работала секретарем отдела кадров Международной ленинской школы. В 1936 году она была назначена на должность политрука. Но в сентябре 1937 года Болотину уволили из РККА на основании того, что она «была секретарем Уншлихта, знакома с бывшей женой Мессинга, в 1917 году была в бунде». Мария Самуиловна была репрессирована.

## Бортновская Стефания Брониславовна

Эта полька родилась в 1892 году. Получив среднее образование, она работала учительницей. В возрасте 25 лет Стефания Брониславовна вступила в ряды РКП(б).

К сожалению, жизнь Бортновской оказалась слишком короткой. В 1928 году, за год до смерти Стефании Брониславовны, Берзин в представлении на присвоение ей ордена Красного Знамени писал: «Бортновская С. Б. принадлежит к числу основных работников Разведупра, которые участвовали в самом создании разведки РККА <...> В декабре 1920 года она была выделена в тройку руководителей зарубежной разведки, которые выехали на Запал с поручением организовать нелегальные резидентуры Разведупра за рубежом <...> С начала 1921 года Бортновская работала в центральной Берлинской резидентуре. Оттуда она, выявив себя как отличная и выдержанная работница, перебрасывается в качестве руководителя нашей нелегальной резидентуры в Данциг, где с успехом работает до конца 1922 года. После этого она направляется как нелегальный резидент в Чехословакию, где работает до середины 1923 года. Осенью 1923 года ей поручается одна из руководящих ролей в нашей центральной резидентуре в Париже, где она работает до мая 1924 года. С конца 1924 года тов. Бортновская временно переходит на партработу и перебрасывается в партподполье в Польшу. Там она арестовывается поляками и осуждается на каторгу. После двухлетнего заключения ей удается бежать в СССР, где она в настоящее время лечится от полученной в тюрьме чахотки».

## Фон Брокдорф, Эрика

Родилась 29 апреля 1911 года в семье почтальона в городе Кольберг. Девушка из простой семьи впоследствии стала знатной дамой. Эрика вышла замуж за графа Кая фон Брокдорфа, участника антифашистского Сопротивления.

В 1935 году муж привлек ее к сотрудничеству с нелегальной КПГ.

Когда началась вторая мировая война, Эрика фон Брокдорф вместе со своей подругой Элизабет Шумахер начали службу в Имперском бюро охраны труда. Выполняя трудовые обязанности, эти молодые женщины имели возможность добывать материал, полезный как для антифашистской разъяснительной работы, так и для передачи разведывательных данных.

Оказывать содействие советской разведке Эрике пришлось в августе 1942 года. Именно тогда Август Хёсслер, который ранее сражался в качестве добровольца-интербригадовца в Испании, вернулся из Советского Союза в Германию для оказания помощи немецким антифашистам в их подпольной деятельности. В квартире Эрики фон Брокдорф была установлена необходимая техника для поддержания радиосвязи с СССР. Именно оттуда Август передавал свои радиограммы.

Но сотрудничество с советскими разведчиками прекратилось 16 сентября 1942 года — в тот день Эрика фон Брокдорф была арестована. 19 декабря 1942 года Имперский военный суд приговорил ее к 10 годам тюремного заключения. Однако этот приговор решили отменить. Дело Эрики фон Брокдорф было рассмотрено повторно в январе 1943 года, и на сей раз был вынесен вердикт: смертная казнь через обезглав-ливание. 13 мая 1943 года Эрику казнили в берлинс-кой каторжной тюрьме Плётцензее. 6 октября 1969 го-да фон Брокдорф посмертно была награждена орденом Отечественной войны 1-й степени.

## Бронина Элли Ивановна (Марсо Рене)

Родилась 10 августа 1913 года во Франции. Ее от-цом был рабочий Робер Марсо. В 1930 году Рене всту-пила в Коммунистический союз молодежи Франции, а вскоре была отправлена на учебу в СССР. С 1933 го-да эта очаровательная француженка находилась в Раз-ведупре РККА. После разведподготовки, в апреле 1934 года, Марсо Рене прибыла в Шанхай в качестве радистки нелегальной резидентуры Я. Г. Бронина. Молодой разведчице посчастливилось проверять ра-цию группы Рихарда Зорге. Для этой работы Элли Ивановна (так стали называть Марсо в СССР) выез-жала в Токио. Непродолжительная разведдеятель-ность в Китае закончилась — после ареста и суда над Брониным (ставшим мужем Марсо) Элли Ивановна вернулась в Советский Союз.

Самоотверженная молодая женщина выехала в Испанию, где шла кровопролитная и жестокая граж-данская война. Как участницу испанских событий Бронину наградили орденом Ленина в январе 1937 го-да. К тому времени Элли Ивановна уже носила пого-ны лейтенанта.

В 1940 году она приняла для себя два важных решения: вступила в коммунистическую партию СССР и ушла из разведки. Новой областью деятельности для Брониной стала медицина. В 1949 году Элли Ивановна защитила в 1-м Московском медицинском институте диссертацию «Ранняя диагностика коронарной недостаточности», занималась практической медициной в одной из клиник столицы. Но в связи с новым арестом мужа Элли Ивановна была уволена с работы. Она иногда подрабатывала где придется, чтобы содержать своих маленьких детей. В середине 1960-х гг. Бронина получила персональную пенсию союзного значения. Из КПСС эта женщина ушла в 1978 году.

## Вернер Рут (Кучинска Урсула, Гамбургер, Бертон)

Родилась 15 мая 1907 года в Фриденау (Германия). С 17 лет была активисткой немецкого комсомола, а в 1926 году вступила в Коммунистическую партию Германии. Затем Рут начала работать в книжном магазине Прагера в Берлине, а после переезда в США в 1928 году — в издательстве Ульштейн.

В 1930 году Рут переезжает на Восток. Ее первый муж, Рольф Гамбургер, получил должность архитектора в Шанхайском муниципальном совете. И молодожены начали свою новую жизнь в Китае. В этой стране тогда обострялась политическая и экономическая ситуация. Неудивительно, что пик активности советской разведки пришелся как раз на те годы. Легендарный Рихард Зорге привлек Вернер Рут к разведывательной работе в конце 1930 года. У этой иностранки появился псевдоним — «Соня».

С 1930 по 1933 гг. «Соня» выполняла задания Зорге и впоследствии сменившего его К. Римма («Пауль»). Затем в течение года она проходила курс разведподготовки в Москве.

Выйдя второй раз замуж за Эрнста Отто, Рут снова выехала в Китай. С мая 1934 до осени 1935 года она вместе с мужем работала в Мукдене и Пекине, передавая сообщения разведки по рации в Москву.

Но и с первым мужем Рут также пришлось продолжить работу. Рольф Гамбургер и «Соня» проводили агентурную деятельность в Польше (1935-1938 годы). В 1938 году в Швейцарии Рут возглавила разведывательную группу, один из членов которой — Леон Чарльз Бёртон стал ее мужем. Без этой женщины не обошлось и создание антифашистской «Красной капеллы». В 1939 году по приказу Центра Рут входила в состав группы Ш. Радо («Дора»).

С 1940 по 1950 гг. супруги Бертон работали в Англии. В этой стране Рут исполняла роль связной между легальной резидентурой военной разведки и ее агентами до прерывания связи с Центром в 1946 году. Одним из ценных агентов Рут был ученый-атомщик Клаус Фукс. После ареста Фукса разведчица Бертон выехала в марте 1950 года в ГДР, где работала в прессе и системе внешней торговли. С 1956 года она начала заниматься литературной деятельностью, стала известной писательницей, автором известных художественных произведений (например, повести «Соня рапортует», изданной в 1980 году в Москве) и книг по экономике (под псевдонимом Урсулы Бертон). Рут Вернер была награждена двумя орденами Красного Знамени (в 1937 и 1969 гг.)

Она скончалась 7 июля 2000 года в Берлине.


## Волгина Мария Васильевна (Эйхман Лидия)

Родилась 26 декабря 1897 года в Гольдингенском уезде Лифляндской губернии (ныне — Латвия) в семье крестьянина. Долгое время была чернорабочей. В РККА числилась с 1920 года. С марта 1920 до июля 1922 года Мария Васильевна работала делопроизводителем и шифровальщицей в агентурном подразделении Регистрационного отдела Разведывательного управления штаба помглавкома по Сибири. Затем до июля 1928 года была переписчицей, старшей шифровальщицей, помощницей начальника 1-й части Разведупра — IV управления Штаба РККА. В 1924 году Волгина вступила в РКП(б). В июле 1928 — августе 1935 гг. Мария Васильевна находилась в распоряжении Управления. С августа 1935 года она работала секретарем 1-го отдела Разведупра РККА. В 1936 году занимала должность старшего политрука. Мужем

Волгиной был К. М. Басов. Впоследствии Марию Васильевну арестовал НКВД.

## Вуолийоки Хелла

Хейла Муррик родилась в Хелме (Эстляндия; ныне — Эстония) 22 июля 1886 года. В 1908 году она окончила философский факультет Гельсингфорсского университета. Затем Хейла вышла замуж за Суло Вуолийоки. Проживая с ним в Финляндии, она занималась лесопромышленным бизнесом и литературной деятельностью.

Именно писательское творчество Хейлы сыграло роль в выборе псевдонима при сотрудничестве с советской разведкой. «Поэт» — под таким агентурным именем Хейла Вуолийоки проходила в оперативной переписке с 1920 года. Оператором в хельсинкской и стокгольмской резидентурах была Зоя Рыбкина-Воскресенская (ей мы посвятили одну из глав этой книги), через которую Вуолийоки передавала важную информацию о позиции финских правящих кругов. Сведения, предоставляемые «Поэтом», имели большое значение во время советско-финской войны 1939 — 1940 гг. и Великой Отечественной войны.

Но Хейла оказалась жертвой предательства. В имении Вуолийоки проживала радистка разведывательной группы Кертту Нуотрева — «Эльвина». Она также являлась сотрудницей советских спецслужб. При задержании «Эльвины» финской контрразведкой в

1943 году пострадала и Хейла. В своих показаниях арестованная радистка упомянула и Вуолийоки. «Поэта» сначала приговорили к смертной казни, но потом заменили первоначальный приговор пожизненным заключением. Смирившаяся со своей горькой участью Хейла вернулась к занятию творчеством. В тюрьме она написала две части автобиографической трилогии («Школьницей в Тарту» и «Студенческие годы в Хельсинки»). После заключения советско-финского перемирия в 1944 году Вуолийоки была освобождена. Тогда же появилась заключительная часть трилогии — «Я стала деловой женщиной».

Действительно, бывшая заключенная Хейла начала свою политическую карьеру. Она являлась членом Демократического союза народа Финляндии, председателем радиокомитета, а с 1946 по 1948 год — депутатом сейма. Хейла Вуолийоки была избрана почетным членом общества «Финляндия — СССР».

Хельма Вуолийоки стала автором нескольких пьес на эстонском языке, драматической дилогии на финском языке «Женщины Нискавуори» и «Хлеб Нискавуори» (выпущенной в 1936 и 1938 гг. в Финляндии, а в русском переводе опубликованной в 1956 и 1957 гг.), публицистической книги «Я не была заключенной» (1944, на русском языке — в 1979 году). К сожалению, Хельме не пришлось увидеться со своими русскими читателями. Она скончалась 20 февраля 1954 года, за несколько лет до первой публикации ее книг в Советском Союзе.

## Герхардсен Верна

Родилась в 1912 году в Норвегии. Муж Верны — Эйнар Герхардсен — был признанным лидером Норвежской рабочей партии и даже занимал пост премьер-министра Норвегии (1945 — 1951 гг., 1955 — 1965 гг.)

В 1954 году Верна в составе норвежской молодежной делегации по приглашению Антифашистского комитета советской молодежи приехала в СССР. Тогда же она сблизилась с сотрудником АКСМ Е. Беляковым, который впоследствии (1955 — 1958 гг.) работал в резидентуре ПГУ в Осло под прикрытием 2-го секретаря посольства. Так Герхардсен стала одним из ценных источников советской внешней разведки. Некоторое время Верна, являясь женой премьер-министра, передавала Белякову информацию о политической ситуации в Норвегии.

Контакт с Герхардсен был прекращен после того, как Белякова в 1958 году отозвали из Норвегии. Верна умерла в 1970 году.

## Гинзбург (Галинская) Ревекка Львовна

Родилась в 1898 году в Витебске. Происходила из мещан. В Красную Армию и РКП(б) вступила в 1918 году. Ревекка Львовна была участницей гражданской войны, работала помощником заведующего шифром общего отделения Оперативного управления Полевого штаба РВСР. С 1919 по 1921 гг. она возглавляла шифровальный отдел штаба 12-й армии. Следующие два года Гинзбург исполняла обязанности заведующей шифровальным бюро представительства РСФСР, затем СССР в Ангоре (Турция). В 1923 — 1924 гг. по возвращении на родину Ревекка Львовна была секретарем ячейки РКП(б) и членом завкома спиртоводочного завода. В распоряжение Разведупра Штаба РККА она поступила в 1924 году. В дальнейшем Гинзбург занимала ответственные посты: секретарь военного атташе при полпредстве СССР в Италии (январь 1924 — июнь 1927 гг.), помощник начальника 2-го отдела (июль — октябрь 1927), в распоряжении РУ РККА (октябрь 1927 — февраль 1931 гг.), помощник начальника сектора 2-го отдела (февраль 1931 — июнь 1933 гг.) РУ штаба РККА

Ревекка Львовна также являлась слушательницей 1-го курса Командно-технического факультета Военно-химической академии РККА (1933 — 1934 гг.) И вновь поездка в Италию, где с декабря 1934 года по сентябрь 1936 года Гинзбург была радисткой нелегальной резидентуры. По возвращении в СССР Ревекку Львовну назначили помощником начальника отделения Разведотдела Закавказского военного округа. На этой должности она проработала с сентября 1936 года до июня 1938 года, исполняя обязанности и политрука. В июне 1938 года Ревекка Львовна была уволена в запас РККА. Гинзбург получала хорошее пенсионное пособие, так как являлась персональным пенсионером. Скончалась в ноябре 1970 года.

## Голубовская Ольга Федоровна
## (Феррари Елена Константиновна)

Родилась в 1899 году в рабочей семье в Екатеринославле. С 14 лет принимала активное участие сначала в профсоюзном, затем и революционном движениях. Во время Октябрьской революции Ольга проводила агитационную работу в воинских частях. С начала гражданской войны она ушла на Южный фронт, где была сестрой милосердия, рядовым бойцом и даже разведчицей в тылу деникинских войск. Голубовская, в совершенстве владеющая французским, английским, немецким, турецким и итальянским языками, заинтересовала советскую военную разведку в 1920 году. Именно в то время Ольга Федоровна с остатками врангелевской армии оказалась в Турции. Молодая девушка сразу зарекомендовала себя способной, талантливой разведчицей. Ей была поручена работа по разложению войск Антанты. С 1922 по 1925 гг. Голубовская выезжала во Францию, Германию, Италию для выполнения спецзаданий. Ольга Федоровна состояла сотрудником-литератором 3 части 3 отдела в резерве разведывательного управления Штаба РККА с января 1926 года. В июле того же года она была отстранена от службы в РККА. С начала 30-х годов Голубовская находилась на нелегальной работе во Франции, где под псевдонимом Феррари Елена Константиновна являлась помощником резидента.

Постановлением ЦИК СССР от 21 февраля 1933 года она была награждена орденом Красного Знамени «за исключительные подвиги, личное геройство и мужество». (Правда, орден ей вручили позднее — 7 июля 1933 года). В июне 1933 года состоящая в распоряжении IV Управления Штаба РККА Ольга Федоровна выдержала письменные и устные испытания по французскому языку, после которых ей было присвоено звание «военный переводчик 1 разряда» с правом на дополнительное вознаграждение. С августа 1935 года по февраль 1936 года Голубовская работала помощником начальника отделения 1 (западного) отдела РУ РККА. В июне 1936 года Ольга Федоровна была удостоена звания капитана.

Волна репрессий, прокатившаяся в органах государственной безопасности, не миновала и Голубовскую. Ольга Федоровна была арестована 1 декабря 1937 года, а 16 июня 1938 года ее расстреляли. Как и многих других, Голубовскую обвинили в шпионаже и участии в контрреволюционной организации. Справедливость восторжествовала очень поздно: Ольга Федоровна была реабилитирована 23 марта 1957 года.

## Гуковская (Калинина) Наталья Исидоровна

Родилась 12 марта 1914 года. В 1930 году вступила в ВЛКСМ, а спустя два года — в РККА. До 1938 года (когда ее уволили в запас) Наталья Исидоровна была в распоряжении разведывательного управления штаба РККА. Гуковская являлась слушательницей Школы РУ РККА с 1935 по 1936 гг. Затем она — техник-интендант 2 ранга. Неоднократно выезжала за границу для проведения агентурной работы. Позже Гуковская защитила диссертацию и стала кандидатом юридических наук. Долгое время Наталья Исидоровна являлась сотрудницей Генпрокуратуры СССР. В соавторстве с А. И. Долговой и Г. М. Миньковской она написала учебное пособие «Расследование и судебное разбирательство дел о преступлениях несовершеннолетних», выпущенное московским издательством в 1974 году.

10 октября 1977 года Гуковская умерла. Ее могила находится на Новодевичьем кладбище в Москве.

## Гучкова-Трэйл Вера Александровна

Родилась в 1906 году в семье Александра Ивановича Гучкова, председателя 3-ей Государственной думы, министра Временного правительства, одного из организаторов корниловского мятежа. В 1925 году вышла замуж за П. П. Сувчинского, который был одним из лидеров движения «евразийцев». Вера Александровна сама стала активной участницей этого движения и присоединилась также к «Союзу возвращения на Родину». В 1932 году она вступила в коммунистическую партию Франции. Одновременно начала работать на ИНО ОГПУ.

В 1935 году Гучкова второй раз вышла замуж. На этот раз ее избранником оказался Роберт Трэйл, английский коммунист, позднее трагически погибший в Испании. Вера Александровна входила в специальную организацию по вербовке добровольцев в Испанию в 1936 году. Затем она около года пробыла в СССР. Гучкова проходила по «делу Райсса». В 1939 году она была интернирована французскими властями. Фашистская оккупация сказалась на судьбе Гучковой. Некоторое время Вера Александровна находилась в концлагере, откуда друзья помогли ей бежать в Лиссабон. В 1941 году Гучкова переехала в столицу Великобритании, где работала на радиостанции Би-Би-Си. В 1960-е годы Вера Александровна вновь посетила СССР. Жизнь ее прервалась в 1987 году.

## Дюбендорфер Рашель

Рашель Геппнер родилась 18 июля 1900 года в Варшаве в семье коммерсанта. В раннем возрасте она вышла замуж за некоего Петера Каспарна, родила

312

от него дочь Тамару. Но после развода в 1918 году Рашель переехала в Германию. Она активно включилась в коммунистическое движение, став сначала членом «Союза Спартака», а в декабре 1918 года — членом Коммунистической партии Германии. С 1921 по 1932 гг. Рашель работала машинисткой-стенографисткой в отделе агитпропа Центрального Комитета КПГ. Тогда же на нее обратили внимание представители Разведупра РККА в Берлине и предложили ей сотрудничество с советской военной разведкой. Рашель согласилась. С тех пор в оперативной переписке она фигурировала под псевдонимом «Сиси».

Когда к власти в Германии пришел Адольф Гитлер, Рашель (еврейке и коммунистке) пришлось срочно уезжать из страны. Заключив фиктивный брак с коммунистом Куртом Дюбендорфером, являвшимся подданным Швейцарии, она также получила швейцарское гражданство. Рашель Дюбендорфер, владея французским, идиш, русским и немецким языками, стала работать машинисткой в Международном бюро труда при Лиге Наций в Женеве. Эта должность обеспечивала надежное прикрытие, ведь Дюбендорфер вышла на связь с советской военной разведкой. В одиночку собирать информацию по военной промышленности Германии и Италии было нелегко. Поэтому Рашель привлекла к разведывательной работе своего супруга, дочь Тамару (которая выполняла обязанности курьера) и еще несколько человек.

Ближайшим помощником Дюбендорфер являлся немецкий коммунист Пауль Беттхер (родился 2 мая 1891 года в Лейпциге), также работавший на советские спецслужбы. Он начинал трудовую деятельность наборщиком в типографии. Став в начале 20-х гг. коммунистом, Пауль вел активную партийную работу. Некоторое время спустя его выбрали членом Центрального комитета Коммунистической партии Германии, а затем и депутатом Саксонского ландтага (парламента) и председателем его коммунистической фракции. Позднее Беттхер был назначен начальником государственной канцелярии в Дрездене. Но в середине 1920-х гг. во время усилившейся фракционной борьбы Беттхер вышел из компартии, а с установлением фашистской диктатуры в Германии эмигрировал в Швейцарию. Рашель Дюбендорфер он знал и раньше, поэтому их совместная работа на советскую военную разведку подкреплялась любовными отношениями. В отличие от своей пассии, Пауль Беттхер находился в Швейцарии на нелегальном положении, так как ему не удалось получить вид на жительство. Он никак не мог устроиться на работу, однако небольшой заработок ему приносили журналистские материалы, которые он периодически публиковал в прессе. Ну, и сотрудничал с Разведывательным управлением РККА в группе «Сиси».

С мая 1941 года эта группа входила в состав организации Ш. Радо. Благодаря Дюбендорфер и ее сотруднику Х. Шнейдеру («Тейлор»), Радо получал с ноября 1942 года от Рудольфа Рёсслера («Люци») чрезвычайно важную информацию, источники которой находились в руководящих кругах рейха.

Однако в апреле 1944 года случилось то, что можно было предсказать: «Сиси» и Пауля арестовала швейцарская полиция. Но через полгода их освободили. Поняв, что оставаться в Швейцарии небезопасно, Дюбендорфер с Беттхером бежали во Францию в мае 1945 года.

Потом судьба развела их. Рашель Дюбендорфер была арестована в СССР в феврале 1946 года. Во время допросов сотрудниками госбезопасности СССР она сошла с ума. Пришлось поместить несчастную женщину в психиатрическую больницу. В 1956 году Дюбендорфер переехала в Берлин, где скончалась 3 марта 1973 года. Пауль Бёттхер жил в Германии (в советской зоне оккупации). С 1956 года он являлся главным редактором газеты «Leipziger Volkszeitung». 17 февраля 1975 года Беттхер скончался в Лейпциге.

## Залесская (Фельдт) Софья Александровна

Родилась 15 марта 1903 года в деревне Смиловицы Влоцлавского уезда Варшавской губернии, в семье землевладельца. До 1916 года Софья жила с родителями, затем училась в Быдгоще. В среднюю школу она поступила в Берлине в 1917 году. В Германии Софья часто посещала собрания социал-демократической молодежи и увлекалась чтением политической и революционной литературы. В январе 1918 года она вступила в организацию «Фрайе Югенд», из которой позднее сформировался Коммунистический союз молодежи. В связи с активной революционной деятельностью (в том числе, участием в Ноябрьской социалистической революции в Германии) Софья была исключена из школы. Обучение пришлось продолжить на курсах.

В начале 1919 года по причине начавшейся в Германии реакции Софья была вынуждена уехать в Швейцарию. Там она работала на фабрике, производящей электролампочки, а позже — прислугой в пансионе. После сдачи экзаменов на аттестат зрелости в середине 1920 года Залесская поступила в Венский университет на химический факультет.

Тогда же началось ее сотрудничество с советской военной разведкой. В планы семнадцатилетней Софьи входило проживание в России. Но так как Залесская владела французским и английским языками, Разведупр РККА решил использовать ее за границей. Три месяца Софья обрабатывала прессу, была на нелегальной технической работе (курьерская связь и дежурство на явке). Так как с 1920 года она состояла в польской коммунистической партии, то первое задание Центр поручил выполнить в Польше. В 1921 году Залесская выехала в Краков с целью создания там разведывательной сети. Ей удалось проникнуть в офицерские круги Кракова, используя родственные связи (Залесская происходила из мелкопоместной дворянской семьи). Она наладила агентурную работу в штабе польской армии и дефензиве (охранном отделении).

В марте 1922 года Залесскую срочно командируют в Берлин. Там германская резидентура Разведупра определила ее кухаркой к лидеру эсеров В. М. Чернову. Материалы, добытые Софьей Залесской, составили основу для подготовки судебного процесса по делу членов эсеровской партии в 1922 году. В рапорте командования отмечалось: «Задачу т. Залесская выполнила блестяще. В условиях ежеминутной опасности она в течение восьми месяцев освещала деятельность враждебного нам центра, сносясь с нами по ночам, после целого дня физического тяжелого труда» (Коллекция ЦГАОР СССР. Наградное дело Залесской С. А.). Определение А. Степанова (Гиршфельда) — А. К. Сташевского гласит, что Софья Залесская работала «в обстановке исключительного напряжения и тяжелого физического труда», также резидент военной разведки в Германии Б. Б. Бортновский писал впоследствии, что свою задачу она выполнила «весьма хорошо».

Во избежание провала Залесская была вынуждена уехать в Австрию. Оттуда в декабре 1922 года руководство перебросило ее на Балканы, где она проработала нелегальным курьером по связи с Румынией и Болгарией до весны 1923 года. Софья Александровна сумела дважды избежать провала — в Сербии и Румынии. Ей удалось передать в распоряжение Центра важные агентурные материалы. Затем Софья Александровна вновь прибыла в Берлин. Однако состояние ее здоровья позволяло выполнять лишь незначительные поручения советской военной разведки. Осенью 1923 года Залесская перенесла тяжелую операцию. Но как только закончился послеоперационный период, Софья Александровна взялась за выполнение специального поручения Разведупра. Это задание имело особое значение, ведь в тот период времени Красная Армия готовилась к походу в Западную Европу на поддержку революции в Германии. Цель работы Софьи Александровны заключалась в создании агентурной сети и поддержке курьерских связей французской и германской резидентур. Через Залесскую сотрудники резидентур нескольких стран передавали материалы Верховного штаба Антанты. В середине 1924 года Софью Александровну отозвали в Москву. Начальство гордилось этой разведчицей. Приведем цитаты из характеристики Софьи Александровны: «Тов. Залесская — прекрасный сотрудник для нелегальной работы» (Бортновский, июнь 1924 г.); «В личной жизни она чрезвычайно скромна и сумела уберечь себя от разлагающего влияния загран. жизни» (Берзин, август 1924 г.) Залесская стала членом РКП(б) в августе 1924 года, но в одном документе 1936 года числится как «член ВКП(б) с 1920 г.» Пребывание в столице СССР было недолгим. В конце августа 1925 года

Залесскую командируют в Польшу для нелегальной работы.

Постановлением ЦИК СССР от 21 февраля 1933 года Софья Александровна была награждена орденом Красного Знамени «за исключительные подвиги, личное геройство и мужество». В декабре 1935 года Залесская находилась в распоряжении Разведупра РККА, а в июне следующего года она стала политруком. Мужем Софьи Александровны был С. Г. Фирин. Ее сестра являлась супругой известного чекиста И. Ф. Решетова. 26 мая 1937 года Залесская была арестована и 22 августа того же года расстреляна. 14 сентября 1957 года Верховный Суд СССР ее реабилитировал.

## Зарубина Зоя Васильевна

Родилась 5 апреля 1920 года в поселке Шереметьево Ухтомского уезда Московской губернии. Зоя Васильевна — дочь легендарного разведчика Василия Михайловича Зарубина от первого брака.

Ее отчимом был небезызвестный Наум Эйтингон. Вместе с ним, резидентом ИНО в Турции, она находилась в Стамбуле с 1929 по 1931 гг. Там Зарубина училась в школе, особенно интересуясь английским, французским и турецким языками. По возвращении в СССР Зоя поступила в московскую среднюю школу № 50 им. В. Р. Менжинского в Кисельном переулке, где в основном учились дети сотрудников органов госбезопасности. Зарубина много времени уделяла занятиям спортом, она входила в число основателей спортобщества «Юный динамовец», организованного при школе в декабре 1934 года. В юном возрасте Зоя Васильевна добилась отличных результатов в своем хобби. Она была мастером спорта по легкой атлетике, чемпионкой СССР и Москвы.

В 1939 году Зарубина окончила школу и поступила на исторический факультет Московского института философии, литературы и истории (МИФЛИ). Зоя Васильевна проучилась там 2 года. В сентябре 1940 года она вышла замуж за своего школьного товарища, к тому времени ставшего сотрудником НКВД, В. М. Минаева.

В начале Великой Отечественной войны Зарубина была эвакуирована в Уфу, где работала в военном госпитале. Затем вместе с мужем переехала во Владивосток. Там она служила переводчиком в территориальном УНКВД. Тогда же Зоя Васильевна родила ребенка. Ей хотелось все свои силы отдать на борьбу с фашистскими захватчиками. Зарубина написала заявление с просьбой отправить ее на фронт. Но благодаря блестящему знанию английского языка она была зачислена в аппарат 1-го управления НКВД СССР в июле 1942 года. В 1943 году Зарубиной присвоили звание лейтенанта госбезопасности.

В 1943-1944 гг. состоялась командировка в Иран. Там Зарубина работала переводчиком специальной оперативной группы, возглавляемой А. М. Отрощенко, и участвовала в обеспечении безопасности Тегеранской конференции «Большой Тройки».

Возвратившись в Москву в 1944 году, Зоя Васильевна решила продолжить обучение. Оставаясь на оперативной работе, она закончила французское отделение ВШ НКГБ СССР. С марта 1944 года Зарубина работала переводчиком группы «С», с сентября 1945 года — отдела «С» НКВД — НКГБ СССР, возглавляемых П. А. Судоплатовым.

В обязанности Зои Васильевны входили оперативный перевод и подготовка для советского руководства и ведущих ученых секретных научных материалов по ядерному оружию, поступавших агентурным путем. Зарубина работала в тесном контакте с некоторыми руководителями советского атомного проекта, в частности, с академиком И. В. Курчатовым.

Летом(?) 1945 года она была переводчиком на Ялтинской(?) и Потсдамской конференциях глав стран антигитлеровской коалиции. Не прекращая своего сотрудничества с органами госбезопасности СССР, Зарубина решила посвятить себя дальнейшей учебе. С 1947 по 1949 гг. Зарубина училась на английском отделении МГПИИЯ, которое закончила с отличием, получив диплом преподавателя английского языка. Параллельно с преподавательской деятельностью и выполнением обязанностей парторга факультета Зоя Васильевна участвовала в подборе кадров для органов госбезопасности.

Осенью 1951 года, после ареста отчима Н. И. Эйтингона, Зарубина была уволена из МГБ. Она продолжала работать в МГПИИЯ имени Мориса Тореза, став деканом английского факультета в 1951 году. В 1961 году Зоя Васильевна была назначена руководителем Курсов переводчиков ООН при этом институте. Через десять лет Зарубина перешла на работу в Высшую дипломатическую школу, в дальнейшем — Дипломатическую академию МИД СССР — РФ.

## Звонарева Наталья Николаевна

Родилась 15 мая 1901 года в Тамбове в семье чиновника Лесного департамента. Наталья Николаевна закончила семь классов гимназии и продолжительное время находилась в Литве, где по линии НКИД работал ее отец. С 1922 по 1923 гг. она училась в Тимирязевской сельскохозяйственной академии.

В 1924 году началось сотрудничество Звонаревой с Разведупром РККА. До 1931 года Наталья Николаевна работала заведующей делопроизводством 2-го отдела Разведупра-IV управления Штаба РККА. Ее первая специальная командировка продолжалась с 1927 по 1929 гг. В коммунистическую партию Звонарева вступила в возрасте 27 лет. В 1931 году (с февраля по июль) Наталья Николаевна исполняла обязанности помощника начальника 2-го сектора 2-го отдела IV управления Штаба РККА. Затем до февраля 1933 года состояла в распоряжении IV управления Штаба РККА. В 1931—1932 гг. Звонареву командировали в Вену, где она числилась сотрудницей полпредства СССР. В феврале 1933 — январе 1935 гг. Наталья Николаевна была сотрудником для особых поручений 2-го разряда Разведупра РККА, затем год проработала секретарем начальника Разведупра РККА. С февраля 1936 по июль 1938 гг. она являлась секретным уполномоченным в секретариате начальника Разведупра РККА. В 1936 году Звонарева стала старшим политруком, и ее наградили орденом «Знак почета». Владея немецким и французским языками, Наталья Николаевна работала старшим референтом бюро прессы Редакционно-издательского отделения Разведупра РККА в 1938 году (с июля по ноябрь). В том же году она была уволена из РККА и долго не могла устроиться на работу, хотя и числилась в резерве НКО СССР.

В начале Великой Отечественной войны Наталья Николаевна входила в состав разведывательной группы, действовавшей в дальних районах Подмосковья. До окончания войны Звонарева являлась сотрудником 7-х отделов (пропаганда среди войск противника) политуправлений ряда армий. За этот период она была награждена орденами Ленина, Красной Звезды (2), Красного Знамени, Отечественной войны 2-й ст. В 1946 году Звонарева работала в советской комендатуре Берлина. Впоследствии Наталья Николаевна вышла в отставку в звании подполковника. Она скончалась в октябре 1994 года.

## Клаузен Анна

Родилась в городе Новониколаевск (ныне Новосибирск) в 1899 году. Первый муж Анны — рабочий Михаил Афанасьев — погиб в первую мировую войну. Выйдя второй раз замуж за коммерсанта Валлениуса, Анна получила финское гражданство, став в 1918 году белоэмигранткой.

В конце 1920-х гг. она жила в Шанхае, где работала санитаркой в больнице. В марте 1936 года Анна под именем Эммы Кениг выехала в Японию. Сотрудничество с советской военной разведкой началось с курьерских поручений, которые ей давал Рихард Зорге. Анна работала в Китае и Японии. Ее мужем стал М. Клаузен. 18 октября 1941 года японская тайная полиция арестовала членов организации «Рамзай», среди которых была и Анна. Ее приговорили к 7 годам тюрьмы, но 9 октября 1945 года освободили и отправили вместе с мужем во Владивосток. Некоторое время супруги Клаузен находились в СССР, а с 1946 года выехали в ГДР. Под фамилией Христиансен они жили в Берлине до 1964 года. Анна Клаузен была награждена орденом Красной Звезды в 1965 году и орденом ГДР «За заслуги перед Отечеством» в золоте. Скончалась она в 1978 году в Берлине.

## Кнут Анна Мария

Родилась в 1906 году в Германии. Анна Мария отличалась редкой красотой и большим артистическим талантом. Поэтому неудивительно, что на родине ее знали как актрису. Но дар перевоплощения был востребован и другой деятельностью: после второй мировой войны Анна Мария работала на советскую нелегальную разведывательную группу в Западной Германии. Кнут получала информацию от своих знакомых офицеров английской и американской армий, служивших в Германии, и передавала ее советским разведчикам. Однако в 1953 году в ходе дезинформационной операции Анна Мария была разоблачена и арестована. В 1954 году Анна Мария Кнут скончалась от рака в тюремной больнице.

## Коплон Джудит

Родилась в 1922 году в Бруклине (Нью-Йорк). Ее отец был преуспевающим производителем игрушек. Окончив школу в 1938 году, Джудит поступила в элитное учебное заведение для девочек — Барнард-колледж, где начала изучать русский язык и культуру. В те годы она увлеклась также журналистикой. Джудит регулярно писала редакционные статьи, требовавшие открытия второго фронта, в газету колледжа. Советский режим казался Коплон весьма гуманным. Тогда она и не подозревала, что значительную часть своей жизни посвятит работе на внешнюю разведку СССР. Окончив колледж в 1943 году, Джудит устроилась на работу в департамент юстиции в

Нью-Йорке. Столь престижное место обеспечили Коплон связи отца.

Сначала она работала в Нью-Йорке, а в 1945 году была переведена в штаб-квартиру министерства в столице США. В Вашингтоне Коплон работала в отделе регистрации иностранных представителей. Согласно американским законам, каждый представитель другого государства, деловой или политический, был обязан регистрироваться в министерстве юстиции. Естественно, что среди прочих документов и бумаг, заведенных на каждого иностранца, находились и отчеты ФБР. На Джудит вышел сотрудник советской резидентуры Валентин Губичев. Коплон передавала ему секретные отчеты ФБР, регулярно выезжая из Вашингтона в Нью-Йорк под предлогом встреч с родственниками.

В 1948 году сотрудники ФБР впервые заподозрили Джудит в том, что она является курьером в советской агентурной сети. В декабре того же года к ним поступила информация, что секретные отчеты в отношении иностранных представителей, въезжающих в США, были представлены в советском посольстве и в других ведомствах. Не установленный источник (возможно, им был один из начальников Коплон) сообщил Эдгару Гуверу (директору ФБР), что женщина, работающая в министерстве юстиции, собирает информацию для советских разведчиков. Описание внешности «завербованной» американки позволило подозревать в связях со спецслужбами СССР именно

Коплон. К тому же Джудит всегда отличалась доскональным знанием советского коммунистического режима, а после представления политического анализа СССР в мае 1948 года была повышена по службе. Эдгар Гувер, узнав о возможном пособничестве Коплон русским, хотел ее уволить как неблагонадежную служащую министерства юстиции. Но сотрудники контрразведки посоветовали ему не спешить с таким решением, обещав установить за Джудит интенсивное наблюдение.

Опрошенные соседи Коплон по дому, в котором она снимала квартиру, охарактеризовали ее как воспитанную и скромную женщину. Но прослушивание телефонных разговоров служащей министерства юстиции США выявило более примечательные черты этой личности.

Наружное наблюдение показало, что во время частых поездок Коплон между Нью-Йорком и Вашингтоном многие документы (в том числе и отчеты ФБР) попадали в руки служащего ООН Валентина Губичева. Однако доказательств того, что Губичев являлся офицером советской разведки, не имелось. К тому же этот человек обладал дипломатической неприкосновенностью, и безосновательные проверки ФБР могли бы повлечь за собой международный скандал.

Решено было взять Коплон с поличным. Однажды агенту понадобился сводный список лиц, подозреваемых в том, что они являются сотрудниками советской разведки. Джудит попросила своего начальника Уильяма Э. Фоли показать ей нужный список, мотивировав это необходимой работой. Фоли поставил в известность директора ФБР Гувера о предоставлении отчета по советским представителям в «Амторге» для Джудит Коплон. Документ был передан Коплон 14 января 1949 года.

В тот же день Джудит выехала в Нью-Йорк, не заметив, что за ней следят четыре агента ФБР. Результаты наблюдения за Коплон показали, что мужчина, встретившийся с ней на Манхэттене в ресторане и неожиданно исчезнувший из поля зрения, — член советской миссии в Нью-Йорке, инженер, работающий в архитектурном отделе ООН. Звали этого мужчину Валентин Губичев.

Арестовывать Коплон не спешили. Ее перевели в другой отдел министерства юстиции США. Однако Джудит под предлогом оказания помощи новому сотруднику на своем прежнем месте снова пользовалась секретными документами ФБР. Она брала их домой, перепечатывала на машинке и затем отдавала Губичеву.

Сотрудники ФБР подготовили письмо, содержащее информацию относительно нескольких лиц из «Амторга». Фоли, как бы невзначай, передал этот документ Коплон. Она немедленно выехала в Нью-Йорк, чтобы передать Губичеву сведения о людях, интересовавшихся геофонами, секретными приборами для измерения давления взрыва, использовавшихся при испытаниях атомных бомб. Вся эта информация содержалась в сфабрикованном ФБР письме. Встреча Коплон и Губичева состоялась 4 марта 1949 года. Сотрудники ФБР арестовали эту пару, обнаружив при обыске в сумке Джудит сверток, содержащий копии 34-х совершенно секретных документов из министерства юстиции, в том числе оригинал письма Гувера помощнику генерального прокурора. Губичев утратил дипломатическую неприкосновенность вследствие перемещения по службе. Он получил единовременное выходное пособие от ООН в размере 2000 долларов и в 1950 году вместе с Коплон предстал перед судом.

Для Джудит это было не первое привлечение к уголовной ответственности. Первый раз она предстала перед судом в июле 1949 года в Вашингтоне. Коплон заявила, что все обвинения в шпионаже в пользу СССР — ошибка, что она — верный и лояльный правительственный служащий, а не шпион и коммунист. Коплон утверждала, что познакомилась с Губичевым в Музее Современного Искусства в Нью-Йорке в 1948 году, и что их связь была исключительно любовной. На самом деле она познакомилась с Губичевым в 1946 году в Нью-Йорке не как с любимым человеком, а как с оператором из советской разведки. Относительно вещественных доказательств (секретных документов, обнаруженных сотрудниками ФБР в ее сумочке) Джудит заявила, что они — сверхсрочная работа, требовавшая анализа на дому. Присяжные совещались двадцать шесть часов и решили, что Коплон виновна. Судья Альберт Ривз приговорил ее к 10 годам лишения свободы.

Вместе со своим адвокатом Арчи Палмером Джудит Коплон выехала в Нью-Йорк, где предстоял еще один суд: над ней и Губичевым. На том слушании дали показания 77 агентов ФБР. Агенты Т. Скотт Миллер и Роберт Вирт показали, что Коплон вела телефонные переговоры со своим адвокатом, записи которых впоследствии были уничтожены. За кражу правительственных документов и покушение на кражу документов, относящихся к национальной обороне, Джудит Коплон и Валентина Губичева признали виновными. Коплон была приговорена к 15 годам тюремного заключения, а Губичева депортировали по соглашению, достигнутому через Госдепартамент.

Однако в 1952 году апелляционный суд пересмотрел дело в отношении Джудит Коплон и отменил ранее вынесенный приговор. Доказательства, представленные ФБР, были признаны недействительными, поскольку включали в себя незаконно прослушанные телефонные переговоры, не представленные в записи адвокату подсудимой. Кроме того, в пользу Коплон были обстоятельства ареста: ее задержали без ордера. Вскоре после этого суда Конгресс принял закон, разрешающий арест без ордера по делам о шпионаже.

Джудит прекратила свое сотрудничество с советской разведкой. Бывшая шпионка вышла замуж за Альберта Соколова. Этот 41-летний юрист работал в фирме, которая вела в суде защиту Коплон. У Альберта и Джудит родились четверо детей. Дальнейшую жизнь Коплон посвятила домашнему хозяйству.

## Коппи Хильда

Хильда Раке родилась 30 мая 1909 года в Берлине. В юности состояла в подпольной организации коммунистической партии Германии. В 1941 году Хильда вышла замуж за Ганса Коппи. В начале второй мировой войны она работала в Имперском страховом банке для служащих, параллельно выполняя задания советской разведки.

Хильда Коппи была арестована 12 сентября 1942 года и помещена в тюрьму. Там 27 ноября 1942 года Коппи родила сына. 20 января 1943 года Имперский военный суд приговорил ее к смертной казни. Исполнение приговора задержали на несколько месяцев по причине выкармливания грудного ребенка Хильды. Коппи была казнена в берлинской каторжной тюрьме Плётцензее 5 августа 1943 года.

6 октября 1969 года Хильду посмертно наградили орденом Отечественной войны 2-й степени.

# Коэн Леонтина (Крогер Хелен)

Родилась 11 января 1913 года в Массачусетсе. Ее отец, Владислав Петке, был выходцем из Польши. В молодости Леонтина участвовала в политической и профсоюзной деятельности, являясь членом коммунистической партии США.

В 1941 году она вышла замуж за Морриса Коэна. Именно супруг привлек Леонтину к сотрудничеству с советской разведкой. С 1941 по 1945 гг. Коэн использовалась в качестве агента-связника резидентуры в Нью-Йорке. По заданию Центра ей удалось добыть образцы урана. (Для этого Леонтина выезжала в Канаду).

В августе 1945 года Коэн командировали в курортный город Альбукерк, расположенный рядом с секретной атомной лабораторией США в Лос-Аламосе. Там состоялась встреча Леонтины и агента советской внешней разведки, передавшего секретные документы по созданию атомного оружия в США. Эти материалы чуть не попали в руки сотрудников ФБР, дежурящих на вокзале. Жесткий режим особой секретности в Альбукерке требовал тщательной проверки всех пассажиров. Леонтина находилась в этом городе якобы на лечении (у нее была справка, подтверждающая воспаление легких). Переданные агентом советской разведки документы она спрятала в коробку с салфетками, «забыв» ее взять из рук сотрудника ФБР, проверявшего документы. Это была уловка: казалось, что коробка с салфетками не представляла никакой ценности.

Леонтина Коэн и ее демобилизовавшийся из армии после войны супруг некоторое время являлись агентами-связниками нью-йоркской резидентуры. Но с 1945 по 1948 год Центр не поддерживал с ними контактов. Причиной тому был переходящий в манию контроль ФБР над всеми подозреваемыми в шпионаже. После возобновления связи с руководством советской разведки супруги Коэны вошли в состав резидентуры разведчика-нелегала В. Фишера (Рудольфа Абеля).

В 1950 году над ними нависла угроза провала. Супруги Коэн были срочно вывезены в Москву, где продолжили свою работу в подразделении нелегальной разведки. В СССР Леонтина прошла дополнительную специальную подготовку и получила специальность «радист-шифровальщик».

В 1954 году супругов Коэн в качестве связников-радистов нелегальной резидентуры направили в Англию. Руководителем этой группы был Конон Молодый (оперативный псевдоним — Бен). Леонтина и Моррис прибыли в Англию по новозеландским паспортам на имя Питера и Хелен Крогер. Там они приобрели небольшой дом в районе базы ВВС в Нортхолте (пригород Лондона) и оборудовали квартиру для радиосвязи с Центром.

За период работы в Англии с 1955 по 1960 год нелегальная резидентура Бена передала в Центр много секретной документальной информации, в том числе по ракетному оружию. Деятельность супругов Крогер высоко оценило московское руководство.

В январе 1961 года британская контрразведка арестовала нескольких англичан, передававших в Вене секретные документы для советской разведки, по показаниям польского агента М. Голеневского, завербованного ЦРУ. В тот же день были арестованы и Леонтина с Моррисом.

13 марта 1961 года суд высшей инстанции Олд Бейли приговорил Хелен Крогер к 20 годам тюремного заключения, не принимая во внимание тот факт, что ее причастность к советской разведке не была доказана.

В 1969 году супругов Коэн обменяли на агента британских спецслужб Джералда Брука. Леонтина и Моррис 25 октября того же года были направлены в Москву.

Леонтина Коэн продолжила работу в Управлении нелегальной разведки. Она выполняла специальные задания, выезжала в различные европейские страны с целью организации встреч с разведчиками-нелегалами, принимала участие в подготовке новых кадров для нелегальной разведки. Леонтина была награждена орденами Красного Знамени и Дружбы народов.

Коэн умерла в Москве 23 декабря 1993 года. Ее похоронили на Новокунцевском кладбище. Леонтине Коэн посмертно было присвоено звание Героя Российской Федерации (1 июня 1996 года).

## Красная (Старке) Елена Адольфовна

Родилась в 1900 году в Кракове в семье адвоката. После окончания гимназии в 1917 году Елена Адольфовна два года проучилась в Краковском университете на юридическом факультете. В студенческие годы она вступила в ряды коммунистической партии Польши. С мая 1920 года Старке находилась в Швейцарии, откуда спустя полгода была выслана обратно в Польшу. В 1921 году Елена Адольфовна пришла в ВЧК. Некоторое время она находилась на нелегальной работе в Чехословакии, где была арестована (впоследствии была вынуждена скрываться в Австрии). В августе 1922 года Елена Адольфовна прибыла в СССР. Она являлась сотрудницей центрального аппарата ИНО ОГПУ, затем получила звание доцента и стала преподавать литературу в Московском педагогическом институте новых языков.

Красная (Старке) была арестована 9 февраля 1937 года. 7 сентября 1937 года Комиссия НКВД СССР приговорила ее к высшей мере наказания «за участие в антисоветской террористической организации». Спустя три дня Елену Адольфовну расстреляли. Красная (Старке) была реабилитирована 4 апреля 1957 года.

# Краусс Анна

Родилась 27 октября 1884 года в Опене (Восточная Пруссия) в многодетной семье крестьянина и каменщика Иохана Фризе. По окончании народной школы и торгового училища Анна переехала в Берлин (1905 год). Там она занималась ведением домашнего хозяйства у родственников. В 1911 году Анна вышла замуж за венгра Иозефа Краусса. Вскоре мужа призвали в армию, и он погиб на фронтах первой мировой войны.

22 ноября 1911 года Краусс родила сына, которого назвала Рудольф. (К несчастью, он умер в 1930 году от газового отравления).

В 1918 году Анна открыла собственную швейную мастерскую, которой руководила довольно долго. Забегая вперед, сообщим, что предпринимательская деятельность была не чужда Краусс: с 1936 года эта немка представляла фирму по оптовой торговле лаками и красками.

В 1926 году Анна Краусс познакомилась с журналистом Ионом Грауденцем. Он заинтересовал ее рассказами о революционном рабочем движении. Анна прониклась симпатией и к журналисту, и к Советскому Союзу, где «народ строил социализм». Сама Краусс не принадлежала какой-либо партии, но была врагом фашизма и милитаризма, помня о гибели своего мужа в первую мировую войну.

Между тем, к власти в Германии пришел Гитлер.

Оппозиция фашистскому режиму существовала подпольно. Анна Краусс стала членом организации Шульце-Бойзена — Харнака, предоставила свой дом в берлинском районе Штансдорф для собраний членов этой группы (среди которых были разведчики, поддерживавшие связи с СССР). Анна также выступала на некоторых заседаниях, попутно осуществляя разведывательную деятельность: передавала нелегальные материалы, временами укрывала в собственном доме евреев, обеспечивая их всем необходимым, а также антифашистов, разыскиваемых гестаповцами.

У Краусс был свой способ добывания информации. Для того, чтобы выведать секретные сведения военного и политического характера у офицеров и государственных служащих, Анна использовала имидж предсказательницы. Она действовала как тонкий психолог, заставляя важных персон невольно рассказывать не только подробности личной жизни, но и обстоятельства службы. При этом Анна убеждала таких собеседников в скором поражении Гитлера.

Она была арестована 14 сентября 1942 года. 12 февраля 1943 года Имперский военный суд приговорил Анну к смертной казни через обезглавливание. Краусс казнили 5 августа 1943 года в берлинской каторжной тюрьме Плётцензее. Посмертно Анну Краусс наградили орденом Красной Звезды (1969 год).

## Кульман Хелена Андреевна

Родилась 31 января 1920 года в Тарту в семье рабочего. Там же окончила среднюю школу, потом — педагогическое училище в Таллинне. В комсомол Хелена вступила в 1940 году. Некоторое время она была комсоргом ЛКСМ Эстонии в школе. В августе 1941 года Кульман была эвакуирована в Челябинскую область, где работала в колхозе «Ленинский путь» в Нязепетровском районе.

С января 1942 года Хелена Андреевна была зачислена медсестрой в эстонскую стрелковую дивизию и в разведорганы Балтийского флота. Во время Великой Отечественной войны (с сентября 1942 года) Кульман регулярно выполняла спецзадания штаба Балтийского флота в тылу врага, в районе Тарту. Она передавала сведения о вооружении и численности ряда гарнизонов противника в Эстонии, о наличии кораблей в некоторых портах. 2 января 1943 года тартуское гестапо арестовало Хелену Андреевну на хуторе у поселка Луутснику (Выруский район). Кульман была казнена 6 марта 1943 года.

8 мая 1963 года ей посмертно присвоили звание Героя Советского Союза. Среди других наград Кульман — орден Ленина, присвоение ее имени Тартускому городскому профессионально-техническому училищу, улицам в Минске, Нязепетровске Челябинской области, Тарту. Имя этой разведчицы было занесено

в Книгу почета ЦК ВЛКСМ, а также присвоено многим пионерским дружинам и отрядам школ в советский период. В Тарту Хелене Андреевне установили памятник.

## Куммеров Ингеборг

Родилась 23 августа 1912 года в Ральштедте (Шлезвиг-Гольштейн) в семье инспектора библиотек. Ингеборг окончила десять классов в ральштедтской школе и затем два года училась в торговом училище.

После 1930 года она переехала в Берлин и там работала консультантом страхового банка. В 1939 году Ингеборг вышла замуж за Ганса-Генриха Куммеров, нелегального разведчика-антифашиста. Она помогала мужу собирать секретную военную информацию и обобщала данные о технических изобретениях, представляемых впоследствии советской военной разведке.

В ноябре 1942 года гестапо арестовало супругов Куммеров. 28 января 1943 года Ингеборг была приговорена к смертной казни Имперским военным судом. Ее казнили в берлинской каторжной тюрьме Плётцензее 5 августа 1943 года.

Ингеборг Куммеров посмертно была награждена орденом Отечественной войны 1-й степени 6 октября 1969 года.

## Куусинен Айно

Родилась в 1893 году. Айно была женой известного финского деятеля международного коммунистического движения Отто Куусинена. С 1924 по 1933 год она являлась сотрудником аппарата Коминтерна, работала референтом по Скандинавии.

На нелегальной работе по линии Коминтерна в США Айно находилась в 1931—1933 гг. В 1934 году она под именем шведки Элизабет Хансен выехала в Японию, где сотрудничала с Рихардом Зорге в качестве агента Разведупра штаба РККА в Японии.

В 1937 году Куусинен вызвали в Москву и арестовали. После освобождения и реабилитации Айно вернулась на родину, в Финляндию.

## Мазаник Елена Григорьевна

Родилась 4 апреля 1914 года в деревне Поддегтярная (ныне Пуховичского района Минской области) в крестьянской семье. Во время Великой Отечественной войны Елена Григорьевна работала горничной в доме гитлеровского ставленника в Минске — Вильгельма Кубе. В сентябре 1943 года на нее вышла советская военная разведка. По заданию командира партизанского отряда «Димы» Мазаник установила мину, на которой и подорвался Кубе. 29 октября того же года Елене Григорьевне присвоили звание Героя Советского Союза.

В 1948 году Мазаник окончила Высшую республиканскую партшколу при ЦК КПБ, а в 1952 году — Минский государственный педагогический институт.

С 1952 по 1960 гг. она работала заместителем директора Фундаментальной библиотеки Академии Наук БССР. Елена Георгиевна — автор книги «Возмездие», вышедшей в Минске в 1984 году. Мазаник была удостоена звания заслуженного работника культуры БССР, награждена орденом Ленина, орденом Отечественной войны I степени, другими медалями.

Елена Георгиевна скончалась 8 апреля 1996 года. Некролог опубликовала газета «Красная звезда» (18 апреля 1996 года).


## Фон Майенбург Рут


Родилась 1 июля 1907 года в Богемии в аристократической семье. Отец Рут — Хейнсиус фон Майенбург — владел несколькими шахтами и потому был баснословно богат. Рут рано вышла замуж за человека своего круга. В 1929—30-х годах она изучала архитектуру в Дрезденской высшей технической школе, затем продолжила обучение в венской Высшей школе мировой торговли. В 1932 году Рут вступила в социал-демократическую партию Австрии, стала членом «Социалистического молодежного фронта». Тогда же она развелась с мужем для того, чтобы зарегистрировать брак с известным социалистом Эрнстом Фишером. (Заметим, что в брежневские времена Фишер, как и Роже Гароди, считался главным «ревизионистом» международного коммунистического движения).

В феврале 1934 года в Австрии произошло восстание рабочих, входивших в социал-демократическую военизированную организацию «Шюцбунд» и требовавших уничтожить фашистский режим. «Шюцбунд» считалась образцовой, самой лучшей социал-демократической партией в мире. Восстание шюцбундовцев было жестоко подавлено войсками. После него одни члены социал-демократической партии Австрии эмигрировали, другие перешли к коммунистам, в том числе Эрнст Фишер и его жена. Рут фон Майенбург приехала в Москву, где участвовала в знаменитом параде шюцбундовцев на Красной площади. Затем она направилась в Прагу. После недолгой работы в Коминтерне Рут перешла в Разведупр РККА. В Разведывательном управлении она выполняла задания советской военной разведки, переезжая из одной европейской страны в другую (1934—1938 гг.) В тот период времени фон Майенбург (в оперативной переписке «Лена») была удостоена звания подполковника РККА. Ее нелегальная работа заключалась в восстановлении связей с коммунистическим подпольем Европы.

В июле 1935 года Рут фон Майенбург приехала в

Вену, где была назначена секретарем австрийско-советского общества.

Важным этапом разведывательной деятельности фон Майенбург стало внедрение в ряды оппозиционно настроенных кругов германской армии и военного министерства. Благодаря дружбе с семейством генерала фон Хаммерштейна-Экворда «Лена» легко справилась с этим заданием. Дочь отставного шефа рейхсвера, Хельга фон Хаммерштейн-Экворд, так же как и Рут исповедовала коммунистические идеалы и была информатором разведывательного аппарата Компартии Германии. Сам генерал и два его сына позднее вошли в группу, руководившую антигитлеровским офицерским заговором. При наличии таких связей Рут подготовила подробный отчет о планах немецкого руководства по развертыванию немецких вооруженных сил на ближайшие три года, состоянии обороноспособности страны, темпах перевооружения германской армии новой техникой, о расширении военного сотрудничества Германии с Италией, о тайных военных заводах. Нарком Ворошилов лично отблагодарил Рут фон Майенбург за проделанную работу.

В 1938 году Рут приехала в СССР и приступила к деятельности в Коминтерне под именем Рут Виден. На одной из руководящих должностей Коминтерна находился тогда в Москве и Эрнст Фишер. Он работал под псевдонимом Питер Виден.

В начале Великой Отечественной войны Рут фон Майенбург исполняла обязанности референта отдела печати в Исполкоме Коминтерна и диктора немецкой радиостанции. После роспуска Коминтерна ее направили в распоряжение ГлавУПРа Красной Армии. С осени 1943 года фон Майенбург руководила фронтовой пропагандистской группой на Белорусском фронте, а с января 1944 года была уполномоченным по работе среди австрийских военнопленных, затем в Институте N 99 при отделе международной информации ЦК ВКП(б).

В 1946 году она родила дочь Марианну. Затем Рут стала писательницей, много работала в театре и кино. В 1955 году она расторгла брак с Эрнстом Фишером. В третий раз Рут вышла замуж в 1964 году. Ее избранником стал Курт Дихтль-Диман. Тогда же фон Майенбург отошла от коммунистического движения. Последней информацией об этой аристократке-разведчице было сообщение в прессе, где говорилось о том, что фон Майенбург поддерживала политику Горбачева в отношении советского государства в конце 80-х годов.

## Мамаева Раиса Моисеевна

Родилась 28 января 1900 года в Калуге в семье рабочего. Мамаева работала в Китае по линии Коминтерна (1920—1923 гг.). В РККА она пришла в 1924 году.

Затем Раиса Моисеевна поступила в московский институт востоковедения имени Нариманова, который окончила в 1929 году. С 1929 по 1931 гг. она работала преподавателем в военных учебных заведениях. С 1931 года Мамаева являлась членом коммунистической партии. Звание техник-интендант 2-го ранга ей было присвоено в 1936 году.

В распоряжение РУ штаба РККА Раиса Моисеевна находилась с 1933 до 1938 гг. Она была научным сотрудником Международного аграрного института (1933—1935 гг.), заместителем заведующего Шанхайским отделением ТАСС (1935—1937 гг.) От последней должности Мамаеву отстранили по болезни.

31 января 1938 года Раиса Моисеевна была уволена со службы в РККА в связи с арестом органами НКВД. Впоследствии, уже реабилитированная, она работала в отделении ТАСС в Китае до 1943 года.

Возвратившись в СССР, Мамаева была сотрудником-консультантом Министерства кинематографии СССР (до 1948 года) и сотрудником Иностранной комиссии Союза писателей СССР (до 1954 года). Прекрасный ученый-востоковед, Раиса Моисеевна написала более 40 научных работ.

## Модржинская Елена Дмитриевна

Родилась 24 февраля 1910 года в Москве в семье бухгалтера. Ее дед происходил из дворян, но в 1863 году был сослан на каторгу и пожизненное поселение, а потому и лишен дворянского звания.

В 1925 году Елена Дмитриевна окончила среднюю школу и прошла годовую практику в редакции газеты «Комсомольская правда». С 1928 по 1930 гг. Модржинская работала гидом-переводчиком и сотрудницей отдела приема иностранцев и референтуры в ВОКСе. В 1930 году она окончила международное отделение факультета советского права 1-го МГУ. Елена Дмитриевна блестяще владела французским, английским, испанским и немецким языками. Она некоторое время работала по различным вопросам в Институте мирового хозяйства и мировой политики Академии Наук. С февраля 1930 года до января 1931 года Модржинская являлась секретарем месткома ЦИК СССР.

В 1931 году по распределению ее направили на работу в Наркомвнешторг. До 1937 года Елена Дмитриевна продвигалась по служебной лестнице: сначала — экономист, потом — референт, старший консультант, руководитель группы по странам в экспортном управлении, а затем (две недели) она работала заместителем директора Музея советского экспорта Всесоюзной торговой палаты. Стоит заметить, что работу Модржинская совмещала с учебой в Академии внешней торговли, которую окончила в 1936 году.

В 1937 году Елена Дмитриевна была направлена в органы НКВД по путевке ЦК ВЛКСМ. До 1940 года она значилась оперуполномоченной 1-го отделения, заместителем начальника 2-го отделения 2 отдела Главного транспортного управления НКВД СССР. В компартию Модржинская вступила в марте 1940 года. С ноября 1940 года до июля 1941 года она была направлена в Польшу, где работала в легальной резидентуре СВР. Там же находился и ее муж П. И. Гудимовичем, который официально занимал пост управляющего имуществом СССР в Варшаве. До 1943 года Елена Дмитриевна была старшим оперуполномоченным 2 отделения 5 отдела, с 2 октября 1942 года — начальником 1-го отделения 3-го отдела 1-го управления НКВД СССР. Также Модржинская возглавляла информационное отделение 1-го управления НКГБ СССР с мая по декабрь 1943 года. В том же году Елену Дмитриевну наградили орденом Красной Звезды и присвоили ей звание майора госбезопасности.

С декабря 1943 по июнь 1946 года Модржинская была заместителем начальника информационного (с октября 1944 года — 8-го) отдела 1-го управления. В 1953 году она пришла в Институт философии АН СССР, где работала до конца своей жизни. Модржинская руководила коллективами, занимавшимися критикой буржуазной идеологии и разоблачением идеологических диверсий. В 1954 году Елена Дмитриевна защитила кандидатскую диссертацию «Космополитизм — орудие современной империалистической буржуазии», а через десять лет — докторскую диссертацию «Распад колониальной системы и идеология империализма». Модржинская была профессором, заслуженным деятелем науки РСФСР. Она умерла осенью 1982 года.

## Никитина Анна Ильинична

Уроженка карельского села Угмойла. После окончания Петрозаводского пединститута Анна Ильинична преподавала математику в деревенской школе.

В начале Великой Отечественной войны она находилась на оборонных работах на Белом море. В 1943—1945 гг. Никитина прошла спецподготовку и была направлена в партизанский отряд. Она участвовала в боях, работала переводчицей с финского языка в военном трибунале, затем служила в контрразведке. Анна Ильинична владела также немецким, нидерландским и шведским языками.

В 1950-е годы пришла во внешнюю разведку, которой посвятила более 10 лет своей жизни. Никитина много работала за рубежом (в четырех странах).

## Норвуд Мелита

Родилась в 1912 году. Ее отец — деятель латышской социал-демократии Александр Зирнис, эмигрировавший в Англию, умер в 1919 году, оставив свою супругу, англичанку, активистку женского социалистического движения, с двумя маленькими дочками на руках. Детство Мелиты прошло в городке Крайстчерн под Борнмутом, где проживала весьма значительная по численности колония русских политэмигрантов. В 19-летнем возрасте Мелита стала членом женского профсоюза конторских работников и секретарш.

Высшее образование она получила в Саутгемптонском университете, где изучала латынь и логику. С 1932 года Мелита работала секретаршей в Британской ассоциации по исследованию цветных металлов (БАИЦМ). В 1933 году она стала членом Независимой партии труда (НПТ), а после распада НПТ в 1935 году Мелита вступила в коммунистическую партию Великобритании.

В 1937 году она вышла замуж за учителя математики Хилэра Норвуда. Тогда же началось сотрудничество (только по идейным соображениям, без материального вознаграждения) Мелиты Норвуд с советской военной разведкой.

На первых порах Норвуд работала личным секретарем директора БАИЦМ. В сентябре 1941 года в Англии начались работы по созданию атомной бомбы (проект «Тьюб эллойз»), проводились исследования свойств цветных металлов, в частности урана. Значительная часть документов, касающихся атомного проекта, проходила через руки начальника Норвуд. Мелита регулярно передавала секретную информацию, содержащуюся в этих бумагах, своему оператору (возможно, Урсуле Кучински, нелегальному резиденту ГРУ в Англии с мая 1941 года). Позднее Норвуд объяснила причину злоупотребления своим служебным положением:

«Я хотела, чтобы Россия могла говорить с Западом на равных. Я делала все это, потому что ожидала, что на русских нападут, как только война с немцами закончится. Чемберлен же еще в 1939 году хотел, чтобы на них напали, это же он толкал Гитлера на восток. Я думала, что русские должны быть тоже способны защищаться, потому что весь мир был против них, против их замечательного эксперимента. И потом, они перенесли такие страдания от немцев... В войне они воевали на нашей стороне, и было бы нечестно не дать им возможности создать собственное атомное оружие».

В 1946 году Мелита Норвуд («Хола») была передана на связь резидентуре ПГУ. Ее новым оператором стал сотрудник лондонской резидентуры ПГУ МГБ Николай Павлович Островский. После объединения ГРУ и ПГУ МГБ в Комитет информации (КИ) в мае 1947 года военная разведка назначила других операторов Норвуд: сотрудников ГРУ Галину Константиновну Турсевич и Евгения Александровича Олейника.

В апреле 1950 года связь с «Холой» была приостановлена. Это было вызвано осуждением Кучински, бывшего оператора Норвуд и Фукса, успевшей уехать в ГДР. Контакт с Мелитой советская разведка возобновила в ноябре 1951 года, когда был расформирован Комитет информации.

В октябре 1952 года на островах Монте Белло возле северо-западного побережья Австралии прошли успешные испытания первой английской атомной бомбы, о которых Норвуд сообщила своему начальству в СССР.

В 1965 году она приступила к работе вербовщицы. В течение двух лет Мелитой разрабатывался один гражданский служащий, проходивший в ПГУ КГБ под псевдонимом «Хант». Согласившийся на сотрудничество с советской разведкой в 1967 году, он на протяжении 14 лет передавал в Москву научно-техническую документацию и сведения о продажах Великобританией оружия.

В целях обеспечения безопасности Мелита встречалась со своими операторами редко: четыре-пять раз в год, обычно на юго-восточных окраинах Лондона. В течение 20 лет (до 1972 года) связь с Норвуд поддерживали следующие сотрудники лондонской легальной резидентуры: Евгений Александрович Белов, Конон Трофимович Молодый, Георгий Леонидович Трусевич, Николай Николаевич Асимов, Виталий Евгеньевич Цейров, Геннадий Борисович Мякинков и Лев Николаевич Шерстнев.

В 1962 году ПГУ КГБ распорядилось о выплате Норвуд пожизненной пенсии в размере 20 фунтов стерлингов в месяц. Но Мелита отказалась от этих денег, сказав, что у нее достаточно средств и что она не нуждается в пенсии. В 1975 и 1979 годах бессреб-реница-разведчица посетила СССР в качестве туриста. Во время второй поездки ей вручили орден Красного Знамени, которым Норвуд была награждена еще в 1958 году.

В 1972 году Мелита прекратила сотрудничество с советской разведкой. В 1986 году, оставшись вдовой, она по-прежнему активно участвовала в левом движении. 11 сентября 1999 года лондонская газета «Таймс» опубликовала статью, в которой говорилось о работе Норвуд на спецслужбы СССР. Такую информацию журналисты почерпнули в книге «Архив Митрохина: КГБ в Европе и на Западе», написанной профессором Кембриджского университета Кристофером Эндрю и бывшим сотрудником ПГУ КГБ Василием Митрохиным.

Мелите Норвуд пришлось отчитываться перед прессой:

«Я уже стара, поэтому не могу полагаться на свою память, я была всего лишь клерком, а не специалистом; я хотела предотвратить поражение той системы, которая дала простым людям хлеб, образование и медицинскую помощь. Я считала, что документы, к которым я имела доступ, могут быть полезны для России, и она сможет быть наравне с Великобританией, США и Германией. Вообще я не одобряю шпионаж против собственной страны; я делала то, что делала, из лучших побуждений, хотя многим трудно это понять».

«Теневой» министр внутренних дел Энн Видде-комб потребовала от правительства немедленно представить разъяснения в отношении Мелиты Нор-вуд. Министр МВД Джек Стро был вынужден признать, что британская разведка, еще в 1992 году узнав имена, адреса и послужные списки бывших советских агентов, нарочно не сообщала о них общественности. Руководству английских спецслужб не хотелось казаться обведенными вокруг пальца русскими разведчиками. Несмотря на громкий скандал, Мелиту Норвуд не вызывали в суд, поскольку расследование в отношении ее пособничества СССР не проводилось.

## Осипова Мария Борисовна

Родилась 27 декабря 1908 года в селе Серковицы (ныне Толочинский район Витебской области), в семье белорусского рабочего. Членом компартии Мария Борисовна стала в 1928 году. В Минске она окончила Высшую сельскохозяйственную партийную школу и юридический институт.

Продолжительное время Осипова находилась на комсомольской и партийной работе, являлась членом Верховного суда БССР.

В начале Великой Отечественной войны она руководила подпольной группой в оккупированном фашистами Минске. С весны 1943 года Осипова выполняла задания военной разведки. Например, в сентябре того же года она пронесла в город две мины, полученные в партизанском отряде «Дима», возглавляемом Н. П. Федоровым. На одной из мин подорвался фашистский верховный комиссар Белоруссии В. Кубе. 29 октября 1943 года Осиповой было присвоено звание Героя Советского Союза.

Мария Борисовна являлась членом Верховного суда БССР, возглавляла группу по рассмотрению ходатайств о помиловании при Президиуме Верховного Совета БССР. Кроме того, она избиралась членом республиканского Комитета защиты мира и депутатом Верховного Совета БССР.

Осипова — персональный пенсионер России, почетный гражданин городов Минск и Нурек (Таджикистан). Среди ее наград — ордена Ленина, Отечественной войны 1-й степени, Трудового Красного Знамени, другие медали.

## Плевицкая (Винникова) Надежда

Родилась 17 января 1884 года в селе Винниково Курской губернии в крестьянской семье. После смерти отца Надежда находилась в Троицком девичьем монастыре, откуда потом уехала в Киев. Обладая незаурядными вокальными данными, она была принята в хор А. Липкиной. В 1909 году, после успешного выступления на Нижегородской ярмарке вместе с Л. Соболевым, Надежда решила начать гастрольную деятельность. Имя Плевицкой приводило в трепет поклонников эстрадной музыки. Сам Федор Шаляпин высоко ценил ее талант.

В первые годы гражданской войны Плевицкая неоднократно выезжала на фронт с концертами для красноармейцев. Во время одной из таких поездок в сентябре 1919 года Надежду взяли в плен белогвардейцы. В популярную певицу влюбился молодой командир корниловцев Скоблин. С ним Плевицкая решила связать свою дальнейшую жизнь.

В эмиграции она продолжила гастроли. Скоблин сопровождал Плевицкую на всех концертах: в Болгарии, Прибалтике, Польше, Берлине, Праге, Брюсселе, Париже и других городах Европы. В 1926 году Надежда выступала в Америке. На свои нью-йоркские концерты она пригласила служащих советского посольства, смутив этим эмигрантов. В газете «Новое Русское Слово» была опубликована статья «Глупость или измена?», рассматривающая неординарный поступок Плевицкой. Певица была вынуждена защищаться: «Я артистка и пою для всех. Я вне политики».

Общественное мнение эмиграции повлияло на карьеру генерала Скоблина, возлюбленного Плевицкой. 9 февраля 1927 года Врангель отдал приказ об освобождении Скоблина от командования корниловцами. Однако в том же году ближайший помощник Врангеля генерал Шатилов, пытаясь укрепить влияние главы РОВС среди ветеранов белой армии, убедил его вернуть опального генерала в Корниловский полк.

24 сентября 1927 года Надежду Плевицкую арестовала французская полиция, обвиняя ее в соучастии в похищении генерала Миллера и шпионаже в пользу Советского Союза. Суд над певицей состоялся в декабре 1938 года. Плевицкой был вынесен приговор: 20 лет каторжных работ и 10 лет запрещения проживания во Франции. (Скоблина судили заочно. 26 июля 1939 года он был признан виновным в похищении генерала Миллера и приговорен к пожизненной каторге).

Весной 1939 года Надежду Плевицкую направили в Центральную тюрьму города Ренн. Там бывшая звезда эстрады тяжело заболела и 5 октября 1940 года умерла.

## Полякова Мария Иосифовна

Родилась 27 марта 1908 года в Санкт-Петербурге. Ее родители работали в торговых представительствах СССР в Германии и Англии, а потому среднее образование Мария получила за границей. С 1925 года Полякова проживала в Москве, работая в КИМе и Коминтерне (1925—1932 гг.). В коммунистическую партию Мария вступила в 1927 году, а на службу в военную разведку пришла в 1932 году.

В 1932—1934 гг. Полякова работала помощником нелегального резидента в Германии. По окончании Школы Разведупра РККА в 1936 году она была направлена в Швейцарию в качестве нелегального резидента Разведупра. Покидая эту страну в 1937 году, Мария Иосифовна оставила своих агентов. Постановлением ЦИК СССР (не подлежащим оглашению) от 17 июля 1937 года она была награждена орденом Красной Звезды.

По возвращении в СССР Полякова работала в центральном аппарате Разведупра РККА-ГРУ Генштаба Вооруженных сил СССР до 1946 года. Она готовила к чекистской работе новых сотрудников, приходивших на смену репрессированным бывшим служащим органов госбезопасности. Деятельность Поляковой продолжалась в подразделениях военно-технической и военной разведки на европейском направлении. В 1946 году Мария Иосифовна перешла на преподавательскую работу.

## Римм Любовь Ивановна

Луиза Клаас родилась в 1894 году в семье эстонского грузчика. В нелегальную революционную организацию Луиза вступила, будучи гимназисткой. Непродолжительное время она работала гувернанткой. По окончании курсов медсестер в 1917 году Луиза была востребована в Московском институте матери и ребенка. Выйдя замуж за К. Римма и начав работу в Разведупре РККА, работала в Китае. В группе Рихарда Зорге Любовь Ивановна (так впоследствии стали звать Луизу Клаас) выполняла обязанности шифровальщицы. Позднее она была помощником начальника библиотеки Разведупра.

## Сахновская-Флерова (Чубарева)
## Мария Филипповна

Родилась в 1897 году в Вильно (ныне — Вильнюс). В коммунистическую партию вступила в 1918 году. Мария Филипповна была участницей гражданской войны. После окончания Военной академии РККА работала военным советником Гуанчжоуской группы, начальником штаба и преподавателем в школе Вампу (Китай).

После возвращения в СССР возглавляла отдел, готовивший партизан и диверсантов Разведупра штаба РККА. Также Мария Филипповна работала начальником сектора 2 отдела, помощником начальника 4 отдела в распоряжении IV Управления Штаба РККА (сентябрь 1926 — февраль 1928 гг.). В 1928 году Сахновскую-Флерову исключили из партии «за принадлежность к троцкистам».

Затем до августа 1932 года Мария Филипповна была сотрудником особых поручений Научно-уставного отдела Штаба РККА и начальником учебного отдела Вечерней Военно-технической академии РККА. Вновь в распоряжении IV Управления Штаба РККА (август 1932 — март 1934 гг.) занималась вопросами подготовки партизан и коминтерновских кадров. Сахновскую-Флерову наградили орденом Красного Знамени.

Она проходила по начсоставу РККА с прикомандированием к штабу Московской Пролетарской стрелковой дивизии до марта 1935 года, а в июне того же года была назначена начальником санаторного отделения Симферопольского военного госпиталя в Кичкинэ. До 15 апреля 1937 года (день, когда Сахновскую-Флерову арестовали) работала начальником санатория «Кичкинэ» Киевского военного округа. 31 июля 1937 года Мария Филипповна была расстреляна. Ее реабилитировали в 1959 году.

## Скаковская Мария Вячеславовна

Родилась в 1878 году. Ее сотрудничество с советской военной разведкой началось в 1921 году в парижской нелегальной резидентуре Разведупра РККА. В скором времени Мария Вячеславовна стала ближайшей помощницей резидента. В 1924 году ее направили в Варшаву для восстановления деятельности нелегальной резидентуры, которой был нанесен ощутимый урон дефензивой (польской контрразведкой). Скаковская была весьма эффектной женщиной, что обеспечивало ей пристальное внимание не только польских офицеров, но и представителей дипломатического корпуса, аккредитованных в Варшаве. Это и сыграло роковую роль в судьбе Марии Вячеславовны. Один из поклонников Скаковской — советский полпред в Польше П. Л. Войков — своими частыми визитами, дорогими подарками и пышными букетами цветов «высветил» цель пребывания красавицы в Варшаве. В июне 1926 года Мария Вячеславовна была арестована и приговорена судом к четырем годам каторжных работ.

Обстоятельства провала советского нелегального резидента в Варшаве и неоднократные телеграммы Скаковской Центру с просьбой оградить ее от настойчивых ухаживаний Войкова стали известны не только Центральному Комитету РКП(б), но и Сталину. По распоряжению «отца народов» дело в отношении П. Л. Войкова рассматривала Центральная контрольная комиссия, которая вышла с предложением в Президиум ЦКК ВКП(б) об исключении «пылкого поклонника» из рядов партии (по некоторым данным он был исключен из партии Президиумом) и порекомендовала освободить его от обязанностей советского посла в Польше. Но в 1927 году Войков был убит в Польше белогвардейцем Борисом Ковердой.

Каторжные работы подорвали здоровье Скаковской. В 1928 году Марию Вячеславовну обменяли на группу арестованных поляков. Скаковская по возвращении в СССР перешла на гражданскую работу. В мае 1928 года ей утвердили партийный стаж с 1921 года. 21 февраля 1933 года Мария Вячеславовна была награждена орденом Красного Знамени. В 1938 году ее не стало в живых.

## Сталь Лидия

Баронесса Лидия Чкалова родилась в 1885 году. С 1926 года она проживала в США, получила там степень бакалавра искусств Колумбийского университета.

Белоэмигрантка, она, тем не менее, начала сотрудничать с советской разведкой. Благодаря своему шикарному образованию Лидия Сталь долгое время была неуязвима для спецслужб Франции (где она находилась с 1931 года). Сталь являлась владелицей фотостудии в Париже, доктором права в Сорбонне, специалистом по китайскому языку и культуре. При этом она предоставляла секретную информацию советским разведчикам. В декабре 1933 года Лидия Сталь была арестована во Франции в результате предательства и приговорена к 5 годам заключения. После второй мировой войны она жила в Аргентине.

# Стучевская Софья Семеновна

Софья Моргулян родилась 19 февраля 1900 года в Харькове. В 1920 году она окончила юридический факультет Харьковского университета.

Первая должность Софьи Семеновны — заведующая канцелярией консульства СССР в Мукдене. Моргулян работала в Китае с 1924 по 1926 гг. Затем РУ штаба РККА направил ее на два года в командировку во Францию. Разведывательную работу Моргулян проводила под псевдонимом Альфонсина Вайе. По возвращении она состояла сотрудником для поручений 3 разряда 3 отдела того же Управления (1930—1932 гг.). Работу Софья Семеновна совмещала с учебой в вечерней военной академии.

Следующая командировка во Францию пришлась на 1932—1933 гг. Позже Моргулян работала секретарем отдела, помощником начальника сектора, заведующей библиотекой 3 отдела РУ РККА (до декабря 1934 года).

С 1934 года она — в аппарате ИККИ. Вместе с мужем П. В. Стучевским Софья Семеновна работала в Аргентине и Бразилии. В январе 1936 года супруги Стучевские были арестованы в Бразилии, но через несколько дней их выпустили под надзор полиции. Некоторое время они находились на нелегальном положении, а затем вернулись в Советский Союз.

С ноября 1936 года Софья Семеновна работала в

ИККИ, а потом — в наркомате оборонной промышленности. Она умерла в 1962 году.

## Троян Надежда Викторовна

Родилась 24 октября 1921 года в Верхнедвинске (ныне Витебская область, Республика Беларусь). В начале Великой Отечественной войны Надежда Викторовна находилась на подпольной работе в городе Смолевичи. Там же принимала участие в создании на торфозаводе подпольной комсомольской организации, члены которой собирали разведданные о противнике, пополняли ряды партизан, оказывали помощь их семьям, писали и расклеивали листовки. С июля 1943 года Троян работала разведчицей и медсестрой в партизанском отряде «Буря» Смолевичского района 4-й партизанской бригады «Дядя Коля» Минской области. Она была задействована в операциях по взрыву мостов, нападениях на вражеские обозы, ликвидации фашистского ставленника — генерального комиссара Белоруссии Вильгельма Кубе. В октябре 1943 года Надежде Викторовне Троян было присвоено звание Героя Советского Союза.

После войны Троян вступила в коммунистическую партию и окончила 1-й Московский медицинский институт. Она защитила кандидатскую диссертацию по медицине и получила должность директора НИИ санитарного просвещения в Министерстве здравоохранения СССР. Надежда Викторовна являлась членом президиума Советского комитета ветеранов войны, Комитета защиты мира, председателем исполкома Союза обществ Красного Креста и Красного Полумесяца СССР.

Ее награждали орденом Ленина, двумя орденами Трудового Красного Знамени, орденом Отечественной войны I степени, Красной Звезды, другими медалями.

## Харрис Кэтти

Родилась 24 мая 1899 года в Лондоне. Отец Кэтти, эмигрант из Белостока, работал сапожником. В 1908 году семья переехала в Канаду. Кэтти, окончив 4 класса школы в Виннипеге, с 12 лет начала работать. Сначала она трудилась на сигарной фабрике, затем стала портнихой. Кэтти являлась членом профсоюза швейников. Повзрослев, она увлеклась идеями социального равноправия и вступила в коммунистическую партию Канады.

В 1923 году вместе с семьей Кэтти переехала в США. В Чикаго она работала секретарем местного отдела профсоюза швейников. Став членом компартии США, непродолжительное время возглавляла отдел по распространению литературы (чикагская организация). Кроме того, Кэтти окончила курсы стенографисток. В 1925 году она вышла замуж за Э. Браудера, вместе с которым в октябре 1927 года через Москву прибыла в Шанхай. До 1929 года Кэтти работала в нелегальном представительстве Профинтерна. Затем она вернулась в Нью-Йорк (опять же — через Москву), где начала трудиться в «Американском негритянском рабочем конгрессе» и секретарем в «Амторге». В 1931 году сотрудник советской внешней разведки А. О. Эйнгорн («Тарасом») завербовал Кэтти. К апрелю 1932 года она уже фактически разошлась с Браудером и по собственному желанию уволилась из «Амторга».

По заданию Центра Харрис приехала в Берлин, где вместе с Э. Такке, Ю. Сосновской и К. Гурским работала в нелегальной резидентуре ИНО. Под именем Э. Дэвис она училась на факультете немецкого языка для иностранцев в Берлинском университете. Неоднократно выезжала курьером в Прагу, Париж и Нью-Йорк. В оперативной переписке Харрис проходила под псевдонимом «Джипси». В связи с угрозой провала Кэтти была срочно отозвана в Москву. Но в столице СССР «Джипси» находилась недолго — с мая по август 1933 года. Центр направил ее в Берлин для работы в нелегальной резидентуре В. М. Зарубина. «Джипси» была оператором ценного агента по линии научно-технической разведки «Наследство» — инженера фирмы «Бамаг». Как курьер она часто ездила во Францию для поддержания связи со спецгруппой «Амброзиуса». Также Харрис регулярно предоставляла информацию от Э. Вельвебера, встречаясь с этим известным морским диверсантом в Швеции и Дании.

В октябре 1935 года Кэтти была направлена на московские разведывательные курсы, где под руководством В. Г. Фишера она изучала радио-фотодело и криптографию.

Затем последовало применение полученных знаний на практике. В 1936 году Харрис исполняла обязанности радистки в нелегальной резидентуре Т. Малли в Париже, а затем — в лондонской нелегальной резидентуре. В январе 1937 года она была отозвана в Москву для переподготовки: требовалось изучить нюансы использования новой техники в разведывательной деятельности. В мае того же года через Францию Кэти приехала в Лондон на нелегальную работу. Она была хозяйкой конспиративной квартиры и связной («Норма», «Ада») агентурной сети. Под руководством легального резидента Г. Б. Грапфена Харрис вышла на связь с Д. Маклином. Вместе с Маклином она уехала в Париж, где училась на курсах французского языка.

Когда фашистские войска оккупировали Францию, Кэтти при содействии Л. П. Василевского через Берлин прибыла в Москву. В июле 1940 года она была зачислена в резерв 1-го Управления НКГБ СССР.

В конце 1941 года Харрис морским путем выехала из Владивостока в США. В Лос-Анджелесе она стала работать связной в резидентуре Г. М. Хейфица («Хитон»), добывая информацию по разработкам и практическому применению атомной энергии.

В 1942—1946 гг. Харрис использовалась в качестве агента-связника Э. Дрэвс в резидентуре 1-го Управления НКВД-НКГБ в Мехико. С июля 1946 года она находилась в Москве, а в феврале 1947 года как иностранка была выслана в Ригу, где проживала в коммунальной квартире. В мае того же года Кэтти Харрис получила советское гражданство. По общепринятому положению в СССР у нее появилось и отчество — Харрис Кэтти стала Гаррис Китти Натановной. Еще в декабре 1937 года она подавала документы о принятии в гражданство СССР, которые впоследствии где-то затерялись. 29 октября 1951 года Китти Натановна была арестована МГБ Латвийской ССР как социально опасный элемент. В феврале 1952 года ее направили на принудительное лечение в Горьковскую психиатрическую тюремную больницу МВД СССР. Ознакомившись с докладной запиской министра внутренних дел СССР С. Н. Круглова на имя Г. М. Маленкова и Н. С. Хрущева, Военная коллегия Верховного Суда СССР 17 февраля 1954 года приняла решение о прекращении дела и освобождении Харрис.

Выйдя на пенсию, Китти Натановна до конца жизни проживала в Горьком. Она скончалась 6 октября 1966 года.

## Ховик Гунвор Галтунг

Во время второй мировой войны Ховик Гунвор Галтунг, подданная Норвегии, работала сестрой милосердия в немецком концлагере для военнопленных в Будё. Среди военнопленных был гражданин СССР В. Козлов, которому она помогла бежать в Швецию. Судьба вновь свела их вместе. В первые послевоенные годы, работая техническим сотрудником норвежского посольства в Москве, Ховик восстановила отношения с Козловым. Именно тогда она была завербована советской внешней разведкой (не без помощи Козлова). Занимая технические должности в МИД Норвегии, Ховик имела доступ к некоторым секретным документам. Информацию, содержащуюся в них, она передавала советской резидентуре в Осло. Эту женщину наградили орденом Дружбы народов. Английским спецслужбам Ховик была выдана предателем О. Гордиевским. В январе 1977 года ее арестовали. Но Ховик не пришлось предстать перед судом — она умерла в камере предварительного заключения летом 1977 года.

## Шаббель Клара

Родилась 9 августа 1894 года в семье берлинских рабочих, членов социал-демократической партии.

Окончив восьмилетнюю народную школу, Клара Шаббель работала в Берлине и Бадене продавщицей, машинисткой и стенографисткой. В 1913 году она вступила в молодежную социалистическую организацию, в следующем году став членом СДПГ. В начале первой мировой войны Клара примкнула к леворадикальной группе Карла Либкнехта и Розы Люксембург. В 1918 году Шаббель работала секретарем Прусского Совета рабочих депутатов, а в 1919 году вступила в коммунистическую партию Германии. До 1920 года Клара работала в Западноевропейском секретариате Коминтерна в Берлине, а в 1920—1923 гг. — в КИМе.

В октябре 1923 году Шаббель вместе со своим мужем Г. Робинсоном вела подрывную работу в Рурской области в преддверии германского вооруженного восстания. А с 1924 года она находилась в Москве в качестве сотрудника центрального аппарата Разведупра РККА. Затем Клара с сыном Лео проживала в Берлине. После прихода к власти Гитлера она с давними коллегами по Коминтерну занималась подпольной антифашистской пропагандой. Квартира Шаббель использовалась Разведывательным управлением РККА как конспиративная, на ее адрес приходила почта для агентов советской разведки.

Клара Шаббель и несколько человек из окружения коммуниста Хюбнера поддерживали контакт с группой Харнака — Шульце-Бойзена, что при нацистском режиме в Германии было далеко не безопасно.

18 октября 1942 года Клару арестовали и по приговору Имперского военного суда от 30.01.1943 г. казнили 5 августа 1943 года.

## Шлёзингер Роза

Родилась 5 октября 1907 года во Франкфурте-на-Майне в рабочей семье. Получив специальность воспитательницы детского сада, Роза продолжила свою учебу в вечерней школе. Вскоре она сдала государственный экзамен на звание воспитательницы в благотворительных учреждениях. Но с приходом к власти в Германии НСДАП Роза не смогла продолжать работу по специальности.

Овладев основами машинописи и стенографии, а также иностранными языками, она устроилась на завод фирмы туристского снаряжения «Вандерер» в Хемнице. Какое-то время спустя на новом месте работы Роза «доросла» до должности секретаря дирекции.

В 1936 году она вышла замуж за переводчика в Министерстве иностранных дел Бодо Шлезингера. Вместе они переехали в Берлин. Бодо Шлезингер являлся коммунистом, с 1932 года он входил в возглавляемый Арвидом Харнаком кружок оппозиции Адольфу Гитлеру. Роза также прониклась антифашистскими идеями, решив помогать друзьям мужа.

Во время второй мировой войны Арвид Харнак использовал ее в качестве курьера в своей разведывательной деятельности в пользу СССР. Роза передавала радисту организации Гансу Коппи зашифрованную информацию для советской разведки.

В октябре 1942 года Шлёзингер была арестована. 20 января 1943 года Имперский военный суд приговорил ее к смертной казни. Роза Шлёзингер была казнена 5 августа 1943 года в берлинской каторжной тюрьме Плётцензее.

Бодо Шлёзингер тогда находился в воинской части на Восточном фронте. 22 февраля 1943 года он покончил жизнь самоубийством, узнав о вынесенном его жене смертном приговоре.

Роза Шлезинберг была награждена посмертно орденом Красной Звезды (1969 год).

## Шоттмюллер Ода

Родилась 5 февраля 1905 года в Познани. Она была на редкость талантливой девушкой с неординарным мышлением и, что самое важное, целеустремленной. После окончания школы Ода поехала в Оденвальд (Обербрамбах), где получила специальность мастера по изготовлению изделий из серебра. Затем она продолжила образование в училище художественных ремесел во Франкфурте-на-Майне и в Высшей художественной школе в Берлине. В 1928 году Ода Шоттмюллер была принята в учебный класс скульптора Милли Штегер, одновременно пройдя курс занятий в школе художественной гимнастики и танца (сдав экзамен на звание преподавательницы гимнастики).

В 30-х годах Ода Шоттмюллер как участница коллектива молодых танцовщиц при Берлинском народном театре выступала с танцевальными номерами, для которых сама создавала удивительно красочные маски. Кроме того, она регулярно выставляла свои скульптурные работы на многих выставках.

Подружившись со скульпторами Элизабет и Куртом Шумахерами, Ода во время второй мировой войны вместе с ними работала в антифашистской организации Шульце-Бойзена — Харнака. Шоттмюллер занималась распространением нелегальных изданий; в ее квартире проходили встречи Харро Шульце-Бойзена, Ганса Коппи, Вальтера Хуземана и других членов организации. Из квартиры Оды Ганс Коппи передавал радиошифрограммы для разведки Советского Союза.

Шоттмюллер была арестована в сентябре 1942 года. 26 января 1943 года Имперский военный суд приговорил ее к смертной казни. 5 августа 1943 года Ода Шоттмюллер была казнена в берлинской каторжной тюрьме Плётцензее. В 1969 году ее посмертно наградили орденом Красной Звезды.

## Штёбе Илзе

Родилась 17 мая 1911 года в Берлине в рабочей семье. По окончании народной школы и торгового училища Илзе устроилась на работу в берлинский издательский концерн Моссе. Сначала она находилась на должности секретаря-машинистки, а после стала журналистом.

С 1931 года Илзе являлась сотрудницей советской военной разведки. Ее было удобно использовать в качестве источника информации. Ведь Штебе приходилось добывать сведения по служебным обязанностям в издательстве. В 1932—1939 гг. Илзе работала корреспондентом немецких и швейцарских газет в Варшаве, являясь членом разведгруппы Р. Геррнштадта. Из Польши Штебе неоднократно выезжала и в другие страны.,

С 1939 года Илзе была сотрудницей Информационного отдела германского МИД в Берлине, отдела рекламы завода «Лингнер» в Дрездене. Она руководила разведывательной группой, радистом которой являлся К. Шульце, а основным агентом — видный дипломат Р. фон Шелиа. Связь с легальной резидентурой обеспечивал Н. М. Зайцев. Агентура Штебе регулярно передавала важную информацию советской разведке. Одним из ценных сведений было сообщение о подготовке гитлеровской Германии к войне с СССР.

12 сентября 1942 года Илзе Штебе была арестована. Ее долго пытали, но мужественная женщина не

выдала своих коллег по разведывательной работе. 14 декабря 1942 года Штебе была приговорена к смертной казни. Спустя восемь дней ее казнили в берлинской тюрьме Плётцензее.

В 1969 году Илзе Штебе была награждена посмертно орденом Красного Знамени «за активное участие в борьбе против фашизма, помощь Советскому Союзу в период Великой Отечественной войны и проявленные при этом мужество, инициативу и стойкость».

## Шульце-Бойзен Либертас

Родилась 20 ноября 1913 года в Париже в семье профессора искусствоведения Отто Хаас-Хейе и графини Виктории цу Ойленбург унд Хертефельд. В 1926—1931 гг. Либертас училась в цюрихском лицее для девочек. В Берлине она сдала экзамен на аттестат зрелости, а затем переехала на некоторое время в Англию.

С 1933 по 1939 гг. Либертас работала пресс-референтом в берлинском филиале американской кинокомпании «Метро-Голдвин-Майер». 21 июля 1936 года она вышла замуж за Харро Шульце-Бойзена. В качестве корреспондента Либертас сотрудничала с эссенской газетой «Националь цайтунг», позже служила референтом по вопросам искусства, краеведения и этнографии в Германском центре научно-популярных фильмов, подчинявшемся имперскому министерству пропаганды.

Либертас Шульце-Бойзен разделяла антифашистские взгляды мужа и была в курсе его разведывательной работы в пользу СССР. Она помогала в подготовке и размножении нелегальных материалов, выполняла многочисленные курьерские поручения. Также Либертас занималась вербовкой новых членов организации для борьбы с фашистским режимом.

Летом 1939 года Шульце-Бойзен была арестована в Восточной Пруссии по подозрению в шпионаже, но вскоре освобождена.

После ареста мужа Либертас уничтожила материалы антифашистской организации, документы, подтверждающие сотрудничество с советской разведкой — для того, чтобы информация, содержащаяся в них, не попала в руки гестаповцам. 8 сентября 1942 года Шульце-Бойзен была арестована. 19 декабря 1942 года Имперский военный суд приговорил ее к смертной казни. Через три дня Либертас Шульце-Бойзен казнили в берлинской каторжной тюрьме Плётцензее.

## Шумахер Элизабет

Родилась 28 апреля 1904 года в Дармштадте в семье обер-инженера. Детские годы Элизабет прошли в Майнингене. Затем Элизабет училась в школе художественных ремесел в Оффенбахе-на-Майне, по окончании которой занималась художественным творчеством. Кстати, муж Элизабет — Курт Шумахер — тоже был художником.

Супруги вместе работали в подпольной организации Шульце-Бойзена — Харнака.

Элизабет была арестована в сентябре 1942 года. 19 декабря 1942 года Имперский военный суд приговорил ее к смертной казни. Приговор был приведен в исполнение спустя три дня. Местом казни Элизабет Шумахер стала берлинская каторжная тюрьма Плётцензее.


В книге использованы документы из следующих архивов:

Архив Гуверовского университета.
Российский государственный исторический архив.
Служба регистрации и архивных документов УФСБ по Санкт-Петербургу и Ленинградской области.
Центральный архив ФСБ РФ (Москва).
Центральный государственный исторический архив (Санкт-Петербург).
Центральный государственный архив мэрии Санкт-Петербурга.

# Библиография

Антонов В.  Полковник Африка // Кто есть кто? 2000. № 4.

Базилева З. П.  Архив семьи Стасовых как источник для изучения революционной ситуации в России // Революционная ситуация в России в 1859-1861 гг. М., 1965.

Бирюзов О.  Советский солдат на Балканах.

Большая Советская Энциклопедия. М, 2001

Богданов А. А.  Девушки-разведчицы // Армейская контрразведка в годы войны.

Бухарин Н. И. Теория исторического материализма. М., 1930.

Ваксберг А.  Валькирия революции. СПб., 1997.

Воскресенская З. И.  Под псевдонимом Ирина: Записки разведчицы. М., 1997.

Воскресенская З. И.  Тайна Зои Воскресенской. М., 1998.

Герасимова В.  Беглые записки // Вопросы литературы. 1989. № 6.

Герои незримого фронта. (Сборник; сост. Иванов С. Д.). Ужгород, 1978.

Горький М.  В. И. Ленин. Полное собрание сочинений, т. 20. М., 1974.

Гуро И. Р. Избранные произведения. М., 1985.

Денисов В., Матвеев П.  Таинственная Эрна // Независимое военное обозрение. М., 2001. 19 января.

Елпатьевский А. В. Испанская эмиграция в СССР начала 1930-х гг. // Архив № 3, май — июнь 1999 // Аналитические исследования в исторической науке.

Зданович А. А. Свои и чужие — интриги разведки. М., 2002.

Зелинский К. В июне 1954 года // Минувшее. 1988. № 5.

Зиновьев Г. Е. Воспоминания // Известия ЦК КПСС, 1989.

Жухрай В. Тайны царской охранки: авантюристы, провокаторы. М., 1991.

Кочиков С. Мария Фортус. Киев, 1976.

Колпакиди А., Прохоров Д. Все о внешней разведке. М., 2002.

Короленко В. Г. Воспоминания, статьи, письма. М., 1988.

Костанян Л. У чекистов чистые руки // Российские вести. 2001. № 44. 26 декабря.

Крупская Н. К. Воспоминания о В. И. Ленине. М., 1968.

Кутузов В. А., Лепетюхин В. Ф., Седов В. Ф., Степанов О. Н. Чекисты Петрограда на страже революции. М., 1986.

Лашкул В. Разведчицы-нелегалы // Литовский вестник. 2000. Вильнюс, 26 октября.

Ленин и ВЧК, 1917-1922. ГАНО-П. ф. 1, оп. 1.

Легкий Д. М. Д. В. Стасов в материалах семейного архива // Кафедра истории России. Вып. № 17.

Либединская Л. Зеленая лампа. М., 1964.

Лукин Е. В. На палачах крови нет. СПб., 1996.

Медведев Д. Н. Сильные духом. М., 1957.

Медведев Р. Сталин и сталинисты. М., 1991.

Одноколенко О. Вальс с Шуленбургом // Итоги. № 18.

Павчинский А. А., Тумшис М. А. Щит, расколотый мечом. НКВД против ВЧК. М., 2001.

Петров М. Документы местных архивов как источник изучения органов ВЧК — ФСБ РФ//Исторические чтения на Лубянке, 1998.

Петров М. Питерские рабочие в борьбе с контрреволюцией в 1917 — 1918 гг. М., 1986

Петров М. Проблемы истории Всероссийской чрезвычайной комиссии // Исторические чтения на Лубянке. 1998.

Петров Н. В., Скоркин К. В. Кто руководил НКВД в 1934-1941 гг. (Справочник). М., 1999.

Подлящук П. Богатырская симфония. М., 1984.

Ройзман М. Все, что помню о Есенине. М., 1973.

Раскольников Ф. О. О времени и о себе. М., 1991.

Реабилитация. Политические процессы 30-50-х годов. М., 1991.

Самусевич А. Г. Венок Есенину. Калининград, 1996.

Санчес Г. Революция 1934 года в Астурии. Мадрид, 1974.

Седов В. Ф., Степанов О. Н. Ленинградские чекисты в годы Великой Отечественной войны. СПб., 1995.

Стасова Е. Д. МОПР за рубежом // ГАРФ. Ф. 8265, оп. 1 д. 83.

Стасова Е. Д. Страницы жизни и борьбы. М., 1988.

Суворов О. Вскрытие покажет // Искатель. 1999. № 9.

Судебный отчет по делу «правотроцкистского блока». Полный текст стенографического отчета. М., 1938.

Судоплатов П. А. Разведка и Кремль. М., 1996.

Троцкий Л. Д. Итоги процесса // Бюллетень оппозиции. 1938. № 65. апрель.

Хлысталов Э. Предатели советской разведки // Литературная Россия. 2001. 13 июля.

Хлыстов Э. Смерть на Ваганьковском кладбище // Советская Сибирь. 2002. 5 апреля.

Чаава В. Фотографии осени 17-го // Вечерняя Москва. 1987.

Чернов Ю. М.  Земля и звезды. Повесть о Павле Штернберге. М., 1991.

Шарапов Э.  Другая жизнь Зои Воскресенской // Красная звезда. 2002. 12 января.

Шелленберг В.  Мемуары. М., 1991.

Шелленберг В.  Лабиринт. М., 1991.

Щербакова Е. И.  Политическая полиция и политический терроризм в России второй половины XIX — начала XX вв. М., 2000.

Яковлева В. Н. Подготовка восстания в Московской области // Пролетарская революция. 1922. № 10.

# Содержание

**Бережков В. И.**
**Пехтерева С. В.**

# Женщины-чекистки

Ответственные за выпуск
С. З. Байкулова, Я. Ю. Матвеева

Редактор
К. М. Успенская

Компьютерный дизайн и верстка:
М. В. Лебедева, В. И. Пищалев

Подписано в печать 10.11.2002.
Формат 84×108$^1$/$_{32}$. Гарнитура «Ньютон».
Печать офсетная. Бумага газетная.
Уч.-изд. л. 11,73. Усл. печ. л. 20,16.
Изд. № 03-5164. Тираж 5000 экз. Заказ № 2186.

«Издательский Дом „Нева"»
199155, Санкт-Петербург, ул. Одоевского, 29

Издательство «ОЛМА-ПРЕСС Образование»
129075, Москва, Звездный бульвар, 23А, стр. 10

Отпечатано с готовых диапозитивов
в полиграфической фирме
«КРАСНЫЙ ПРОЛЕТАРИЙ»
127473, Москва, Краснопролетарская, 16